W9-AEC-072

ANDRÉ MAUROIS

de
l'Académie française

DE GIDE A SARTRE

ANDRÉ MAUROIS

de l'Académie française

DE GIDE
A SARTRE

LIBRAIRIE ACADÉMIQUE PERRIN
PARIS

IL A ÉTÉ TIRÉ DE CET
OUVRAGE 100 EXEMPLAIRES
DE LUXE NUMÉROTÉS DE
1 A 100, CONSTITUANT
L'ÉDITION ORIGINALE

NOTE LIMINAIRE

Dans un volume précédent : De Proust à Camus, j'avais réuni des études sur quelques écrivains contemporains. Beaucoup de lecteurs ont exprimé le désir que soit continuée cette série, nécessairement incomplète. Voici une nouvelle tranche. Elle est loin d'épuiser la liste de ceux dont il faudrait parler. Tolstoï écrivait chaque soir dans son carnet, à la date du lendemain : « Si je vis... » Un troisième volume me permettra peut-être de remplir, au moins pour une part, les lacunes inévitables en une telle entreprise. Si je vis...

A. M.

ANDRÉ GIDE

André Gide, né en 1869, appartient à la grande génération de Claudel, de Valéry, de Proust, d'Alain. Il fut le seul d'entre eux à obtenir le prix Nobel. Ainsi sa jeunesse difficile de puritain en lutte avec ses instincts, ainsi ses révoltes et ses non-conformismes, sa pointe vers le communisme (suivie d'une prompte retraite), débouchèrent sur une vieillesse glorieuse qui rappelle celle de Gœthe. Non seulement il était devenu un monstre sacré, honoré, mais il avait à la fois gardé les amitiés de sa jeunesse et obtenu l'audience des nouvelles générations. Il ne leur apportait aucune doctrine, aucune idée neuve, car il n'avait considéré toute doctrine que comme un abri pour sa sensualité. Mais peut-être était-ce là une philosophie, ou plutôt un doute méthodique, qui ne reconnaissait d'autre réalité que la parfaite sincérité du désir. Elevé dans une trop stricte discipline, il en avait secoué et brisé les entraves, mais il avait « reporté l'idée de contrainte », si indispensable à sa nature, sur une sorte d'ascétisme artistique. Par le style comme par la culture, Gide a été un classique. Il ne possédait ni la naturelle liberté de Montaigne, ni la rigueur de pensée de Valéry, ni le génie de Proust, ni la profondeur d'Alain. Cependant il plaisait par sa longue jeunesse et par sa ferveur. Il est difficile de dire ce qui restera de l'œuvre ; l'homme laissera le souvenir d'une réussite d'autant plus étonnante que sa jeunesse avait paru contenir tous les germes de l'échec.

I

De l'auteur le plus aimé des adolescents de mon temps, au temps de mon adolescence je ne savais presque rien. Il était pourtant déjà fort célèbre et j'ai vu plus tard, dans les lettres de Jacques Rivière et d'Alain-Fournier, tous deux garçons de ma génération, que son œuvre avait été au centre de leurs pensées. Mais j'étais un lycéen provincial, et d'une province conservatrice ; j'avais, au lycée de Rouen, de vieux maîtres qui me faisaient lire Homère et Tibulle plutôt que Verlaine et Rimbaud ; et les plus modernes d'entre eux, s'ils allaient jusqu'à France et Barrès, ignoraient Claudel et Gide.

Après la guerre de 1914, au cours de laquelle j'avais publié mon premier livre, Paul Desjardins, critique et professeur, me demanda de venir passer quelques jours dans une vieille abbaye bourguignonne, à Pontigny, avec un groupe d'écrivains qui se réunissaient là chaque été. Il me disait dans cette lettre que l'un des attraits de la réunion serait la présence d'André Gide.

Je me souviens avec précision de cette première arrivée à Pontigny, par un petit chemin de fer à voie étroite. Toutes les portières s'ouvraient et, de chaque compartiment, sortaient des chapelets d'hommes de lettres. Sur le quai, à côté de notre hôte, était un homme au visage rasé dont les traits évoquaient certains masques japonais, visage si étonnant qu'il en devenait beau. L'homme, vêtu d'une grande pèlerine de montagnard, dans laquelle il s'enveloppait avec une élégance naturelle, portait un large chapeau à calotte pointue, fait d'une sorte de velours gris. C'était André Gide.

Nous revînmes à pied de la gare à l'Abbaye et, dès cette première conversation, je fus conquis. Par quoi ? D'abord par une étonnante impression de jeunesse, jeunesse qui bondissait à la fois dans le regard, dans l'allure désinvolte, dans la curiosité de la pensée. Rien de ce qu'il disait n'était banal. Sur chaque sujet, il essayait de tirer de l'interlocuteur, non des acquiescements superficiels, mais des sentiments « authentiques ». La plupart des êtres humains ne sont que disques de gramophone. Dès qu'on devient leur familier, on connaît leur répertoire. Gide restait vivant. Grande originalité. Sa voix dentale m'étonna. Elle avait quelque chose de tranchant dans l'hésitation, de positif dans la négation. « Enjôleuse, confidentielle et grave », disait Martin du Gard, « avec, par instants, un brusque éclat, lorsqu'il entend faire un sort à quelque terme choisi, chargé de sens. »

Cette vie de Pontigny me plut. De deux heures à quatre heures, chaque jour, avait lieu une discussion publique sur un sujet imposé. C'était la partie académique du séjour ; mais, pendant le reste du temps, on pouvait se promener à pied tantôt avec Gide, tantôt avec Martin du Gard, tantôt avec Mauriac, entretiens plus libres et plus agréables. Le soir, après dîner, on se réunissait pour les « petits jeux ». Gide en était l'âme, et là encore l'impression de jeunesse s'imposait par le plaisir presque enfantin qu'il prenait à jouer, par exemple, aux portraits littéraires. Un des camps désignait secrètement un héros de roman, l'autre interrogeait et devinait. Je me souviens du ton sur lequel, alors que nous avions choisi le Méphistophélès de Gœthe et que notre camp demandait à Gide, chef du camp adverse : « Est-il de vos amis ? » Gide répondait : « Je m'en flatte ! » Coquetterie satanique.

Dans les discussions, je fus frappé par sa mobilité. Comme il arrive en toute société humaine, il se forma très vite, à Pontigny, des *partis,* non politiques, mais littéraires et philosophiques. Il était rare que Gide

16

appartînt longtemps à l'un d'eux. Quand je le lui fis remarquer : « Comment discuterais-je ? » me répondit-il. « Dans une discussion, je suis toujours du côté de l'adversaire ! » Jacques Rivière a observé que, pour Gide, « une idée, c'est surtout plusieurs autres » et Gide lui-même a écrit : « La nécessité de l'option me fut toujours intolérable. » Il enseignait que c'est par ses contradictions qu'un individu révèle sa sincérité.

Dans les conversations particulières, il avouait une crainte de la solitude, une faculté d'ennui pouvant aller jusqu'au désir de la mort, qui, mêlées à sa gaieté des autres moments et à sa curiosité juvénile, composaient un personnage mystérieux, complexe et attachant.

Pendant ce séjour, je lui avais raconté que je travaillais à une Vie de Shelley. Il me dit :

« Voulez-vous me la montrer ? »

Je répondis :

« Mais elle n'est pas achevée... »

« Justement », me dit-il, « je n'aime que ce qui n'est pas achevé. Un livre fini me donne l'impression d'une chose morte, à laquelle on ne peut plus toucher. Un livre en train de se faire a, pour moi, tout l'attrait d'un être vivant. »

J'allai donc lui porter mon embryon de manuscrit, dans une maison qu'il possédait en Normandie, pas très loin de la mer, à mi-chemin entre Le Havre et Fécamp. Je connus là cette grande gentilhommière blanche qu'il a décrite dans *La Porte Etroite :*

« Ressemblant à beaucoup de maisons de campagne du siècle avant-dernier, elle ouvre une vingtaine de grandes fenêtres sur le devant du jardin, autant par derrière ; les fenêtres sont à petits carreaux... Le jardin rectangulaire est entouré de murs, il forme devant la maison une pelouse large, ombragée, dont une allée de sable et de gravier fait le tour. »

La maison donnait une impression de calme et de beauté, dans un paysage automnal, « en marge de la mer ». Là je compris cette part du caractère de Gide qui était d'un grand bourgeois normand ; la noble simplicité de son accueil me rappela, comme une résonance harmonique, la naturelle dignité, la courtoisie qui m'avaient frappé en lui au moment de notre première rencontre. Je lui lus mon manuscrit. Il m'écouta patiemment, en prenant des notes, et me fit ensuite des critiques dont la justesse et le goût m'enchantèrent. Peu d'hommes avaient autant que lui le sens du langage ; peu d'hommes étaient aussi bons juges de ce qui, dans un livre, est nécessaire et de ce qui est faux ornement. Le lendemain, il me lut à son tour quelques chapitres des *Faux Monnayeurs* auxquels il travaillait alors. Je partis heureux, stupéfait de l'écart entre le Gide de la légende et celui que je venais de découvrir.

Plus tard, je devais comprendre qu'il y avait tout de même une part de vérité dans la légende, et que la description que j'aurais faite de Gide après cette première rencontre n'eût pas été, elle non plus, entièrement exacte. C'est qu'il n'y avait pas un seul Gide. D'ailleurs quel homme est un seul homme ?

II

« A cet âge innocent où l'on voudrait que toute âme ne soit que transparence, tendresse et pureté, je ne revois en moi qu'ombre, laideur et sournoiseries. » Et aussi : « C'est mon enfance solitaire et rechignée qui m'a fait ce que je suis. » Ces confessions étonnent. Sur la foi de son autobiographie les critiques ont décrit Gide comme un puritain qui, ayant reçu une éducation trop sévère, serait devenu un rebelle par horreur du puritanisme de sa famille. C'est une explication sommaire et qu'il faut nuancer.

André Gide descendait par son père, Paul Gide, professeur de Droit, de protestants du Midi (son grand-père était pasteur), par sa mère d'une famille rouennaise, les Rondeaux, riches industriels, catholiques devenus protestants par mariage. Un Rondeaux avait été maire de Rouen et une rue y porte son nom. Des deux côtés on possédait des fortunes. Un manoir à Cuverville, un château à la Roque-Baignac (Calvados), un foyer huguenot dans le Sud-Est (Uzès, Montpellier), un bel appartement à Paris rue de Tournon. Gide est né riche, bourgeois de bonne société protestante et ne s'est intéressé que fort tard, et de loin, aux luttes sociales de son temps.

Son père fut pour lui tendre et amical ; sa mère « restait soucieuse des autres et de leur jugement ». Jean Delay (1) définit très bien les parents de Gide : « A l'un le charme, la gaieté, la tolérance, la culture intellec-

(1) *La Jeunesse d'André Gide* (Gallimard).

tuelle ; à l'autre une gravité un peu lourde, l'austérité.
le culte de la morale. » La jeunesse de Gide se passa
dans l'atmosphère de la Bible et des Evangiles. La rigueur calviniste de sa mère devait susciter une résistance. Il lui ressemblait, la craignait et la respectait. Les
Freudiens diraient (et ont dit) qu'il faut voir, dans ce
respect d'une mère abusive, l'origine de la sensualité
anormale du fils. Toujours aussi il allait être fidèle aux
traditions d'économie, de vie simple dans l'opulence
qu'elle lui avait transmises.

Il perdit son père à douze ans. Ce fut pour lui un
malheur sans remède. Nul ne contrariait plus les exigences de la mère, pleine de vertus haïssables, et dont
« l'inquiète sollicitude » allait entraver le développement
naturel de l'enfant. Il admirait ce cœur « qui ne livrait
jamais accès à rien de vil, qui ne battait que pour autrui », qui s'offrait incessamment au devoir non point
tant par dévotion que par une inclination naturelle.
Mais le ressentiment se mêlait à l'admiration. Cette
mère imposait une loi tyrannique : « Aucune paix durable entre nous n'était possible. Au reste, je ne donnais
pas précisément tort à ma mère ; elle était dans son
rôle, me semblait-il, lors même qu'elle me tourmentait
le plus. A vrai dire, je ne concevais pas que toute mère
consciente de son devoir ne cherchât point à soumettre
son fils, mais comme aussi je trouvais tout naturel que
le fils n'acceptât point de se soumettre... Je crois que
l'on eût pu dire de ma mère que les qualités qu'elle
aimait n'étaient point celles que possédaient en fait les
personnes sur qui pesait son affection, mais bien celles
qu'elle leur souhaitait d'acquérir. Du moins je tâche de
m'expliquer ainsi ce continuel travail auquel elle se livrait sur autrui, sur moi surtout... Elle avait une façon
de m'aimer qui parfois m'eût fait la haïr et me mettait
les nerfs à vif. Imaginez ce que peut devenir une sollicitude sans cesse aux aguets, un conseil ininterrompu,
harcelant, portant sur vos actes, sur vos pensées, sur vos
dépenses, sur le choix d'une étoffe, d'une lecture, sur le
titre d'un livre. »

20

En fait, et beaucoup par la faute de sa mère, Gide adolescent devint un être fermé. Ramon Fernandez emploie l'expression *engoncé* et sans doute est-elle exacte, même dans un sens tout physique. Gide nous a décrit les vêtements que l'on choisissait pour lui dans son enfance :

« J'étais extrêmement sensible à l'habit et souffrais beaucoup d'être toujours hideusement fagoté. Je portais de petits vestons étriqués, des pantalons courts serrés aux genoux, et des chaussettes à raies, chaussettes trop courtes qui formaient tulipe et retombaient isolément ou rentraient se cacher dans les chaussures. J'ai gardé pour la fin le plus horrible : c'était la chemise empesée. Il m'a fallu attendre d'être presque un homme déjà pour obtenir qu'on n'empesât plus mes devants de chemise. C'était l'usage, la mode, et l'on n'y pouvait rien. Qu'on imagine un malheureux enfant qui, tous les jours, pour le jeu comme pour l'étude, porte à l'insu du monde et cachée sous sa veste une espèce de cuirasse blanche et qui s'achevait en carcan, car la blanchisseuse empesait également, et pour le même prix sans doute, le tour du cou contre quoi venait s'ajuster le faux col. Et, pour peu que celui-ci, un rien plus large ou plus étroit, n'appliquât pas exactement sur la chemise, il se formait des plis cruels. Allez donc faire du sport dans un accoutrement pareil ! »

Cette chemise empesée et ce faux col trop dur sont de bons symboles d'une enfance à laquelle on refusait souplesse et liberté « Jamais », a écrit Ramon Fernandez, « jamais Gide ne vivra assez vieux pour cesser de se réjouir de se vêtir de chemises molles, de vêtements lâches et de se laisser flotter dans ses habits. Et il en faudrait dire autant des règles, des conventions, et de toutes les limites empesées qui ont engoncé son âme. »

Toute sa vie il insista sur le déchirement que causaient en lui ses deux provinces (Uzès et Rouen), ses deux familles (les Gide et les Rondeaux). Cette thèse, curieusement barrésienne, lui permettait d'expliquer son incapacité à prendre parti, ses brusques changements, son mélange de rigueur morale et de ce que la plupart des hommes appellent des vices. C'est un fait que, dès son enfance, il souffrit d'un déséquilibre nerveux. Le *Schaudern* dont parle Gœthe, le tremblement accompagné de larmes, le sentiment excessif de culpabilité que lui inspiraient ses pratiques solitaires, tout l'amenait à fuir vers un monde imaginaire. La création artistique est presque toujours une compensation. Très jeune, il souhaita d'échapper à une réalité qui le blessait.

De l'Ecole alsacienne de Paris où son père l'avait inscrit, il fut renvoyé pour « mauvaises habitudes ». Cependant il y avait fait amitié avec Pierre Louis (plus tard Louÿs) auquel il confia son désir d'écrire. Dissertation française : 1er André Gide ; 2e Pierre Louis. Mais la morale primait le talent et le premier en français fut expulsé.

Au lycée de Montpellier cet élève intelligent, si différent de ses camarades, fut « moqué, rossé, traqué ». On le jugeait poseur parce qu'il récitait les vers à peu près décemment, « en mettant le ton ». Toute école devenait pour lui un enfer. Il ignorait, dit Maurice Nadeau, l'émulation de la vulgarité. Elégance d'esprit impardonnable. Il recourut alors à la simulation et feignit des crises nerveuses. Les médecins furent dupes de cette comédie et l'envoyèrent faire des cures. Il se sentait devenir menteur et méchant. « Décidément le diable me guettait, j'étais tout cuisiné par l'ombre et rien ne laissait pressentir par où pût me toucher un rayon. C'est alors que survint l'angélique intervention que je vais dire, pour me disputer au Malin. » Cette angélique intervention fut son amour pour sa cousine Madeleine Rondeaux.

C'était en 1882 ; il avait treize ans, elle seize. Depuis longtemps il admirait en elle la bonté, le charme, l'intelligence. Un soir il découvrit qu'elle souffrait. Sa mère, fort légère, avait un amant et Madeleine le savait. Il la trouva en larmes, fut bouleversé et l'aima. (De cet épisode allait naître plus tard un roman : *La Porte Etroite*.) Cet amour eut sur lui une influence apaisante. « La vie ne m'était plus rien sans elle. » Ils lisaient en-

22

semble de beaux livres, faisaient de la musique, mais cet amour n'était pour lui mêlé d'aucun désir. Sa chair troublée s'apaisait par la masturbation. Toute femme lui faisait peur. « Le mystère féminin, si j'avais pu le découvrir d'un geste, ce geste, je ne l'eusse point fait. » Bref il resta, jusqu'à vingt-trois ans, à la fois vierge et dépravé. Il vivait, a écrit le docteur Delay, « dans un compromis de satisfactions clandestines empoisonnées par le sentiment de culpabilité ».

Et pourtant il voulut, très jeune, épouser Madeleine. Ce serait, pensait-il, un mariage mystique. Elle l'aimait, mais elle constatait l'opposition de toute la famille. Sa mère s'était enfuie avec son amant. Toute sa vie la fille allait rester « comme un enfant qui a pris peur ». Son père mort, Madeleine Rondeaux vécut avec sa tante, Mme Paul Gide, la mère d'André, qui ne cessa de lui rappeler le danger de prendre pour un amour une affection enfantine.

Cependant il était doux de découvrir, avec un cousin tendre et sensible, la poésie, la musique, la nature. Pendant leurs vacances en famille, ils marchaient la main dans la main dans leurs promenades matinales. « Eblouissement pur, puisse ton souvenir, à l'heure de la mort, vaincre l'ombre. » Mais dès qu'André parla de mariage, Mme Gide dit son hostilité absolue. Elle jugeait son fils avec une lucide sévérité : elle le voyait engagé sur deux voies interdites : « celle d'un amour désincarné et mystique, et celle de l'acceptation coupable, honteuse, mais irrésistible et obsessionnelle, de ses exigences sexuelles (1). » Madeleine avait déjà beaucoup souffert. Fallait-il accepter pour elle les risques d'une telle union ? Et que pouvait penser Madeleine elle-même du mariage avec un cousin qui lui disait : « Je ne te désire pas, ton corps me gêne et les possessions charnelles m'épouvantent ? » Il avouait aussi, à cette jeune fille grave, qu'il pouvait, avec sincérité, partager les

(1) Claude Martin : *André Gide par lui-même* (Editions du Seuil).

idées, les goûts contradictoires d'amis successifs. « Cette facilité à refléter toutes les couleurs, lui écrivait-elle, est un peu trop... caméléon. » Bref son premier mouvement fut de refuser ; c'était le bon.

André Gide, pour la convaincre, écrivit à vingt ans : *Les Cahiers d'André Walter*. Ils sont pour lui ce que *Werther* fut pour Gœthe. Dans les uns comme dans l'autre, un jeune romantique se libère de son romantisme en le prêtant à un héros. Car André Walter, c'est André Gide, et, avec l'impuissance que montre presque toujours la jeunesse à transposer l'image de sa souffrance, l'auteur reste tout près de son propre personnage. Trop près, jugea Madeleine. « Tout est nous et à nous là-dedans... André, tu n'avais pas le droit de les écrire. » Il n'aurait pu s'empêcher de les écrire. Depuis ses lectures des poètes (Verlaine, Rollinat) et surtout du *Journal* d'Amiel, un trop-plein débordait de son cœur. Cela s'appelle une vocation.

Il y a deux *Cahiers d'André Walter*. Dans le premier, *Le Cahier Blanc*, le héros reste pur ; il accepte la douleur qu'est pour lui le conflit entre sa foi et ses désirs, et il l'accepte presque avec bonheur. Toute sa vie, Gide trouvera une certaine volupté dans les conflits dont il sera le lieu. La douleur morale n'est pas sans douceur, et il serait assez gidien de dire que, de tous les déguisements de l'orgueil, elle est le plus diabolique.

« Ils ne comprendront pas ce livre, ceux qui recherchent le bonheur », dit André Walter. « L'âme n'en est pas satisfaite, elle s'endort dans les félicités ; c'est le repos, non point la veille. Il faut veiller... Donc, la douleur plutôt que la joie, car elle fait l'âme plus vivace. La vie intense, voilà le superbe ; je ne changerais la mienne contre aucune, car j'ai vécu plusieurs vies et la réelle a été la moindre. »

André Walter (comme André Gide) éprouve alors un grand amour pour une de ses cousines, Emmanuèle, amour chaste et tout mêlé de pensées religieuses. Ici, le rapprochement avec Byron est frappant. Tous deux se complaisent à représenter leurs vies comme tirées en

24

deux sens contraires : d'un côté par le Diable, le Malin ; de l'autre, par quelque angélique apparition, par l'influence apaisante d'une consolatrice. Mais Byron finit par haïr l'épouse parce qu'elle est un obstacle à l'amour incestueux ; André Walter a grande crainte de souiller son âme en cédant à son corps. Pourtant le Malin, qui prend des formes diverses et parfois celle d'un conseil ami, lui dit :

« Dégage l'âme en donnant au corps ce qu'il demande. »

« Peut-être, oui » répond-il, « mais il faudrait que le corps demandât des choses possibles. Si je lui donnais ce qu'il demande, tu crierais le premier au scandale. »

Et ailleurs : « Tu me dis, ami, qu'il ne faut pas se soucier du corps, mais bien le laisser maître aux lieux qu'il convoite. Mais la chair corrompt l'âme une fois corrompue. »

Cette crainte de la chair fait que, pour André Walter, l'amour, ce sont d'éternelles fiançailles. Dans *Le Cahier Blanc*, ce vocabulaire amoureux où l'âme joue un rôle plus grand que le corps, ces discussions abstraites et hautes, « ineffablement alpestres » (comme dira plus tard Gide lui-même), évoquent Jean-Jacques.

Le deuxième Cahier d'André Walter a pour titre *Le Cahier Noir*. André Walter écrit un roman : *Allain*, et c'est l'histoire à la fois d'André Walter et d'André Gide. L'auteur, suivant un procédé qui restera cher à Gide (le roman du roman à l'intérieur du roman), nous donne les notes prises par André Walter pour la composition d'*Allain*. Elles sont très intéressantes pour la compréhension d'André Gide :

« Deux acteurs ; l'Ange et la Bête, adversaires. L'âme et la chair... Le matérialisme n'est point, non plus que l'idéalisme. Ce qu'il y a, c'est la lutte des deux. Le réalisme veut le conflit des deux essences. Voilà ce qu'il faut montrer... Un personnage seulement, ou plutôt son cerveau, lieu où le drame se livre, champ clos où les adversaires s'assaillent. Ces adversaires : l'âme et la chair, et leur conflit résultant d'une passion unique, d'un seul désir : faire l'ange. »

Le conflit qui trouble l'âme de Gide adolescent est donc aussi le conflit central du roman d'André Walter, mais dans *Le Cahier Noir,* c'est la bête qui triomphe.

« O Eternel ! » écrit André Walter, « jusques à quand, jusques à quand lutterai-je sans te sentir auprès de moi ? Et, après, comment finiront-elles, ces luttes ? »

Elles finissent par la défaite : « L'évolution est toujours la même ; l'esprit s'exalte, il oublie de veiller, la chair tombe. On prie, on recherche l'extase, et l'évolution recommence. Quand on en a plusieurs fois fait le tour, on n'a même plus de surprise ; c'est désespérant. » Celle qui dans sa vie a joué le rôle de l'ange, Emmanuèle, en épouse un autre. André Walter reste seul. Il achève son roman et lui donne pour conclusion la folie du héros, puis lui-même meurt d'une fièvre cérébrale.

Gide a fait ici ce qu'avait fait Gœthe qui, pour se débarrasser de Werther, avait tué Werther. Le coup de pistolet de Werther a délivré Gœthe. « J'appelle romantique ce qui est malsain et classique ce qui est sain », disait Gœthe. Le coup de pistolet de Werther a tué le romantique et libéré le classique. On pourrait dire que tout jeune homme doit tuer un romantique pour renaître un classique. L'adolescence, qui passe pour l'âge du bonheur, est en fait l'âge le plus difficile et le plus douloureux. Jeune homme ou jeune fille, il faut traverser une terrible période où l'on découvre soudain, après l'existence magique et abritée de l'enfance, la difficulté de la vie, la méchanceté des êtres humains, la puissance des passions. Pendant un an, deux ans, dix ans, on se sent submergé : c'est la crise de Werther. Les uns n'en sortent jamais, les autres en triomphent par le cynisme ; les meilleurs arrivent à comprendre, comme disait André Walter, que le véritable réalisme est fait d'une réconciliation de l'ange et de la bête. « La plus grande erreur », écrivait à peu près Meredith, « c'est le refus de reconnaître la nature animale de l'homme. » La plus grande ? Non. *L'une* des deux plus grandes, l'autre étant le refus de reconnaître sa nature angélique. André Gide, à vingt-trois ans, a tué André Walter, mais il n'a pas encore découvert la vie réelle.

« Le problème restait pour moi le même et ce problème le voici réduit au plus simple : au nom de quel idéal me défendez-vous de vivre selon ma nature, et cette nature, où m'entraînerait-elle, si simplement je la suivais ?... Après la publication de mes *Cahiers,* le refus de ma cousine ne m'avait point découragé peut-être, mais du moins m'avait forcé à reporter plus loin mes espoirs. Aussi bien, je l'ai dit, mon amour demeurait-il quasi mystique, et si le Diable me dupait en me faisant considérer comme une injure l'idée d'y pouvoir mêler quoi que ce fût de charnel, c'est ce dont je ne pouvais encore me rendre compte. »

Le plaisir... Il était désormais certain qu'il ne le trouverait pas avec les femmes. Avec celles qu'il aimait, sa sexualité se trouvait inhibée. Pour lui (comme pour Rousseau, pour Stendhal) la passion supprimait le désir physique. Au cours d'un premier voyage en Afrique, il avait réussi avec une Ouled Naïl (petite prostituée algérienne) Mériam, qu'il partagea avec son ami Jean-Paul Laurens, une brève tentative de normalisation. Mais sa mère, épouvantée à la fois par une menace de tuberculose et par le péché de la chair, était accourue ; elle avait pleuré alors qu'elle aurait dû se réjouir. Son oncle Charles Gide, auquel il avait naïvement annoncé son initiation et sa délivrance, lui avait répondu, avec une incroyable rigueur, que tous les parfums de l'Arabie ne pourraient laver cette souillure. Tant de vertu maladroite le rejetait à son penchant naturel : les garçons. Ah ! quels accents il trouvait pour décrire ces jeunes Arabes bronzés, ivres de soleil et de gaieté.

III

Cette découverte, ou plutôt cet aveu, de sa sensualité secrète allait libérer un écrivain très différent de celui des *Cahiers*. A la phase André Walter, tout de narcissisme, succéda une phase dyonisiaque. Pierre Louÿs lui avait fait lire Gœthe. A Montpellier il avait connu Valéry, Gœthe en herbe et en puissance ; à Paris, Mallarmé qui lui avait révélé une forme de sainteté littéraire. Gœthe surtout le fascine. Là il trouve l'exemple d'un grand homme qui a connu le « tremblement », qui a, comme Gide, été déchiré dans sa jeunesse et qui a trouvé, non un équilibre durable auquel il n'aspire pas, mais la lutte à ces « mi-hauteurs ensoleillées où croissent le froment et la vigne, ce qui doit nourrir l'homme et ce qui peut l'enivrer ».

A partir de 1891 Gide vit une partie de l'année à Paris, en homme de lettres. « Devenir un artiste ! Souffrir par l'art et vaincre par lui, parvenir à l'harmonie (1) », voilà ses buts. Il sacrifie aux modes « fin de siècle » ; il se donne l'air « d'un violoniste douloureux » aux longs cheveux, au sourire pensif ; il est « prétentieux et guindé » (Henri de Régnier). Mais déjà, sous le masque d'André Walter penché sur son miroir, perce le visage d'André Gide. Il fait la connaissance d'Oscar Wilde, alors célèbre et triomphant. Il écrit de petits ouvrages ingénieux et ironiques : un *Traité du Narcisse*

(1) Maurice Nadeau.

« amoureux de lui-même et dédaignant les Nymphes »,
le *Voyage d'Urien,* mirages et fumées d'une pensée qui
se cherche et *Paludes* dont le héros, Tityre, était un
André Walter humoristique. Gide se moquait de Gide.
« Avant d'expliquer aux autres mon livre j'attends qu'on
me l'explique. » Et en effet *Paludes* était moins un livre
que l'attente d'un livre. Narcisse a grand-peine à se dé-
tourner de ses miroirs ; André Gide a grand-peine à
devenir un adulte.

Tous ces essais et traités prouvaient de l'intelligence,
un style pur (encore qu'un peu précieux), du talent,
mais tous portaient la marque de l'époque. Le symbo-
lisme s'y mêlait à « l'art nouveau ». C'était distingué, ingénieux et vain. Un deuxième voyage en Afrique, une
nouvelle rencontre avec un Oscar Wilde encore prestigieux, mais tout proche du scandale et du drame, et
enfin la mort de sa mère (1895) achevèrent sa libération.
La frénésie brûlante de la vie africaine, le consentement
à un plaisir longtemps refoulé, la prédication passionnée
de Wilde, l'avaient enfin changé en lui-même. « Il y
avait ici plus qu'une convalescence ; il y avait une re-
crudescence de vie. » A Wilde il dut (encore que le com-
portement physique des deux hommes fût fort différent)
le courage de ses désirs. L'étrange est que, tout en
s'abandonnant à son goût pour les adolescents, il continue de souhaiter le mariage avec Madeleine. Il voulait
qu'amour et plaisir fussent dissociés. Mme Gide mère
mourut le 31 mai ; le 17 juin il se fiança avec Madeleine
et le 8 octobre l'épousa, après avoir demandé conseil à
un médecin qui répondit : « Mariez-vous sans craintes.
Et vous reconnaîtrez bien vite que tout le reste n'existe
que dans votre imagination. »

Jamais consultation ne fut plus néfaste. L'inhibition
(par confusion de l'image de la mère et de celle de
l'épouse, par répugnance pour la femme, suppôt de Satan) triompha d'un amour, pourtant sincère, et ce
mariage, qui aurait dû être beau, s'échoua, dès le voyage
de noces, sur les écueils de l'impuissance. Il ne sombra

pas. Madeleine Gide fut certes effrayée par ce qu'elle
devina des plaisirs secrets de son mari ; elle réussit à se
taire. Elle ne fut pas l'épouse, mais la sœur, la seconde
mère. Elle éprouva plus tard de grandes souffrances en
le voyant, au cours d'un voyage en Algérie, caresser les
bras nus des enfants arabes ou, à Rome, faire monter
dans son atelier, de jeunes modèles mâles. L'étrange
(et que pouvait produire, sinon l'étrange, une éducation
inhumaine ?) l'étrange est que, pour fuir la femme, qui
incarne aux yeux de Gide le péché, il se jette dans le
scandale. « Tu avais l'air d'un criminel ou d'un fou »,
dit Madeleine qui, sans cesser de l'aimer, le juge. Elle
parvint toutefois à surmonter ses amères déceptions et
à se faire une vie assez heureuse de 1895 à 1915. Mais
elle dut se résigner à vivre souvent loin d'un mari dont
elle ne pouvait partager les ferveurs, ni les joies.

De ces ferveurs, de cet irrésistible attrait pour les
disciples adolescents, naquirent *Les Nourritures terres-*
tres qui, en 1897 firent de lui l'un des maîtres héréti-
ques, mais adorés, de la jeunesse. *Les Nourritures* sont,
comme *Zarathoustra,* un évangile au sens étymologique
du mot : un *bon message.* Message sur le sens de la vie
adressé à un disciple tendrement aimé que Gide appelle
Nathanaël. On sent que l'auteur est nourri du lyrisme
biblique auquel il doit ses rythmes et sa poésie. Le livre
est fait de versets, d'hymnes, de récits, de chants, de
rondes qui lient, d'une part la personne de Nathanaël,
d'autre part, la doctrine qui *semble* être enseignée à
celui-ci par Gide. Je dis *semble* parce que nous savons
que Gide n'eût accepté ni l'idée d'enseignement, ni l'idée
de doctrine.

Outre Nathanaël et l'auteur, il y a dans les *Nourritu-*
res un troisième personnage que l'on retrouvera dans
L'Immoraliste, qui est dans la vie de Gide ce que fut
Merck dans la vie de Gœthe ou Méphistophélès dans
celle de Faust, personnage « cosmopolite, égoïste et
sybarite » que Gide nomme Ménalque, que l'on a parfois identifié avec Oscar Wilde, mais qui, me disait
Gide (mais le savait-il ?), n'est nullement Wilde, qui en

fait n'est personne, sinon un aspect de Gide lui-même, un des interlocuteurs du dialogue de Gide avec Gide dont est faite sa vie spirituelle.

Le premier noyau du livre fut un récit de Ménalque, assez proche de ce qu'aurait pu être un récit de Gide après sa renaissance africaine : « A dix-huit ans », dit Ménalque, « quand j'eus fini mes premières études, l'esprit las de travail, le cœur inoccupé, languissant de l'être, le corps exaspéré par la contrainte, je partis sur les routes, sans but, usant ma fièvre vagabonde... Je traversai des villes et ne voulus m'arrêter nulle part. Heureux, pensai-je, qui ne s'attache à rien sur la terre et promène une éternelle ferveur à travers les constantes mobilités ! Je haïssais les foyers, les familles, tous lieux où l'homme pense trouver un repos ; et les affections continues, et les fidélités amoureuses, et les attachements aux idées, tout ce qui compromet la justice ; je disais que chaque nouveauté doit nous trouver toujours tout entiers disponibles. »

On trouve dans ce texte les principaux thèmes gidiens : ferveur, refus de tout ce qui peut lier, attacher ; besoin de disponibilité. « Je vivais », continue Ménalque, « dans la perpétuelle attente, délicieuse, de n'importe quel avenir... Chaque jour, d'heure en heure, je ne cherchais plus rien qu'une pénétration toujours plus simple de la nature. Je possédais le don précieux de n'être pas trop entravé par moi-même. Le souvenir du passé n'avait de force sur moi que ce qu'il en fallait pour donner à ma vie l'unité. C'était comme le fil mystérieux qui reliait Thésée à son amour passé, mais ne l'empêchait pas de marcher à travers les plus nouveaux paysages. »

« Au soir, je regardais dans d'inconnus villages les foyers, dispersés durant le jour, se reformer. Le père rentrait, las de travail ; les enfants revenaient de l'école. La porte de la maison s'entrouvrait un instant sur un accueil de lumière, de chaleur et de rire, puis se refermait pour la nuit. Rien de toutes les choses vagabondes n'y pouvaient plus rentrer... Familles, je vous hais !

31

foyers clos, portes refermées, possessions jalouses du bonheur. Parfois, invisible dans la nuit, je suis resté penché vers une vitre, à longtemps regarder la coutume d'une maison. Le père était là, près de la lampe ; la mère cousait ; la place d'un aïeul restait vide ; un enfant près du père étudiait et mon cœur se gonfla du désir de l'emmener avec moi sur les routes... »

Voilà l'essentiel du message des *Nourritures*. D'abord une doctrine négative : fuir les familles, les règles et la stabilité. Gide a trop souffert des « foyers clos » pour ne pas gloser, toute sa vie, sur leurs dangers. Puis une doctrine positive : il faut chercher l'aventure, l'excès, la ferveur ; il faut détester la tiédeur, la sécurité et tous les sentiments modérés. « Non pas la sympathie, Nathanaël : l'amour... » C'est-à-dire non pas le sentiment superficiel qui peut-être n'est fait que de goûts communs, mais celui où l'être se jette tout entier et s'oublie lui-même. L'amour est dangereux, mais c'est encore une raison pour aimer, dût-on y laisser son bonheur, *surtout* si l'on doit y perdre son bonheur. Car le bonheur amoindrit l'homme. « Descends au fonds des puits si tu veux voir les étoiles. » Gide tient à cette idée : que, dans le contentement confortable de soi-même, il ne peut y avoir de salut, idée qui lui est commune à la fois avec de grands chrétiens et avec Blake : « Le malheur exalte, le bonheur relâche », écrit Blake. Et Gide termine une lettre à une amie par cette formule gidienne : « Adieu, chère, que Dieu vous mesure le bonheur ! »

Ce serait une erreur que de tenir la doctrine des *Nourritures* pour un égoïsme sensuel. C'est au contraire une doctrine où le Moi (qui est essentiellement continuité, souvenir du passé, soumission au passé) s'efface et disparaît pour laisser l'homme se perdre, se dissoudre en chaque instant sublime. Le Gide des *Nourritures* ne renonce pas encore à trouver le Dieu que cherchait André Walter, mais il le cherche *partout* et jusque dans l'Enfer : « Que mon livre t'enseigne à t'intéresser plus à toi qu'à lui-même, et plus à tout le reste qu'à toi ! »

On ne peut dire que Gide soit antichrétien, mais il

aime, dans le christianisme, l'anarchie qu'il y croit trouver. Gide tire à lui le Christ. En quoi il ressemble à Dostoïevsky, que tant il admire. Ses *Souvenirs de la cour d'assises* en appellent de la société à l'Evangile. « Quand on est parmi le public on peut croire encore à la justice. Assis sur le banc des jurés, on se redit la parole du Christ : ne jugez point. » Fermement antisocial, s'il ramène l'*Enfant prodigue* chez son père, c'est pour conseiller au frère puîné de fuir à son tour. Un homme peut, par lassitude, choisir l'obéissance, mais la grandeur morale demeure aux yeux de Gide, dans le refus, dans l'inquiétude fervente.

IV

A cette doctrine, on peut faire bien des objections. D'abord que cet immoraliste est au fond un moraliste ; qu'il enseigne, bien qu'il s'en défende ; qu'il prêche, bien qu'il haïsse les prêcheurs ; que ce contempteur du bonheur l'a toute sa vie cherché — et trouvé ; qu'il est un puritain de l'antipuritanisme, et qu'enfin se refuser à entrer dans les groupes humains (« foyers clos, familles, je vous hais ! ») c'est encore s'enfermer... dehors.

Gide est trop intelligent pour n'avoir pas vu l'objection. Il la proposera lui-même dans *Les Faux Monnayeurs*. Décrivant l'évolution de Vincent : « Car il est un être moral, dit-il, et le Diable n'aura raison de lui qu'en lui fournissant des raisons de s'approuver. Théorie de la totalité de l'instant, de la joie gratuite... A partir de quoi le démon a partie gagnée. » Analyse ingénieuse de son propre cas. La bête a trouvé ce détour ingénieux : faire l'ange qui fait la bête. Si l'Immoraliste n'était pas un être moral, il n'aurait pas besoin de se révolter. Il suivrait sa pente, sans scrupules.

Autre objection : c'est une doctrine, non d'homme sain, mais de convalescent... Mais cela encore, Gide a pris soin de le dire lui-même dans la nouvelle et très curieuse préface des *Nourritures,* et aussi de nous y montrer qu'au moment où, artiste, il écrivait *Les Nourritures,* il avait déjà, homme, rejeté leur message, car il venait de se marier et, pour un temps au moins, de se fixer. En outre il les faisait suivre de *Saül,* drame qui peut être interprété comme une condamnation des chasseurs d'instants et de sensations. De sorte que l'oscillation de Gide entre le pôle angélique et le pôle diabolique n'est nullement interrompue par *Les Nourritures.*

Comment l'eût-elle été lorsque le maître lui-même, à la fin des *Nourritures,* recommandait au disciple de le quitter : « Nathanaël, à présent, jette mon livre. Emancipe-t'en. Quitte-moi. Quitte-moi maintenant, tu m'importunes ; tu me retiens ; l'amour que je me suis surfait pour toi m'occupe trop. Je suis las de feindre d'éduquer quelqu'un. Quand ai-je dit que je te voulais pareil à moi ? C'est parce que tu diffères de moi que je t'aime ; je n'aime en toi que ce qui diffère de moi. Eduquer ? Qui donc éduquerais-je que moi-même ? Nathanaël, te le dirai-je ? Je me suis interminablement éduqué. Je continue. Je ne m'estime jamais que dans ce que je pourrais faire.

« Nathanaël, jette mon livre ; ne t'y satisfais point. Ne crois pas que la vérité puisse être trouvée par quelque autre ; plus que tout, aie honte de cela. Si je cherchais tes aliments, tu n'aurais pas de faim pour les manger ; si je préparais ton lit, tu n'aurais pas de sommeil pour y dormir.

« Jette mon livre. Dis-toi bien que ce n'est là qu'une des mille postures possibles en face de la vie. Cherche la tienne. Ce qu'un autre aurait aussi bien fait que toi, ne le fais pas. Ce qu'un autre aurait aussi bien dit que toi, ne le dis pas ; aussi bien écrit que toi, ne l'écris pas. Ne t'attache en toi qu'à ce que tu sens qui n'est nulle part ailleurs qu'en toi-même et crée de toi, impatiemment ou patiemment, ah ! le plus irremplaçable des êtres. »

Le refus qu'il exige avec tant de passion du disciple, comment ne l'exigerait-il pas de lui-même ? Et s'il a horreur de toute doctrine, comment n'aurait-il pas horreur de la sienne ? *Il est beaucoup trop Gide pour être gidien.* De toutes ses œuvres, son existence est celle à laquelle il tient le plus. Toujours il a protesté contre l'habitude prise de l'enfermer dans ses textes et traités dont il aurait voulu au contraire faire des manuels d'évasion. C'est ici le suprême saut périlleux de Gide et qui le rend insaisissable. Ce Protée condamne en lui-même ce que vous y pourriez condamner.

Nous sommes maintenant en présence du problème le plus déconcertant. Pourquoi cette doctrine subtile, fuyante et qui toujours se refuse, fut-elle si longtemps, pour tant de jeunes gens et de jeunes filles, un tel foyer de joie et d'enthousiasme ? Lisez, dans *La Belle Saison* de Martin du Gard, le récit de la découverte des *Nourritures* par le héros. « C'est un livre qui brûle les mains pendant qu'on le lit », dit Jacques Thibault. Beaucoup d'adolescents ont eu, pour *Les Nourritures terrestres,* une admiration passionnée, qui allait bien plus loin qu'un goût littéraire. Voici pourquoi :

En presque toute adolescence, aux temps magiques et abrités de l'enfance succède, avec la découverte de la dureté de la vie, une période de rébellion. C'est le premier « temps » de l'adolescence. Le deuxième, c'est la découverte, *malgré* déceptions, méchancetés et difficultés, de la beauté de la vie. Cette découverte, chez les être normaux, se produit entre dix-huit et vingt ans. Elle fait la plupart des jeunes poètes lyriques.

Le caractère propre de Gide, son originalité et sa force, c'est qu'ayant été retardé dans son libre développement par les contraintes de son éducation, il a traversé ce second stade alors que son esprit était déjà plus mûr, de sorte que *ce retard lui a permis de mettre en forme plus parfaite les découvertes qui sont celles de tous les êtres jeunes.* En d'autres termes, des adolescents étaient reconnaissants à un adolescent tardif, impénitent, d'avoir si bien dit ce qu'ils sentaient. D'où la nécessité, l'universalité et l'attrait des *Nourritures.* Un disciple est, comme dans le beau conte de Wilde, un être qui se cherche dans les yeux du maître. Les jeunes se cherchaient en Gide, et souvent se trouvaient. Il faut ajouter que la seule forme d'amour qu'il éprouvât : la pédérastie (qui n'est, soulignait-il, ni l'inversion, ni la sodomie, mais à la lettre l'amour des enfants, des adolescents) l'amenait à vivre avec la génération qu'il tentait de conquérir. La jeunesse est contagieuse et ses maîtres gardent un peu de sa fraîcheur.

Cette leçon d'affranchissement, les lecteurs de Gide la retrouvèrent dans le *Prométhée mal enchaîné* (1899). Gide appelle ce livre une sotie, mot du Moyen Age qui désignait une satire allégorique dialoguée. Prométhée *se croit* enchaîné sur un sommet du Caucase (comme Gide par tant « de chaînes, tenons, parapets et scrupules »), puis il découvre qu'il suffit de *vouloir* être libre pour le devenir et va se promener, avec son aigle, à Paris où il fait une conférence, salle des Nouvelles Lunes, pour expliquer que tout homme est dévoré par son aigle, vice ou vertu, devoir ou passion, et que, cet aigle, il faut le nourrir avec amour. « Messieurs, il faut aimer son aigle, l'aimer pour qu'il devienne beau. » L'aigle de l'écrivain, c'est son œuvre et il doit se sacrifier à elle. Et s'il finit par manger son aigle, il en garde une plume, avec laquelle il écrit le *Prométhée mal enchaîné*.

C'est dans cette sotie que, pour la première fois, Gide parle de l'action gratuite, faite sans raison, sans motif. « J'appelais l'homme : l'animal capable d'une action gratuite. Et puis après j'ai pensé le contraire : que c'était le seul être incapable d'agir gratuitement. »

Nous sommes sortis de la période romantique de Gide, mais non de la période ironique, ni du labyrinthe gidien.

V

Ici se termine une étape importante de la vie et de l'œuvre. Entre *L'Immoraliste* (1902), peinture de l'égoïsme à l'état pur, « fruit plein de cendre amère », drame où l'auteur a mis toute sa passion, toutes ses larmes et tout son soin », roman où l'être authentique, et qui se croit immoral, émerge du « vieil homme », tel le Gide de Biskra du fils engoncé de Mme Paul Gide, et *La Porte Etroite* (1909), peu ou point de renouvellement.

Deux essais, toutefois, de théâtre dans un fauteuil : *Saül*, amour du roi pour David, amour à la fois pour un jeune esprit et pour un corps parfait d'adolescent ; et *Le Roi Candaule*, recherche d'un plus grand bonheur par le sacrifice de l'amour sensuel et de la jalousie.

En 1908, avec Gaston Gallimard, Jean Schlumberger, Henri Ghéon, Gide fonde une revue et une maison d'édition : *La Nouvelle Revue Française,* qui va devenir, au XXᵉ siècle l'un des centres spirituels de la France. Les fondateurs, auxquels se joindront Jacques Rivière, Roger Martin du Gard, ont de nobles exigences quant à l'indépendance et au désintéressement de l'écrivain. Ils travaillent, non pour le public, non pour les honneurs, non pour le gain, mais « pour que leur aigle soit beau ». Jacques Copeau fondera en 1913 le Théâtre du Vieux-Colombier que soutiendra la N.R.F. et qui aura le même idéal, celui en somme de Flaubert et de Mallarmé.

La Porte Etroite (titre emprunté à saint Luc, XIII, 24) était une autobiographie romanesque, histoire d'un amour entre deux cousins, amis d'enfance, Alissa et Jérôme. Alissa (comme Madeleine Rondeaux) a découvert l'inconduite de sa mère ; elle a eu le sentiment d'une offense à Dieu qu'elle doit racheter par sa propre pureté. Aussi veut-elle que son amour soit un amour mystique, sans rien de charnel. « On craint de voir chez Alissa plus de peur de la terre que d'attirance du ciel. » Jérôme s'est offert dans un mouvement de pitié, d'enthousiasme, de vertu. Gide, lorsqu'il parlait de ce roman, critiquait l'attitude d'Alissa et niait qu'il eût pris Madeleine pour modèle. « Elle était, disait-il, plus humaine. Il n'y eut jamais rien d'excessif ni de forcé dans sa vertu. » Alissa cherche, non l'amour, mais l'absolu. « O Seigneur ! Gardez-moi d'un bonheur que je pourrais trop vite atteindre ! Enseignez-moi à différer, à reculer jusqu'à Vous mon bonheur. »

Le livre, émouvant et beau, décapé de toutes efflorescences symboliques, écrit dans une langue abstraite, précise et musicale, fit de son auteur, maintenant soutenu par la puissante N.R.F., l'un des auteurs célèbres de son temps. C'est vers 1910 qu'il devint, d'abord pour un groupe, puis pour une élite grandissante, un maître. Il était depuis longtemps l'ami de Valéry ; il devint celui de Claudel. Quinze ans plus tard tous trois allaient être illustres. Quant à la vie privée de Gide elle restait très secrète ; on sait par Ghéon (qui fut, avant de se convertir, le compagnon de ses voyages et de ses promenades nocturnes dans Paris) que Gide prenait, pour obéir à ses penchants, d'effroyables risques. Ce qui ne l'empêchait pas, étant un esprit divisé, de penser parfois à une conversion au catholicisme. Beaucoup de ses amis l'y poussaient : Claudel, Charles du Bos, plus tard Ghéon, Copeau. Il passa une partie de la guerre à s'occuper d'un Foyer franco-belge d'aide aux réfugiés. Autour de lui les conversions se multipliaient. Lui-même relisait les Evangiles, en admirant à la fois l'esprit et le ton, prenant des notes d'où sortit un petit volume : *Numquid et tu...* qui donna de grandes espérances à ses amis catholiques.

A la vérité il tirait à lui les textes sacrés. Il n'y trouvait pas le péché ; il se plut à penser que le Christ n'était qu'amour et que saint Paul avait durci — et faussé — la leçon évangélique. Puis, soudain, Gide interrompt cette exégèse, abandonne ces pieux exercices que son cœur, sec et distrait, n'approuve plus, où son esprit ne voit plus qu'une comédie malhonnête que lui souffle le démon. Le véritable héroïsme, pense-t-il, n'est ni dans la piété, ni dans la vertu, mais dans une impitoyable lucidité. Se connaître et s'accomplir, voilà le devoir. L'étrange homme ! Il a si peur d'être hypocrite qu'il majore ses révoltes. Le fond de l'histoire, c'est qu'il est sentimentalement chrétien (par éducation et par authentique admiration), mais qu'il méprise ses amis convertis qui ont abdiqué leur liberté de pensée.

Tout ce mouvement, selon Gide (et il inclut dans cette condamnation son *Numquid et tu...*), est un arrière-produit de la guerre, des deuils, des angoisses, des désespoirs surmontés. « Car il n'est pas un de ces néo-convertis dont l'esprit n'offrait quelque fissure par où le gaz mystique pût pénétrer... Ce qui m'avertit, me consterne, c'est que l'arbre puisse porter aussi d'affreux fruits. » Il battit en retraite vers des positions préparées de longue date. Le vieil Adam triomphait en lui. Avec Claudel, avec Jammes, et plus tard avec Charles du Bos il cessa tout commerce d'esprit. Il ne les comprenait plus, lui l'esprit non prévenu. D'ailleurs sa vie privée le requérait tout entier. Pendant la guerre un drame avait éclaté à Cuverville. Madeleine Gide, en lisant une lettre de Ghéon, avait découvert la vraie vie de son mari. Amoureux d'un jeune homme charmant et plein de dons, Gide le suivit en Angleterre. « On dit que je cours après ma jeunesse. Il est vrai. Et pas seulement après la mienne. » Le cynisme succède au déchirement. Madeleine, blessée, brûla les lettres de son mari. L'auteur en souffrit autant que l'homme. Seul son *Journal* (tenu depuis longtemps) révélerait désormais ce qu'il avait été.

Après le coup de barre vers Dieu de *Numquid et tu...*,

le drame des lettres découvertes et l'exemple des convertis l'incitent à un brusque coup de barre en sens inverse, vers le Malin. « Les extrêmes *me* touchent », dit-il et il écrit une « conversation avec le Diable. » « Je lui fais dire d'abord — Pourquoi me craindrais-tu ? Tu sais bien que je n'existe pas. » Mais si, le Diable existe, non transcendant, mais immanent. C'est lui qui dicte à Gide son *satanisme* qui est une lutte, parfois rusée, contre sa vieille ennemie : l'hypocrisie, celle des faux dévots et des grimaciers de vertu.

Déjà en 1914, dans *Les Caves du Vatican,* il était parti en guerre contre les escroqueries de la morale. Le récit, bizarre, apparaissait comme une grosse farce anticléricale. Anthime Armand-Dubois, Julius de Baraglioul, Amédée Fleurissoire, fantoches hypocrites, s'opposent au héros du livre, Lafcadio, un super-Gide mâtiné de Julien Sorel, dupe de rien, et si libre de toute attache qu'il atteint à l'acte gratuit. Il jette par la portière du wagon (et tue), sans raison, l'imbécile Fleurissoire. Gide admire « la tentation du mauvais garçon ». Il l'a éprouvée. N'a-t-il pas mené avec Henri Ghéon, dix jours durant, « une prodigieuse vie inracontable, d'inappréciable profit » ? Il cessera d'ailleurs vite d'admirer cette bravade et découvrira la vanité d'une recherche de la liberté absolue. Car cette recherche devient elle-même un motif et l'acte cesse d'être gratuit. Il y a une morale du mauvais garçon, une société des mauvais garçons, un point d'honneur des mauvais garçons. Que devient alors la gratuité ?

Pour s'affranchir enfin de toute hypocrisie, Gide veut à tout prix se délivrer de son dernier secret : la pédérastie. Non seulement il l'avouera ; il s'en glorifiera ; il acceptera le martyre. En 1924 il publiera *Corydon,* justification théorique ; en 1926, *Si le grain ne meurt...,* confession plénière. C'était certainement courageux. Le Gide de 1924 était celui que j'avais connu à Pontigny, prince des Lettres, admiré par toute la terre. Or, au sommet de sa gloire, il choisissait l'aveu qui, croyait-il, allait le ruiner comme l'avait été Wilde. « J'estime que mieux vaut encore être haï pour ce que l'on est qu'aimé pour ce que l'on n'est pas. » Puis il attendit le scandale et l'orage.

Rien n'arriva. D'une part son prestige lui permettait tout ; d'autre part les lecteurs avaient été préparés par Proust et par Freud à tout accepter. Mais Proust peignait l'inversion ; il ne la prônait pas. Proust suivait le conseil de Wilde à Gide : « Ne dites jamais *je,* cher. » Gide blâmait la prudence de Proust et voulait, lui, démontrer la grandeur de l'homosexualité. Henri Béraud l'attaqua brutalement. « La nature a horreur du Gide. » Massis le combattit loyalement. Gide ne souffrit pas de ces attaques, et même en jouit. Elles l'incitèrent à se montrer agressif en d'autres domaines. D'où le *Voyage au Congo,* attaque efficace contre certaines formes ignobles du colonialisme, et plus tard le virage vers le communisme. De la morale évangélique lui restait l'horreur des privilèges et l'amour des déshérités.

Parallèlement à cette croisade, il achevait son œuvre romanesque. En 1919 avait paru *La Symphonie pastorale,* beau sujet que Gide avait porté longtemps, dont il se lassa au cours d'exécution et qu'il finit par bâcler. C'est dommage ; il avait tout pour en faire un grand livre. Cette histoire d'un pasteur d'âge mûr qui recueille une jeune fille aveugle et entreprend, avec une prodigieuse patience, sa rééducation, par charité croit-il, en fait parce qu'il la désire, devait tout naturellement trouver place dans le cycle des romans de l'hypocrisie. Ici cette hypocrisie est toute inconsciente. Le pasteur ne sait pas qu'il met les Evangiles au service de sa passion. Proust a longuement analysé de tels sophismes de l'esprit et du cœur. Gide en fait un court, trop court récit, mais qui, plus tard, repris dans un film excellent, connaîtra un durable succès, qui n'est point épuisé.

Au contraire il donna tous ses soins à son premier et dernier grand roman : *Les Faux Monnayeurs* (1926). Premier roman, Gide lui-même le dit dans la dédicace à Roger Martin du Gard, car il tenait ses soties, récits, et allégories pour des formes diverses de critique. « A la seule exception de mes *Nourritures* tous mes livres sont des livres ironiques ; ce sont des livres de critique. » Dans son roman il voudrait mettre davantage : la vie, le foisonnement des personnages, l'objectivité. Le diable (et dès qu'il s'agit de Gide, on retrouve partout le Diable), c'est que Gide, plus que romancier, est homme de lettres. Claude Martin observe que, « comme le discours sur la création poétique est au fond du poème mallarméen », la technique du roman est chez Gide plus importante que le roman lui-même. On trouvait, à l'intérieur des *Faux Monnayeurs* (comme autrefois dans *André Walter*), une peinture du roman se faisant. Le personnage central, Édouard, était aussi l'auteur des *Faux Monnayeurs*. La part du *Journal* de Gide romancier est donc ici considérable. C'est « le roman achevé d'un roman qui échoue (1) ». Idée proustienne, mais la *Recherche du Temps perdu* était le roman achevé d'un roman qui réussit.

Comme toujours, Gide avait porté longtemps l'idée des *Faux Monnayeurs*. Les cellules initiales proviennent, dit-il, d'un article publié en 1906, dans le *Journal de Rouen*, sur un trafic de fausse monnaie et d'un autre article de 1909 sur les suicides de collégiens à Clermont-Ferrand. Gide collectionnait les faits divers et aimait à peindre les adolescents. Il trouva là une matière abondante. Le personnage d'Edouard, l'oncle romancier, lui permit de mettre en scène ses propres hésitations, ses repentirs, son impuissance à écrire un roman français traditionnel. « Je vois chacun de mes héros, vous l'avouerai-je, orphelin, fils unique, célibataire et sans enfant. » C'est dire qu'il s'affranchit des précisions balzaciennes. Il souhaitait aussi que son roman s'achevât « brusquement, non point par une sorte d'épuisement du sujet, ... mais par une sorte d'évasion de son contour. Il ne doit pas se boucler, mais s'éparpiller, se défaire. »

Ce livre, important par les innovations techniques, a exercé une évidente influence sur Aldous Huxley qui a

---

(1)   Claude Martin : *Op. cit.*

employé à son tour dans *Contrepoint* le procédé : « Journal du romancier ». Gide a voulu dépouiller le roman *pur* de tous les éléments factices, des dialogues rapportés, des événements extérieurs, qui appartiennent au cinéma. Même la description des personnages lui semble extérieure au genre. Le romancier doit faire crédit à l'imagination du lecteur. Le produit fini sera un livre touffu, un peu encombré de technique Aux *Faux Monnayeurs* il manque, pour être un grand roman, la générosité de Balzac et de Tolstoï. L'intelligence s'impose ; l'artiste est adroit ; mais la satire affleure malgré lui et fait grincer les personnages.

En somme ce Gide de 1926, que ses amis placent si haut, que tant de jeunes écoutent et suivent, n'est pas très sûr lui-même de ne pas être le plus grand faux monnayeur. Nous verrons en étudiant ses rapports avec Charles du Bos combien il demeure insaisissable en ses oscillations. Car Edouard, comme le pasteur de la *Symphonie*, « se donne des raisons » pour aller où le porte sa chair. L'embardée de Gide vers le communisme s'explique par le souci « de la figure qu'il fait dans le monde » ; par l'illusion qu'il y trouvera enfin ce qu'il croit avoir toujours cherché : l'idéal chrétien sans religion, l'éthique sans le dogmatisme ; par le désir de rejeter toutes les notions qu'il tient de sa classe, la bourgeoisie (à laquelle il demeure, à son insu, attaché par tant de liens) ; par la volonté de rester proche d'une jeunesse progressiste ; par le besoin de réaffirmer son affranchissement. Une société qu'il imaginait sans famille et sans religion l'enthousiasmait. Il fut accueilli avec joie par les communistes français. Un grand écrivain, disposant d'un immense prestige, venait à eux. On lui fit présider des congrès et des meetings. « Mais il faut bien que je le dise, ce qui m'amène au communisme, ce n'est pas Marx, c'est l'Evangile... Ce sont les préceptes de l'Evangile qui ont en moi fortifié ce dédain, cette répugnance à toute possession particulière, à tout accaparement. » (Journal de juin 1933.)

Il refuse de s'inscrire au parti afin de sauver sa liberté

d'expression ; pourtant son engagement politique, et les obligations qu'il entraîne, semblent tarir sa puissance créatrice. Entre *Œdipe* (1930) et *Thésée* (1944) il ne produira que des œuvres mineures. Comme plus tard Sartre, il dit qu'on ne peut écouter des harmonies nouvelles lorsqu'on est assourdi par des gémissements. Roger Martin du Gard observe avec tristesse le Gide de 1937, sa mimique de vieux bonze qui branle du chef, d'un comique désespérant. Ce masque est devenu son uniforme des jours d'exhibition : cortèges, congrès. Toutefois il faut observer que la rupture de Gide avec la politique n'amènera pas un renouveau de son imagination et que, comme il le confessera lui-même, la lassitude qui naît de la vieillesse suffit à expliquer le déclin de l'œuvre.

En 1936, invité par les Soviets, il se rendit à Moscou. Le contact fut décevant. Le stalinisme sévissait. Gide constata un manque de liberté, un conformisme imposé qui tuait tout esprit critique, une effrayante ignorance du monde extérieur et une renaissance de l'esprit de classe au profit d'une bourgeoisie bureaucratique. Il fut douloureusement choqué par les mesures contre les homosexuels et ne trouva pas du tout ce qu'il était venu chercher : un dénuement évangélique. A la vérité nul n'était plus loin de ce dénuement que lui-même, homme de confort, ignorant des réalités de la misère, sincère dans son désir de faire le bonheur de tous, incapable de concevoir les chemins qui conduiraient à ce bonheur. Son *Retour de l'U.R.S.S.* fut un désengagement, mais le châtelain de Cuverville s'était-il jamais engagé ?

Toute sa vie avait été une longue suite d'engagements et de désengagements. Le seul dogme auquel il restait fidèle, c'était le refus de tout dogme. Désormais, jusqu'à la fin d'une longue vie, il prêchera une sagesse inspirée à la fois de Montaigne et de Gœthe. Son *Thésée*, écrit à Alger pendant la Deuxième Guerre mondiale, rappelle un peu *Le Second Faust*. « Si je compare à celui d'Œdipe mon destin, dit Thésée, je suis content... C'est consentant que j'approche de la mort solitaire. J'ai goûté des biens de la terre. Il m'est doux de penser qu'après moi, grâce à moi, les hommes se reconnaîtront plus heureux, meilleurs et plus libres. Pour le bien de l'humanité future, j'ai fait mon œuvre. J'ai vécu. »

Le temps de l'inquiétude semblait passé. Gide revenait à la *disponibilité* totale des années 1920-1930. Je vécus près de lui au temps de Thésée ; j'admirais ce masque puissant, serein, si différent du violoniste aux longs cheveux de la période romantique. Oui, il avait gagné une partie difficile. Le jeune esthète de 1900, entravé par la famille et la religion, était devenu un vieux Prospero, mais il n'enterrait pas sa baguette. « Nullement vieilli, dit Martin du Gard. Etonnant pour ses soixante-seize ans. » Mais « l'adulation dont il a été l'objet à Alger a laissé des traces ». Sur Madeleine Gide, sa femme, morte en 1938, il écrivit un texte émouvant : *Et nunc manet in te...* « Hélas ! je me persuade maintenant que j'ai faussé sa vie encore bien plus qu'elle n'a pu fausser la mienne. Car, à vrai dire, elle n'a pas faussé ma vie ; et même il me paraît que tout le meilleur de moi me vient d'elle. » Quant à elle « lorsque je me penche sur notre passé commun, les souffrances qu'elle endura me paraissent l'emporter de beaucoup ; certaines, même, si cruelles que je ne parviens plus à comprendre comment, l'aimant autant que je l'aimais, je n'ai pas su l'abriter davantage. Mais c'est aussi qu'il se mêlait à mon amour tant d'inconscience et d'aveuglement ». Au début, il avait cru que, l'ayant perdue, il ne savait plus pourquoi il vivait. Puis sa prodigieuse vitalité l'avait emporté. « En fait, note Martin du Gard, il ne se sent en rien fautif, ni aucunement responsable du malheur de cette existence sacrifiée. Il pense : « J'étais ainsi. Elle était ainsi. D'où de grandes souffrances pour nous deux ; et cela ne pouvait être autrement. »

Les honneurs (1) s'abattaient sur celui qui avait si délibérément frôlé le déshonneur. Une triomphale représensation, à la Comédie-Française, des *Caves du Vatican*

(1) Prix Nobel, Doctorat d'Oxford.

marqua son quatre-vingtième anniversaire. Les personnages consulaires applaudissaient l'acte gratuit. De précieux amis entouraient la vieillesse de Gide : ceux de
toujours (Jean Schlumberger, Martin du Gard), d'autres
plus jeunes (Amrouche, Delay). Le docteur Delay, qui
allait être pour lui un biographe équitable et compréhensif, ne le quitta guère durant sa dernière maladie.
Depuis quelque temps le cœur flanchait. Une maladie
pulmonaire l'acheva. Il souffrit peu ; il lisait Virgile ;
il n'éprouvait aucune crainte. Il s'était installé dans
l'athéisme sans cesser de se dire chrétien. Il avait toujours affirmé : « C'est dans l'éternité qu'il faut vivre
chaque instant. » A Martin du Gard il dit : « Je ne rêve
à aucune survie... Au contraire : plus je vais, et plus
l'hypothèse de l'au-delà m'est inacceptable. » Jusqu'au
dernier instant il fut vivant. Existence heureuse en
somme, et triomphale.

Aujourd'hui la jeunesse le lit moins. Lui qui chercha
toujours, en vain, à s'accrocher à un point fixe, n'est pas
un point fixe auquel une génération avide d'action puisse
s'accrocher. Il n'a pas de doctrine à proposer. Mais il
ne souhaita jamais en proposer une. Hors une brève
incursion dans la politique, qu'il regretta, il ne voulut
être qu'un artiste, c'est-à-dire un homme dont le seul
métier est de fournir aux pensées une forme parfaite.
Le rôle de l'auteur est de bâtir une demeure ; au lecteur
de l'occuper. Ainsi soit-il.

CHARLES DU BOS

*On ne doit écrire
que de ce que l'on aime.*

RENAN.

Paul Valéry m'a dit un jour : « Tout homme de talent a droit à son temps de gloire, au moins de haute estime, mais il lui appartient de choisir le moment où il souhaite cette gloire. Cela peut être dans sa jeunesse ; cela peut être dans sa vieillesse ; elle peut aussi être posthume. » Charles du Bos avait choisi la catégorie du posthume, comme Stendhal, comme Mallarmé ; et le voici exaucé. Déjà son astre remonte à l'horizon. Les étudiants de tous pays font sur lui des thèses ; un professeur de Sorbonne lui consacre un cours ; un éditeur vient de réimprimer *Approximations*. Des Anglais éminents pensent qu'il a été le premier critique français de son temps. Je redoute les classements. Ils obligent à comparer des choses ou des hommes entre lesquels il n'y a pas de commune mesure. Charles du Bos n'était pas supérieur à Thibaudet, à Jaloux ; il était différent. Je crois qu'il serait plus vrai de dire qu'il a été, pour une certaine forme de critique, ce que Proust fut pour le roman. Les deux hommes ont eu le même désir de *coïncider* avec un sentiment, un paysage ou une œuvre. On a décrit Proust penché sur un buisson de roses ou regardant

49

sans fin les reflets du soleil sur un toit parce qu'il voulait saisir l'essence intime, la vérité qui se cachait derrière ces apparences afin de l'enfermer ensuite dans les anneaux d'un beau style. Que de fois j'ai vu Charles du Bos ainsi penché sur un auteur, ou sur un tableau, pour en tirer les quelques mots qui révéleraient le secret caché sous les mots. « *Byron ou le besoin de la fatalité* », « *Evidence et éclat, c'est presque tout le prestige de Manet* », « *Les pensées de Montaigne, une à une Pascal les sort de l'ample aquarium des Essais où, tels de beaux poissons lustrés, elles n'ont jamais fini de virer avec indolence.* » Du Bos, comme Proust, cherche — et trouve — l'essence. La critique ainsi conçue devient poésie et création.

I

Charles du Bos était né à Paris en 1882, dans le XVI⁰ arrondissement, d'une famille de grande bourgeoisie. Son père, ami personnel du roi Edouard VII, fut vice-président de la Société du Steeple-Chase d'Auteuil, y fonda un célèbre prix, et fit partie du Jockey-Club, de sorte que, tout naturellement, l'âge venu, le fils devint lui aussi membre de ce cercle aristocratique. Il en fut plus tard rayé parce qu'il ne payait pas ses cotisations, abandonnant ainsi négligemment, et sans regret aucun, un privilège que d'autres eussent payé si cher. Mais il garda, de sa jeunesse dans les « beaux quartiers », le goût des chevaux et des images équestres. C'est ainsi qu'il comparait la violence de Tolstoï à celle d'un cheval au galop et son style « au poil éclatant, lustré, d'un très beau cheval quand les rayons du soleil jouent sur lui ». Il voit Anna Karénine comme une grande jument noire et Wronski comme un *cob court,* bien pris, « le type d'animal avec lequel on aime à faire un galop matinal ». Au demeurant le plus antisportif des hommes, il aimait les chevaux comme il aimait Degas, en artiste.

Par sa mère, née Mary Johnston, il était à demi anglais et parlait cette langue aussi facilement que le français, passant de l'une à l'autre *sans s'en apercevoir.* Jean Paulhan lui reprochait « de s'enfuir dans la langue anglaise toutes les fois qu'il se propose de dire quelque chose de très simple ou de très subtil au contraire ». En fait il ne s'enfuyait pas et n'était qu'à peine conscient du passage. Très tôt son amour pour les poètes anglais, et singulièrement pour Wordsworth, Keats, Shelley, Browning, fut un de ses sentiments dominants. Il y trouvait une musique aérienne, exquise, et des extases assez rares chez nos poètes. D'ailleurs certains traits du caractère français le heurtèrent toujours. Il avait horreur du rationalisme à la Descartes et plus encore du voltairianisme, encore qu'il admirât le *prestissimo* de *Candide*. Il préférait la France de Giraudoux, de Musset, de Nerval, de Watteau, de Debussy, « où l'imprécis au précis se joint ».

Son « *tempo* », comme il disait, était l'*adagio*. L'esprit, au sens de raillerie, lui déplaisait douloureusement. Non qu'il fût incapable de faire des mots d'esprit. Jean Mouton en donne quelques exemples. D'un écrivain peu original qui affirmait avec vigueur ses platitudes, du Bos disait : « Il assène ce que les autres ont déjà dit. » Un professeur, qui ne régentait tout que pour tout brouiller, était par lui défini en deux adjectifs : « Impérieux et confus. » Sur Edith Wharton : « Elle avait cette sorte de sérénité *which is backed by an impregnable bank account* » (qui s'appuie sur un inexpugnable compte en banque). Ce qui est une épigramme toute proustienne. Mais en principe il s'interdisait ces saillies promptes, toujours peu réfléchies, souvent injustes. S'il jugeait nécessaire de railler un excès de pompe ou de sottise, il le faisait avec une gravité imperturbable et un choix de mots somptueux qui soulignaient par contraste la médiocrité de l'objet. Ce sérieux dans le divertissement, c'est proprement l'humour britannique.

Il commença une esquisse d'autobiographie par cette phrase : « Je suis né à dix-sept ans. » C'est l'âge où il découvrit Bergson en lisant l'*Introduction à la métaphysique*. Dans ce texte court et riche, il trouva formulés ses propres besoins spirituels. « J'entrais en Bergson bien plutôt que je n'entrais en philosophie. » En fait il avait fait auparavant de bonnes études, à l'Ecole Gerson et à Janson-de-Sailly. En 1900 il passa une année à Balliol, saint des saints de l'Université d'Oxford, et garda

toute sa vie une profonde tendresse pour les beaux collèges anglais, leurs pelouses ras tondues, leur noncha-
lance érudite. Il passa en 1902 une licence d'anglais et
fit son service militaire à Evreux en 1903, puis des
séjours à Florence, à Venise et à Berlin où il fut l'élève
de Georg Simmel, philosophe de la culture, qui eut sur
le développement de son esprit une influence bénéfique
et lui apprit à tirer d'une œuvre d'art des idées en même
temps que des émotions.

France, Angleterre, Allemagne, Italie, ainsi se formait
un Européen. Un long voyage en Italie lui permit de
mettre au point une étude sur Botticelli. Jean-Louis Vaudoyer a montré comment, tout au long de sa vie, Charlie
(comme l'appelaient ses amis) eut dans l'esprit et dans
le cœur cette songeuse assemblée de vierges et d'anges.
« Je lui disais parfois : Charlie, corps et âme, Botticelli
est réincarné en vous. » Et en effet les deux destins pré-
sentaient de nombreux traits de ressemblance. Botticelli,
comme Charlie de chétive santé, avait aimé comme lui
passionnément la lecture ; tous deux ont passé, vers le
milieu du chemin de leur vie, d'un sensualisme intellectuel à une foi pathétique. Mais de cela plus tard...

En 1907 Charlie épousa Juliette Siry, (elle aussi de
grande bourgeoisie) après une représentation de *Pelléas
et Mélisande* à l'Opéra-Comique. Jamais femme ne fut
mieux faite pour partager une vie noble et difficile.
Juliette du Bos sera, dans le *Journal* de son mari, Zézette,
ou Z^1 (leur fille : Primerose, étant Z^2), et il partagea
avec elle désormais ses bonheurs, ses extases spirituelles,
et aussi ses luttes temporelles, car, le moins pratique des
hommes, il n'admettra jamais de plier son œuvre aux
désirs d'un éditeur. Bien plutôt rêvera-t-il de trouver
l'éditeur, miraculeusement désintéressé, qui acceptera
cette œuvre telle qu'elle sera.

Et que peut-elle être ? Une réflexion libre sur les
œuvres d'art qu'il admire, un effort pour encercler et
définir ses émotions. Tantôt cette méditation prendra
forme d'essais critiques, tantôt d'un journal d'abord écrit,
puis dicté ; tantôt enfin de conversations sans fin avec

Z., collaboratrice incomparable, ou avec des amis. Jean-Louis Vaudoyer a décrit les soirées chez les du Bos, à Passy, rue de la Tour, puis dans l'île Saint-Louis, rue Budé. Elles étaient, ces soirées, « doucement et ingénieusement harmonieuses... Il régnait dans cet intérieur sobrement et délicatement luxueux une atmosphère que l'on peut comparer à celle qui se dégage de la grande peinture vénitienne... Moins pour lui-même que pour ses amis, il fallait que tout, dans ces soirées intimes, fût de la qualité la plus rare. Nos interminables conversations sur l'art, sur les lettres, sur la musique, étaient enveloppées dans les effluves du meilleur thé, dans l'arôme des meilleurs cigares. » La table de la salle à manger, appétissante comme un Chardin, harmonisée comme un Whistler, était comme une musique de chambre. « De quelles absurdes folies somptuaires le cher Charlie, dans ces années de sa jeunesse, n'était-il pas capable, lui qui plus tard devait si noblement, si naturellement se passer de tout. »

Pendant la guerre de 14-18 Charlie, non mobilisé parce que sa santé ne lui permettait pas de vivre aux armées, s'occupa d'une œuvre : le Foyer franco-belge. Mais il était bien peu fait pour l'action. Pour quoi était-il fait ? Pour enregistrer sa vie, minute par minute. Et cet enregistrement sera pour nous infiniment précieux parce que les pensées notées sont celles d'un esprit richement meublé de hautes lectures, et d'une conscience exigeante. A partir de 1920 Charlie ne peut plus vivre sans « sécréter » (c'est son mot), sans « dégager des calories ». Il a besoin de parler sa pensée. D'où le besoin annexe de secrétaires parfaites, qui puissent noter aussi bien l'anglais que le français, et qui d'ailleurs seront, l'une après l'autre, fières de faire ce travail qui les associe à la vie personnelle comme à la vie spirituelle du plus attachant des hommes.

En août 1922 il trouva un nouvel exutoire : les entretiens de Pontigny où Paul Desjardins réunissait chaque été un groupe d'écrivains : Gide, Valéry, Martin du Gard, Schlumberger, Mauriac, Fernandez, Jaloux, Lytton Strachey, Curtius. Ce fut là que, pour la première fois, je rencontrai Charlie. On vivait en communauté. La discussion publique révélait talents et tempéraments. Les conversations permettaient d'approfondir les sympathies. Malgré tant de présences illustres, Charles du Bos m'apparut vite comme le personnage le plus remarquable de cette assemblée. Il traitait tous les sujets avec un sérieux qui, dès l'abord, surprenait, puis émouvait. Valéry s'amusait de paradoxes ; Gide se faisait l'avocat du diable ; Charlie, lui, jouait sa vie à chaque phrase. Je pensais toujours, en l'écoutant, à la phrase de Platon : « Il faut aller à la vérité avec toute son âme. » Son visage grave, aux grandes moustaches tombantes, était éclairé par deux yeux d'une profondeur et d'une tendresse infinies. Il les fixait sur l'interlocuteur, pendant tout dialogue, avec une sorte d'interrogation pathétique.

Je n'ai jamais connu un être aussi capable d'attention totale. A côté de lui nous nous sentions tous légers, impardonnablement. Très vite, je pris l'habitude, quand je lui parlais, de me mettre, autant que j'en étais capable, à son diapason. Aussi, puis-je dire qu'il fut, après Alain, l'un des premiers amis qui me transformèrent. J'éprouvais comme lui le besoin de vivre les idées ; il m'y aida. Nous éprouvions la même admiration pour Tchékhov, pour Constant, pour Joubert, et, ce qui était alors plus rare, pour Byron. Il a évoqué dans son *Journal,* nos conversations. « Maintenant, dit-il, et de façon instantanée, notre tête-à-tête constitue le maximum d'accord ajusté au vrai de chaque question. »

Je revins de Pontigny, enthousiasmé par la culture, et plus encore par la noblesse d'âme de Charlie, indigné aussi qu'un si grand esprit n'eût pas trouvé son public. J'entrepris, autant que j'en avais le pouvoir (et c'était peu, car je débutais alors moi-même dans le monde des lettres), de lui donner une audience et j'organisai chez moi des cours sur Keats que Charlie fit devant une soixantaine de personnes dont beaucoup partagèrent mon admiration. Plus tard, un deuil affreux m'ayant accablé, le cours fut transporté chez d'autres amis, mais le principe resta le même : une série de leçons sur un grand auteur : Gide, Benjamin Constant, Byron, Tchékhov, Nietzsche, Goethe, Novalis. L'improvisation précédait l'écriture. La méthode convenait à Charlie qui avait besoin de parler sa pensée pour la trouver.

J'aimais jusqu'à ses manies. Volontiers il commençait un cours par une immense citation, de deux ou trois pages, qu'il commentait ensuite. Il improvisait comme écrit l'auteur le plus sévère pour soi-même. Il poussait le goût des nuances et le choix des mots jusqu'à la plus délicate perfection. L'invention verbale et l'invention des idées étaient chez lui simultanées ce qui assurait sans une bavure, sans un décalage, les plus merveilleuses coïncidences. Les hommes, la plupart, sont si frivoles que le sérieux les déconcerte. Peut-être la tension continue des propos et de la pensée de Charles du Bos eût-elle fatigué ses compagnons et auditeurs si de très humaines faiblesses ne les avaient rassurés. Il ne pouvait se déplacer sans être suivi de tous ses amis spirituels et arrivait à Pontigny, pour dix jours, avec plusieurs caisses de livres. Sur les rayons de sa bibliothèque, il rangeait les auteurs par familles d'esprits. Tchékhov, stoïcien moderne, y voisinait avec Marc Aurèle (encore qu'il préférât Tchékhov). Charlie portait, dans la poche intérieure de son veston, plusieurs douzaines de crayons merveilleusement taillés. On le voyait sous les charmilles de Pontigny marcher un livre à la main, armé d'un de ces crayons à pointe très fine, soulignant lentement des pages entières.

Quant à ses « tics » d'écrivain il en a parlé lui-même avec humour : « Oui, c'est entendu, j'ai la manie de la chronologie, la manie des notes, la manie des parenthèses et des incidentes (et encore ces deux-là, moi-même cette année m'efforce à les réduire), la manie des tirets, la manie des citations (celle-là, par exemple, je ne souhaite nullement d'en guérir : je considère au contraire comme un de mes offices propres de répandre le plus possible toutes les belles paroles, toutes les substantielles pensées que j'ai rencontrées et qui m'ont aidé à

vivre) : sont-ce vraiment là manies si coupables et si
graves, et les lecteurs que vraiment elles arrêtent, elles
repoussent, sont-ce vraiment des lecteurs à qui, s'il n'y
avait pas ces manies, je pourrais apporter quelque chose ? Toute mon expérience personnelle m'a prouvé que,
plus un homme est lui-même, en toute sincérité, avec cet
indéfinissable amalgame de forces et de faiblesses qui
font le son même de sa voix, plus cet homme me donne
et m'enrichit, plus il m'est possible d'établir avec lui une
relation d'intimité. Y a-t-il, peut-il y avoir intimité sans
don de soi, don de soi sans aveu, aveu sans faiblesse ? »

Le point culminant de notre amitié fut peut-être un
séjour qu'il fit chez moi, à la Saussaye, après la mort
de ma femme. Il était essentiellement le compagnon fidèle des mauvais jours et tout pathétique l'exaltait. « Je
n'ai pas besoin des autres, disait-il ; j'ai besoin que les
autres aient besoin de moi. » La consolation qu'il m'offrit (et qui me toucha parce qu'il était tellement dans
sa nature de panser une blessure par une citation) fut
une phrase de Joubert : « Dans la multitude infinie des
manières dont nous pouvons être affectés, il n'est pas
un de ces événements, heureux ou tristes, qui ne soit
capable de produire en nous un sentiment sublime et
beau. C'est ce sentiment que je cherche. Je passe rapidement par tous les autres pour ne m'arrêter qu'à lui.
Lorsque mon âme a pu y parvenir, elle s'y tient, et pour
toujours. » Au vrai, bien plus que la phrase de Joubert,
me fut alors précieuse la présence de Charlie et il faut
ajouter : ses douces exigences. Il voulait que l'on vécût
à l'extrême pointe de soi-même et il en donnait l'exemple. Charlie me fit toujours penser à ce personnage des
Affinités électives de Goethe, qui apparaissait aux
moments tragiques, et disparaissait dès que l'orage
s'apaisait.

II

Donc Charlie parlait sa pensée. Ses dictées, ses cours ont-ils constitué une œuvre ? On n'en peut douter. Il y faut distinguer trois aspects. Le plus important à mes yeux est le *Journal*. Là il déversait tout : ses conflits intimes, l'évolution de ses idées philosophiques et religieuses, la préparation de ses cours, ses rapports avec les grands écrivains qui en étaient les objets, et aussi sa vie quotidienne, ses terribles crises d'adhérences, ses conversations avec Z. Voici un exemple du ton mineur dans le *Journal* : « Rentré assez souffrant d'un déjeuner chez les Jean-Louis avec les Pourtalès, par suite d'un mal de tête et d'un alourdissement général dû à un trop excellent, mais non moins massif koulibiak (des Russes j'adopterais volontiers toutes choses mais non leur cuisine, tout en ayant d'autant plus d'admiration pour eux en vertu de la façon dont apparemment ils tiennent le coup), je dicte ce journal surtout parce que je ne suis pas autrement content de moi aujourd'hui et que je le redeviendrai peut-être (telle est ma nature) si plus exactement je sais pourquoi. »

Ce n'est rien, mais devient attachant par l'intimité constante ainsi créée avec un être, contrairement à la légende, très humain. « On s'étonne souvent (dit Giraudoux) de la rareté dans notre littérature de ce qu'il est convenu d'appeler les écrits intimes. C'est qu'ils supposent un élément indispensable : l'intimité de l'auteur avec soi-même et c'est une liaison que la plupart de nos

58

auteurs ont évitée. » L'intimité de l'auteur avec soi-
même — pour Charlie tout est là, « et par là s'explique,
dit-il, que je ne suis pas auteur ». Ce qui n'est pas tout
à fait exact. Il est auteur en ceci : qu'il sait et admet que
son *Journal* sera publié après sa mort ; cependant il ne
l'est pas en ce que jamais il n'écrit (comme Valéry le
fait si volontiers) pour exécuter une commande. Il ne
« sécrète » que sur un petit nombre de sujets et d'hommes, qui sont les siens ou parfois sur « un de ses beaux
étrangers », Goethe par exemple, qu'il a cru d'abord très
éloigné de lui et dont il découvre avec bonheur la sensibilité vulnérable.

Plus qu'auteur il est analyste. Orateur ? Le mot lui
ferait horreur. Professeur ? Il m'écrivit un jour que c'est
le plus beau métier du monde. Pourtant, il faut le répéter, bien plutôt que professeur, Charlie est un homme
qui parle sa pensée pour lui-même. Alain disait : « Il
n'y a de pensée que sur les penseurs. » Cette œuvre sera
le monologue de toute une vie sur quelques grands hommes que j'ai cités, plus d'autres au sujet desquels il
médite des cours futurs : Bergson, Stefan George, Hofmannsthal, Rossetti, Shelley. Mais ses cours font, sur
ceux qui les entendent, une telle impression de pensée
profonde, puisée à la source, que beaucoup souhaitent
qu'ils soient publiés. Tous ne le seront pas ; quelques-
uns prendront forme de livres (Constant, Goethe, Byron).

Que sont ces livres ? Des biographies ? Certainement
pas, encore que Charlie, nous l'avons dit, attache une
capitale importance à l'ordre chronologique, faute de
quoi l'on fausse tout. Mais raconter toute une vie ne l'intéresse pas. Il aime à pêcher une belle citation, à propos
d'une situation du héros, et à dérouler, en parlant de ce
texte, l'écheveau sans fin de ses pensées. Je dirais volontiers qu'il traite ses héros comme ses amis ; il vient à
eux plus volontiers dans leurs moments pathétiques. Il
pratique des coupes dans leurs vies comme dans leurs
œuvres pour isoler les heures brûlantes qui méritent examen et glose. Par exemple il parle avec une délicatesse
presque tendre des deux amours de vieillesse de Goethe

(l'un pour une jeune Milanaise, Maddalena Riggi, l'autre pour Ulrike von Levetzow). Je ne crois pas qu'on ait jamais parlé d'un vieillard amoureux avec autant de compréhension et de respect, ni mieux analysé l'*Elégie de Marienbad* qu'eut l'honneur d'inspirer Ulrike.

On voit qu'il ne s'agit pas plus de critique littéraire que de biographie. Charlie craignait le mot « critique » dont l'étymologie évoque à la fois *juger* et *séparer*. Or ce qu'il veut, c'est s'unir avec un créateur, et ainsi le recréer. « Au fond, disait-il, je suis un artiste dont l'art propre a pour matière l'art des autres. » Il s'agit, pour un homme qui a la passion d'y voir clair, d'entrer en contact aussi étroit que possible avec des esprits pour qui l'art, la religion, la pensée étaient quelque chose de vital. Charlie du Bos a dit quelque part que la littérature est la rencontre de deux âmes. Voilà ce qu'il cherchait. Cela n'implique aucune définition précise de l'âme. C'est « un mystère qui se produit lorsque, grâce à une introspection divinement orientée, après avoir passé par les remparts de flammes de notre dure, de notre récalcitrante personnalité, nous atteignons enfin notre âme, nous sentons alors la chaleur palpitante du pauvre oiseau jusque-là immobile dans sa prison... Celui qui a vécu cet insondable mystère a vraiment touché son âme : il sait ce que saint Augustin entend par le *internum aeternum* «... » « Quelqu'un qui soit en moi plus moi-même que moi » traduit Claudel. « Il est bien entendu que nous pénétrons ici dans une chambre secrète à laquelle aucune littérature n'accède, mais il suffit que la littérature possède un lieu retiré qui lui appartienne en propre et que celui-ci soit le lieu de rencontre de deux âmes, accordées l'une à l'autre et se répondant tels des instruments de musique... La joie est l'indice que l'émotion créatrice a atteint son but. » Tout cela semble à peu près inexprimable, mais on peut le sentir (et pour mon compte je le sens).

« Critique métaphysique », a-t-on dit, et c'est vrai en ce sens qu'elle cherche à aller au-delà des mots ; métaphysique au sens de cette *Introduction à la métaphysi-*

que de Bergson, si chère à Charles du Bos ; métaphysique encore en ce qu'elle ne cherche pas à s'incorporer à l'événement, comme le veut par exemple Sartre pour qui l'entreprise de l'homme est de « faire de l'histoire » et l'objet de la littérature « de rendre à l'événement sa brutale fraîcheur, son ambiguïté, son imprévisibilité ». L'action serait alors jugée plus proche de l'absolu que la littérature ou l'art. Mais Charles du Bos n'a jamais pensé que la littérature est la vie, ni que les auteurs doivent se donner des émotions pour en tirer des livres. Au contraire il loue Byron d'avoir sublimé ses douleurs en poésie, et de n'avoir en aucun cas créé l'événement pour en écrire. « Ce qui m'amuse, écrivait Charlie, c'est qu'aux yeux d'à peu près tous ceux qui prétendent me connaître, je passerai toujours pour quelqu'un qui n'a aucun contact avec la vie elle-même (1). »

Gide, en un temps où il s'éloignait de Charlie, contribua grandement à répandre quelques anecdotes sur l'inaptitude de celui-ci à la vie quotidienne. Cela composait une légende à la fois aimable et comique, semblable à celles qui s'accrochent aux mathématiciens distraits. Elle ne contenait qu'une parcelle de vérité. Charlie faisait de consciencieux efforts pour embrayer sur la vie active. Il créait des collections : l'une d'auteurs étrangers, chez Plon, qui depuis a prospéré sous le nom de *Feux croisés* ; une autre d'*Ecrits intimes,* chez Schiffrin, qui obtint quelque succès et le méritait ; il essaya de fonder des revues, *Textes,* puis *Vigiles.* Ses idées ne manquaient jamais de pertinence ; ses choix d'auteurs ne pouvaient être qu'excellents. Seulement ses vertus même décourageaient les éditeurs, son besoin de perfection, son indifférence aux réussites matérielles, et surtout ses scrupules infinis. Il n'aimait rien tant que les nuances les plus fines dans le choix des mots. Il aurait tout un jour analysé avec délices la différence entre *complexe* et *compliqué.* Les relations humaines exigent plus de désinvol-

(1) Cité par Jean Mouton : *Charles du Bos* (Desclée de Brouwer).

ture et parfois de grands coups de sabre. On a dit (Louis Martin-Chauffier) que le danger du *Journal* est d'offrir un refuge et un alibi pour échapper aux grandes œuvres construites. « La revue partielle, l'idée conçue sans enchaînement, la réflexion faite en passant y trouvent place. Danger d'autant plus séduisant et dominateur que l'esprit qui y cède y trouve la plus sûre, la plus riche, la plus nuancée des expressions de lui-même. » C'est vrai, mais il ne faut point forcer sa nature et Charlie était avant toute chose l'homme du *Journal,* ce qui ne l'empêcha pas d'écrire de très beaux livres.

En marge du *Journal* et des études sur tel ou tel auteur, il faut lire les *Approximations.* Ce sont des articles où les intuitions saisies dans le *Journal* à l'état naissant sont mises en forme et développées. On y trouve des textes sur Proust, sur Amiel, sur Flaubert, sur Goethe, mais aussi de nombreuses notes qu'il avait écrites, pour la N.R.F., au moment de la publication de tel livre de Rivière, de Mauriac, de Schlumberger, de Lytton Strachey. Il me dédia *Approximations II :* « Cher ami, j'eusse préféré inscrire votre nom en tête de quelque longue étude... N'ayant aujourd'hui rien de mieux à donner, prenez ce don pour ce qu'il vaut... Vous trouverez cette fois des approximations dont la plupart visent non plus les auteurs mais les livres... et ce livre isolé je n'ai pas cherché à le situer dans une série ; plutôt à le respirer, à vivre avec lui, à en exprimer — et plus encore par la manière d'en parler que par les choses mêmes que j'en dis, cette qualité unique qui se dérobe hélas si adroitement dès qu'on tente de la fixer par des mots. »

Je me suis permis de citer ce texte, bien qu'il me soit adressé, parce qu'il dit très bien ce qu'était la critique de Charlie. Il respirait un livre et vivait avec lui ; puis il essayait d'atteindre sa nature secrète, souvent (comme le fait aussi Proust) par des comparaisons avec d'autres arts (1). Ainsi les personnages de Gide dans la *Symphonie Pastorale* lui rappellent ces tableaux des frères Le

---

(1) V. Jean Mouton : *Op. cit.,* p. 70.

Nain « où le décor garde toujours un parfum domestique et privé, où le drame se joue entièrement au-dedans,
derrière l'immobilité, la fidélité passionnée des visages ».
Un poème de la comtesse de Noailles évoque pour lui un
Corot, une ballade de Hofmannsthal, un Giovanni Belli-
ni. Il assimile les touches successives de Marcel Proust
à « l'émail inaltérable des plus beaux Courbet », comme
Proust assimilait la fille de cuisine de Françoise à une
figure de la Charité de Giotto. L'esprit de Walter Pater
évoque « une de ces cathédrales où l'on entre à la tombée
du jour à l'heure où il n'y a plus personne ». Bref une
approximation de Charles du Bos rappelle ces conversations entre esprits de même et haute culture, si riches en
allusions ou évocations, qui se déroulaient sous les charmilles de Pontigny ou autour de la table de la rue Budé.

Il projetait aussi d'écrire une autobiographie spirituelle qui aurait eu pour titre : *Introspections* ; il avait
pensé à un autre titre : *Sondages,* mais Gide (avec raison) le jugea trop « chirurgical ». D'ailleurs seul le premier chapitre fut écrit.

On a beaucoup parlé de la « conversion » de Charles
du Bos. Le mot n'est pas tout à fait juste. Il était né
dans la bergerie catholique, mais il semble, dit Mauriac,
que sa vie religieuse « ait été soumise à des intermitten-
ces ». De cela je fus témoin. Quand je connus Charlie,
en 1922, il avait transposé sa foi, pour une part, sur le
plan esthétique. Il a lui-même décrit plus tard « cette
presque monstrueuse et quasi continuelle surabondance
d'émotion religieuse dépensée sur tout objet profane ».
Pendant une longue période, de 1918 à 1927, il a traité
comme des textes sacrés les poèmes de Keats, les effusions lyriques de Nietzsche, les romans de George Eliot.
Une douzaine de chapelles, dans son esprit, étaient consa-
crées à ses saints : poètes, peintres et musiciens. Des
tableaux de Giorgione, de Botticelli, de Watteau, de
Renoir en ornaient les murs. Il allait en pèlerinage au
Louvre avec Jean-Louis Vaudoyer. Avant ces visites « il
se mettait en état de grâce, comme pour une communion ». Il restait en extase devant un tableau. Bref (un
mot qu'il employait souvent, et qui faisait sourire ses
amis, car quand Charlie disait : *bref,* c'était pour annoncer un redoublement de volubilité), bref pendant neuf
ans il s'exila du catholicisme pratiquant, ou au moins
resta dans un suspens indéfini à l'égard du problème
religieux.
Pourquoi ? Il ne soulevait pas, comme tant d'autres, des
objections rationnelles. En fait il éprouvait, à l'égard de

la raison raisonnante, un assez grand mépris. Très tôt il avait choisi Bergson pour maître, ce qui le portait à l'intuition, et au respect du mystère, voire de la mystique. Mais il avait scrupule à se dire croyant : « Quand je dis je crois en Dieu, je veux dire que je sens Dieu en moi, ce qui peut-être équivaut simplement à ceci : que mes meilleurs moments s'inscrivent dans la zone religieuse. » *Est Deus in nobis.* Mais est-ce là, se demandait-il, un acte de foi ? N'est-ce pas plutôt une conviction morale ? « D'où la difficulté qui m'est propre : tandis que, chez le vrai chrétien, c'est la religion qui aide à bien vivre, chez moi c'est le fait même de bien vivre qui me donne accès à mes possibilités religieuses. Il y a là un renversement des termes. » Voilà où il en était avant 1926 et je crois que notre amitié en fut rendue plus facile, car, pour moi, tout se jouait sur le plan moral ; il s'agissait d'être et de rester d'accord avec la meilleure partie de soi. Là-dessus nous nous entendions de parfaite manière. Pour Charles du Bos aussi, en ce temps-là, le *tonus* moral aidait la religion plus que la religion ne l'aidait. Il attendait le salut de la perfection et ne pouvait concevoir la foi sans une forme de véritable sainteté.

Donc pendant ces années où il a planté sa tente de nomade à la frontière du catholicisme, Charlie a essayé de se modeler lui-même. Autour de lui agissent des influences diverses. Sa femme, croyante, se garde sagement d'intervenir, « moins, dit-elle, pour respecter les voies d'autrui que pour respecter les cheminements particuliers à Dieu pour telle âme particulière ». Gide, fuyant et changeant, a esquissé un mouvement vers le christianisme avec *Numquid et tu...* mais s'est repris aussitôt. Chez Pascal — et chez Mauriac — Charlie trouve l'idée que la vie des sens et le péché sont, par le dégoût qu'ils inspirent, des agents de conversion. « Toute la force du catholicisme tient dans la force avec laquelle il traîne au grand jour le lamentable de la nature humaine et c'est pourquoi il n'y a pas de plus grand catholique que Pascal, qui sait le cœur humain creux et plein d'ordu-

re. » Mais du Bos refuse cette équation à deux termes :
Dieu et la vie des sens. Il a la volonté de revenir à Dieu
par le *haut* seul, et d'opérer le travail du *bas* avant de
revenir à lui. A quoi Isabelle Rivière, autre confidente,
répond : «.Charlie, c'est qu'au fond vous êtes orgueilleux
et vous ne saurez jamais à quel point vous l'êtes. »
Orgueilleux ? Oui, avoue-t-il, si vouloir apporter à Dieu
le meilleur de soi n'est qu'orgueil. Il n'en démord pas.
Morale d'abord. « S'il ne peut se hausser au-dessus de
lui-même, quelle pauvre chose est l'homme. » Et encore :
« L'homme est ce qu'il veut être, non qu'il ne tombe
jamais, mais qu'il se relève chaque fois qu'il est tombé. »

En somme son problème est : peut-on vivre d'un théis-
me qui s'appuie sur la seule proposition de l'existence
d'un Dieu immanent ? Ou faut-il admettre un Dieu créateur et transcendant ? Il lit beaucoup, au début de 1927,
la Bible, l'Evangile et surtout le Sermon sur la Montagne « en serrant contre lui » le verset : « Mais vous
autres soyez parfaits comme votre Père dans les cieux
est parfait. » Il se sent déchiré, proche d'un grand changement et tout imbibé d'une tristesse spéciale à l'idée
que, « si ce jour vient jamais, certains êtres que j'aime si
chèrement me croiront perdu pour eux alors que ce sera
tellement le contraire ». Remontant à pied l'avenue
d'Eylau, il pense au mot de Pascal : « Que nous le voulions ou non, nous sommes embarqués » et il se dit que là
gît la différence entre lui et beaucoup de ses amis. Eux
semblent résignés à rester sur la rive ; il est, lui, déjà
dans le courant ; il a l'obscure perception que la grande
aventure l'attend et qu'il n'y échappera pas. A la vérité
elle l'attend parce qu'il la souhaite, parce qu'il a besoin
à quarante-quatre ans » de se centrer sur le centre » et,
après tant de stations dans les chapelles profanes, de
s'agenouiller devant le maître-autel.

En avril 1927, il n'a pas encore franchi le pas. Des
amis le pressent, Jacques Maritain par exemple (mais la
foi intellectuelle de Maritain ne satisfait pas le bergsonien Charlie) ; l'abbé Alterman, juif converti, grande
âme, prêtre autoritaire qui conserve quelque chose de

la rigueur de l'Ancien Testament ; Isabelle Rivière. Mais si je passe au catholicisme, pense Charlie, qui restera pour établir la liaison, les uns (les convertis) n'arrivant pas à être équitables envers une pensée laïque, les autres (les rationalistes) étant tout à fait fermés à la pensée religieuse ? Qui, hors lui, s'opposera aux excès d'un Claudel, d'un Ghéon, quand ils rencontrent en face d'eux la pensée d'un Valéry, d'un Alain, d'un Jean Prévost ? Orgueil encore ? Il croit plutôt que c'est crainte de la sécurité. Jusqu'alors la descente en lui du divin a toujours été un don, une surprise, une rosée inattendue. Il se conçoit mal installé confortablement dans une croyance. A quoi Isabelle Rivière : « C'est toujours la même chose ; vous voulez tout faire par vous-même, ne rien laisser à faire à Dieu ; vous voulez lui apporter, lui donner ; c'est cela qui rend votre situation sans issue, parce que cela, fondamentalement, n'est pas ce que Dieu veut de vous. » (Thèse qui me paraît, à moi, indéfendable, car comment ce que Dieu *veut* ne se ferait-il pas ?) Charlie, lui, conclut qu'il faut arrêter l'introspection, pour laisser les choses, et Dieu à travers elles, opérer.

Cette passivité chargée d'émotion opère en effet. En juin 1927 il a un sentiment « de dernière heure avant le départ ». Il fait ses valises spirituelles. Chaque dimanche matin il va entendre la grand'messe aux Bénédictines de la rue Monsieur et pour lui, dans cette chapelle, mystique sacrée et mystique profane, prière et poésie se rejoignent. « Je n'ai jamais vu d'office plus beau, d'une pompe plus intime et comme interminable en sa lente dignité. Les ornements des prêtres — qui alliaient ces carmins et ces grenats qui sont le triomphe de la *Chapelle Sixtine* — donnaient à la cérémonie un éclat alternativement sourd et vif, je ne sais quelle robustesse tout ensemble séculaire et noblement distante. Et les chants — entre lesquels s'intercalait après l'offertoire et jusqu'au Sanctus la longue méditation de l'orgue — avec les merveilleuses, les pénétrantes paroles latines, opéraient dans l'âme je ne sais quelle délicate et curative déchirure. » Ah ! que l'on se sent près de Proust parmi ces adjectifs somptueux et sacrés. L'esthète, en ce lieu privilégié, écartait les ronces du chemin pour laisser passer le croyant.

Le vendredi 29 juillet 1927, à 10 h 10 (il aime ces précisions) le croyant dicte le journal de son retour au bercail. « Que l'état de grâce est mystérieux en son surgissement. » Un hasard a joué. L'abbé Alterman était venu le voir ; Charlie lui avait parlé de sa relecture de l'Evangile selon saint Jean, puis avait demandé à l'abbé quand il partait en vacances : « Lundi, répondit-il et jusqu'au 30 septembre. » Alors soudain l'urgence d'une décision, déjà prise en son cœur, lui apparut. La lumière à ce moment « surabondait en lui » ; elle pouvait se retirer. « Il est tout de même un peu fort de penser que ce que spontanément j'ai fait toute ma vie pour Keats, je le refuse à Dieu et au Christ. Ma nature est insondable ; à cette minute précise, elle m'apparaît tel le nœud gordien qu'il faut trancher et non dénouer plus avant. » Il trancha et, en peu de jours, constata qu'il venait d'acquérir un sens nouveau de l'univers quotidien. La transfiguration avait tout gagné, rapports avec les êtres, regards jetés sur le paysage, accomplissement facile et joyeux des tâches journalières les plus quelconques.

A-t-il changé ? N'est-il plus notre Charlie avec ses enthousiasmes pour la musique, pour la peinture, pour la poésie profane ? Non point. Il continue d'aimer les mêmes œuvres d'art ; seulement le climat de gravité dans lequel il vit désormais a pour résultat que, lorsqu'il entend de la grande musique, il lui semble que la densité de la surnature s'épaissit et qu'il est « comme enveloppé d'au-delà ». La messe de chaque matin lui semble « un mystérieux rendez-vous avec soi-même ». Ses amis croyants s'étonnent un peu du « avec soi-même ». Ne devrait-il pas dire : avec Dieu ? Ne demande-t-il pas aux nourritures divines ce que les hommes du siècle attendent des nourritures terrestres ? Eh bien, soit, il reste un esthète ; il le sait ; il l'accepte. Ses admirations, « Dieu les avait laissées dédaigneusement » où elles étaient. La religion lui apporte « cette détresse exaltan-

te » dont il a besoin. Chez les Bénédictines de la rue
Monsieur il retrouve le souvenir de Huysmans, de Psi-
chari. Il n'a pas dépouillé le vieil homme ; il l'a enrichi.

Ses amis incroyants, eux, ne cessent pas de l'aimer.
Il reste à leurs yeux le même Charlie tendre, profond,
« follement sensible ». Mais ils s'étonnent de l'envahisse-
ment progressif de son esprit par cette dévotion minu-
tieuse, obsédante qui est propre aux néophytes. Gide est
agacé par ce nouveau du Bos. Une malheureuse coïnci-
dence fait que le temps qui est pour Charlie celui de la
conversion, se trouve être pour Gide le temps de l'aveu,
de la confession publique. *Corydon,* plaidoyer pour la
pédérastie (et non pour l'inversion que Gide répudie),
choque au plus haut point Charles du Bos qui décide de
s'expliquer en toute franchise, c'est-à-dire avec sévérité,
sur le cas Gide, dans un livre : *Le Labyrinthe à claire-
voie, Labyrinthe,* parce que l'esprit de Gide est un tissu
de contradictions dont l'interlocuteur ne peut sortir, *à
claire-voie* parce que le labyrinthe, transparent, n'offre
presque rien à voir, la pensée gidienne s'étant amincie.
Mais cette aventure spirituelle de deux grands esprits est
assez importante pour la conter tout entière.

Charles du Bos a fait la connaissance d'André Gide
en 1911 chez Jacques-Emile Blanche à un déjeuner
auquel assistait Maurice Barrès. Charlie, beaucoup plus
jeune que Gide, professait une tendre admiration pour
La Porte Etroite paru deux ans plus tôt, et une
grande estime pour Gide critique. Dès cette première
rencontre des affinités les rapprochèrent. Tous deux
avaient un goût littéraire exigeant et fin ; tous deux
aimaient Benjamin Constant, Joubert ; tous deux possédaient une culture anglaise (celle de Charlie, à la fois
héréditaire et oxfordienne, beaucoup plus approfondie
que celle de Gide, dont la connaissance de la langue était
plus intuitive que précise), mais ils communiaient en
Shakespeare, en Browning ; tous deux adoraient la musique. Ils avaient l'un et l'autre grand-peine à trouver des
interlocuteurs de leur qualité. Qu'une amitié, rapidement, les unît, était naturel, fatal.

Les dissonances pourtant ne manquaient point. Charlie avait une puissance d'attention, un sérieux constant
auprès desquels l'esprit de Gide, curieux mais mobile,
pouvait sembler presque frivole. Charlie se voulait moral
et, s'il avait quelques défaillances, s'en désolait ; Gide
se voulait immoraliste et se reconnaissait plus en ses
défaillances qu'en ses fidélités, pourtant réelles. Gide
était naturaliste ; Charlie ne voyait la nature qu'à travers les œuvres d'art. Gide s'indigna un jour parce que
Charlie, ayant à traduire *snail's horns* (les cornes d'un

70

escargot), hésita. « Il n'avait jamais vu un escargot ! », s'exclame Gide à la fois amusé et choqué. Mais Gide soutient aussi que Charlie disait : « Je n'ai jamais joué », à quoi ses camarades d'enfance (Joseph Baruzi et autres) donnent un démenti. Du Bos et Gide avaient tous deux reçu une éducation chrétienne ; tous deux demeuraient lecteurs fidèles de la Bible et des Evangiles. Mais Gide inclinait du côté de Satan, à cause d'une vie privée qui n'entrait pas dans les cadres de la société, et Charlie, bien que prêt à toutes les indulgences pour les amours d'homme à femme, ne tolérait aucune forme de l'inversion. Longtemps ces différences ne mirent pas obstacle à leur amitié. Puis un jour vint où leurs tempéraments s'affrontèrent.

Au début de la guerre de 1914-1918, n'étant ni l'un ni l'autre mobilisés, Gide pour raison d'âge et Charlie de santé, ils s'occupèrent ensemble d'une œuvre pour réfugiés : le Foyer franco-belge. Cette tâche, au début, les rapprocha ; ils avaient en commun une authentique charité qui, chez Gide, était aussi curiosité. Mais Gide, toujours impatient, se lassa vite et partit. D'ailleurs ils étaient l'un et l'autre inaptes aux tâches administratives. Toutefois ils parlèrent toujours avec plaisir « des temps héroïques du foyer ». Gide avait reconnu le talent littéraire de Charlie et lui conseilla de tenir un *Journal* qui serait l'essentiel de son œuvre. Il le sentait fait pour les effusions quotidiennes plutôt que pour construire un livre, ce qui était un jugement sage. *La Symphonie pastorale* enchanta du Bos autant que *La Porte Etroite*. Il le dit dans un article pénétrant. En 1922 Gide dédia à du Bos : *Numquid et tu....*, son livre le plus religieux, mais traça soigneusement la limite de son adhésion : « Il ne s'agit pas tant de croire aux paroles du Christ parce que le Christ est le Fils de Dieu que de comprendre qu'il est fils de Dieu parce que sa parole est divine. » Le livre ne fut tiré qu'à peu d'exemplaires, pour quelques amis.

Ce fut aussi en 1922 que les deux amis passèrent ensemble dix jours à Pontigny. J'assistais à cette prodigieuse décade. Gide décrit du Bos, « roi de la fête, ineffa-

71

blement suave, et ductile, et disert ». On perçoit, dans le journal de Gide, un mélange de réelle admiration pour une éloquence infaillible et d'imperceptible irritation parce qu'il se sent surclassé, Mais dès que Gide et du Bos sont seuls ensemble la conversation prend un tour extraordinairement enveloppant et pénétrant. « C'est, dit Gide, une oaristys de pensée. Il semble qu'il réfugie là toute la précaution de sa tendresse, le détournement de sa volupté. » Comment Gide n'aurait-il pas aimé le critique qui, mieux que tout autre, louait à la fois la pureté cristalline de son style et le trouble du fond, transparaissant sous la limpidité de la forme ?

1925. Charles du Bos fait, chez une amie, un cours de cinq leçons (ou entretiens) sur André Gide. C'est un long éloge, très amical, voire chaleureux, de l'artiste (et Charlie tient surtout Gide pour un artiste), mais d'un artiste qui ne néglige pas de vivre. « Je ne sais pas de mot plus antigidien que la hautaine boutade de Villiers de l'Isle-Adam : « Vivre ? Nos serviteurs s'en chargeront bien. » Jamais Gide n'a perdu contact avec ce que les métaphysiciens allemands appellent le *Grund,* le fond même de toutes choses. Chez Gide adolescent (dit Charlie) l'amour-vertu, l'art, la religion avaient formé l'accord parfait. Mais très vite toute règle lui semble intolérable. Comment choisir quand il veut tout ? La quatrième leçon de du Bos est consacrée aux *Nourritures terrestres,* à la ferveur pour la ferveur ; la cinquième à *Numquid et tu...* alors inédit.

Numquid et tu... était une petite brochure de soixante et onze pages, presque entièrement composée de citations des Evangiles et de l'Epître aux Romains. En surface, cela semblait un acte de soumission, mais Charlie n'était pas sans voir que Gide tirait à soi (et à ses passions) le texte sacré. « Je sais et je suis persuadé par le Seigneur Jésus que rien n'est impur en soi, et qu'une chose n'est impure que pour celui qui la croit impure. » D'où l'on peut déduire que l'amour tel que le conçoit Gide n'est pas impur pour lui qui ne le croit pas impur. Gide et Charlie se gardent l'un et l'autre de souligner cette conséquence, mais ils sont conscients l'un et l'autre de l'ambiguïté.

Et puis enfin Gide à ce moment n'a *pas* donné au public *Numquid et tu...* Il tient ce livre au secret. Pourquoi ? Charlie imagine que des passages tels que ceux-ci donnent la clé : « Abandonné mes lectures, écrit Gide vers la fin de ce carnet, et ces pieux exercices que mon cœur, sec et distrait, n'approuvait plus. N'y plus voir aussitôt que comédie, et comédie malhonnête, où je me persuadais de reconnaître le jeu du démon. Voilà ce que me souffle au cœur le démon. Seigneur ! ah ! ne lui laissez pas le dernier mot », ce qui constitue un triple retournement, si gidien et si décevant. Mais Charlie, dans son cours de 1925, préfère ne voir que le retour de Gide à la pensée chrétienne. L'ami se garde d'effleurer les plaies de l'ami.

Que s'est-il passé entre 1925 et 1927 ? On l'entrevoit dans les *Journaux* des deux hommes. Il y a d'abord la décision prise par Gide de se faire ouvertement le défenseur de la pédérastie, considérée comme l'une des formes de l'amour, tant dans la seconde partie de *Si le grain ne meurt* que dans *Corydon*. Ces textes, jusqu'alors montrés seulement à quelques intimes, sont livrés au public. Charlie désapprouve et note que Gide lui inspire maintenant un malaise pénible. « On dirait que le péché de Gide n'est pas un péché humain, qu'il vit avec le souvenir d'une certaine chose qu'il a faite, qu'il voudrait dire, qu'il ne peut pas dire et qui lui appartient à lui seul. C'est comme s'il était retranché de la communauté. » Charlie éprouve un besoin irrésistible de s'expliquer sur le cas de Gide et travaille au *Labyrinthe à claire-voie*.

« Il faut absolument que je me réattelle, si rétif que je sois, à ce char embourbé qui s'appelle *Vues sur André Gide* et que je prenne hélas ! le démarrage à partir de mon fameux *Labyrinthe à claire-voie...* » Ce livre (et je ne sais si Charles du Bos s'en est clairement rendu compte) devint très vite extrêmement sévère. A part le Gide de la toute première époque, tout est condamné :

73

Les Caves du Vatican pour manque de sérieux, *Les Faux Monnayeurs* pour manque de franchise, *Corydon* pour raisons morales. L'homme Gide lui-même n'est pas épargné : inconscient, impatient, léger. « La nature de Gide n'est pas riche », écrit Charlie, ce qui dut être douloureux, voire odieux, à un écrivain qui se voulait goethéen. Le goût de Gide pour le jeu, pour la gratuité va à l'encontre du respect de Charlie pour le sérieux, la responsabilité. Du Bos continue d'admirer l'artiste, mais voit là un art sans épaisseur, si délicat qu'il ne reste rien. *Isabelle* n'est qu'un « exercice » où l'amour de l'auteur va bien moins au sujet lui-même (médiocre fait divers romantique) qu'à la manière dont il le traite. Le Gide de la *Porte Etroite* était sauvé par le tremblement ; chez le Gide d'aujourd'hui (dit Charlie), le tremblement est absent ou *filé*. Gide écoute sa propre voix et succombe à son attrait. En outre il a sur la jeunesse la plus dangereuse influence. Que de Lafcadio sont sortis des *Caves*, que de crimes immotivés, d'actes gratuits !

Mais la condamnation des *Caves* dut être moins pénible à Gide que celle des *Faux Monnayeurs* où, pour la première fois, il avait appelé un de ses livres « romans », et même « roman pur », où il avait voulu purger le roman de tous les éléments qui, selon lui, n'appartiennent pas au roman : descriptions, événements extérieurs, accidents. Or Charlie montre qu'en fait ce roman est nourri de faits divers et d'événements extérieurs. Seulement Gide s'est ménagé un alibi en plaçant un romancier à l'intérieur du roman. Ce n'est pas Gide, c'est Edouard qui écrit les *Faux Monnayeurs* et qui regrette de n'avoir pas fait ce qu'il voulait. Edouard est l'associé dans la bouche de qui Gide met tout ce dont il a envie que ce soit dit, sans pour cela souhaiter le prendre à son propre compte. « En fait nous assistons ici à la rencontre de l'artiste — de l'artiste conscient et délibéré — avec le roman. » Bref la défaite du roman est l'intérêt principal de ce roman. La pédérastie y a sa place, sous-jacente, mais elle figure ici à la manière de ces nappes souterraines que l'on devine, mais qui n'affleurent que rarement.

Tout cela semble déjà assez dur et il reste à parler de *Corydon*. Charlie pense qu'il le doit. « Ecrire sur Gide et son œuvre en laissant de côté la pédérastie, équivaut à écrire sur Byron en laissant de côté l'inceste. » Mais comment concilier ce qui est dû à la vérité et ce qui est dû à l'amitié ? « Pour platonicien que je sois, que Gide me pardonne *si amicus Gide sed magis amica veritas.* » Or du Bos n'admet en aucune façon le plaidoyer de Gide pour « l'amour grec ». La pédérastie « rentre dans la nature », sans doute, comme toutes choses ; elle n'entre pas (dit Charlie) dans la *normale.* A la vérité ce que Gide ne peut concevoir (dit du Bos), c'est l'amour lui-même et il cite ce texte qui le choque douloureusement : « ...Il faut bien que je me l'avoue, l'amour m'ennuie. » L'amour, non le plaisir. Edouard (qui est Gide) est sans cesse amoureux, mais de tout, et de tous, donc hors de l'amour-sentiment. Attitude que l'on peut défendre, (que défend, par exemple, le Don Juan de Bernard Shaw) mais que Charlie condamne absolument.

Comment faire accepter par Gide cette interminable mise en accusation ? Charlie compléta le *Labyrinthe* par une *Lettre-Envoi* où il rappelait le cri de Saül : J'encourage tout contre moi-même. » Il regrettait, non les idées soutenues, mais le ton, durci plus qu'il ne l'eût voulu, et il concluait : « C'est parce que j'aime tant votre âme qu'au cours de ce Dialogue il m'a fallu si souvent et si fort vous tourmenter : ne m'en veuillez pas trop et permettez-moi de conclure sur le verset dont tous d'ailleurs, tant que nous sommes, avons besoin : « Rien n'est impossible à Dieu. » Cela n'arrangeait rien, bien au contraire, et la première réaction de Gide fut amère. *Journal de Gide* : « Ce mot de Mme Théo sur Charles du Bos est excellent (après lecture de sa longue étude-réquisitoire contre moi) : « Il fait son salut sur votre dos. »

Etait-ce la brouille ? On le craignit beaucoup alors et la même Mme Théo van Rysselberghe dit à Gide que son silence (il n'avait pas répondu à la *Lettre-Envoi*) plongeait Charlie dans la tristesse et le désarroi. Gide écrivit alors que, s'il s'était tu, c'était d'une part à cause de l'extrême embarras où le laissait cette lecture, d'autre part parce qu'il avait eu le sentiment que Charlie n'avait plus pour lui aucune sympathie. La tristesse que lui avait décrite Mme Théo, l'offre par du Bos de lui dédier son Byron lui montraient que, sur ce dernier point, il se trompait : « Je pleure notre intimité d'hier et ne puis, hélas ! partager votre espoir qu'elle puisse se prolonger. Nous n'avons jamais su parler l'un avec l'autre que de choses essentielles, les seules qui nous importent, mais sur lesquelles précisément je crains bien que nous ne soyons appelés à différer de plus en plus. Le souvenir de notre commerce reste pour moi des plus exquis... » C'était une belle lettre, pleine de dignité. Elle se terminait par : « Adieu, cher ami, chers amis », mais un post-scriptum corrigeait : « A ce mot d'adieu vous pourriez vous méprendre et croire que je ne souhaite plus vous revoir. Il n'en est rien. »

Il n'y eut donc pas rupture. Charles du Bos dédia son Byron à Gide qui, en retour, lui dédia son Montaigne. Le ton des lettres resta, en 1929, affectueux. Pourtant le *Journal* de Gide montre qu'il avait été blessé. « Charlie m'accompagne jusqu'à la N.R.F. Conversation sans abandon... et que termine un grand coup de chapeau cérémonieux de Charlie. Je ne sais ce que je dois y voir : dédain ? mépris ? besoin d'accentuer cette distance que la conversion de Charlie met entre nous ?... Non, je ne puis voir dans ce geste ridicule qu'un instinctif et irrésistible besoin de se donner le beau rôle... le besoin de se dire : « Avec Gide, ici encore, comme avec tous, comme toujours et comme partout, j'ai été parfait. » Ce qui était injuste, car Charlie était loin de se croire parfait : il essayait de l'être. Au vrai des conversions, toutes les conversions irritaient Gide : « Je ne jurerais pas qu'à certaines époques de ma vie, je n'aie pas été assez près de me convertir. Dieu merci, quelques conversions de mes amis y auront mis bon ordre. Ni Jammes, ni Claudel, ni Ghéon, ni Charles du Bos ne sauront jamais combien leur exemple m'aura instruit. »

Charlie avait remarqué qu'une expression favorite de Gide était : « Je vous laisse le dernier mot », ce qui était une dernière façon de s'évader. Un silence se fit sur cette amitié, non point morte, mais mise en sommeil. Après la mort de Charlie, Mme du Bos envoya les *Journaux* et les autres livres qu'elle fit publier à André Gide, qui ne répondit pas. Puis comme le *Journal* de Gide (où il parlait de ce monument d'immodestie et d'inconsciente complaisance qu'est le journal de Charlie) l'avait blessée, elle écrivit à Gide pour lui demander la permission de publier la correspondance des deux hommes et ce fut elle qui eut *le dernier mot :* « Voyez-vous, cher ami, nous avons pu nous blesser les uns les autres, mais notre belle amitié doit demeurer et cette correspondance me semble en être le plus pur témoignage, celui qui doit se poursuivre bien au-delà du temps. »

A partir de 1930 les « journaux » deviennent très différents de ton par la place faite non seulement à la religion, mais à la dévotion. « Arrivé à Notre-Dame à 7 h 05 au moment de l'Epître. A l'Introït, le verset 75 du psaume 110 : « Je sais, Yahwe'h que tes jugements sont équitables, c'est à bon droit que tu m'affliges. » Traduction de la Vulgate : « *Cognovi, Domine, quia aequitas judicia tua et in veritate tua humiliasti me* » : le *in veritate* est admirable, c'est la vérité qui a en Dieu son siège, qui est Dieu même. » Ainsi ce grand juge du style des poètes analyse, à la fois en styliste et en croyant, les Ecritures et les vies des Saints. On le voit s'éprendre tour à tour de saint Bonaventure, de sainte Chantal, de sainte Thérèse de Lisieux et surtout, comme toute sa vie, de saint Augustin, ce qui ne l'empêche pas de rester fidèle à Wordsworth, à Keats et de « bondir », au sortir d'un entretien avec le sévère abbé Alterman, chez Sirdar, pour y prendre le thé avec Z^1 et Z^2, ni même de revenir à Goethe « le plus beau de ses étrangers ». Charlie II, celui d'après la conversion, ne renie pas Charlie I. Les deux Charlie, dans le *Journal* se mêlent curieusement. « Je passai chez Smith où je trouvai un fort joli livre à serrure pour le futur Journal de la Z^2 de la douzième année, puis allai m'asseoir une demi-heure au café Viel, boulevard de la Madeleine, estimant que le thé et un sandwich me permettraient d'émerger de ma somnolence, et c'est ici que je joins la crête de cette étrange journée. Car je fus certes nourri — non point par le sandwich ou même le thé que mon absorption laissa inachevés —, mais par une nourriture invisible due à saint Thomas d'Aquin. » O charme naïf et sincère de cette somme d'un sandwich et de saint Thomas !

Il vit alors à Versailles, remerciant Dieu de la perfection de cette île enchantée. « Le temps était de la plus rare beauté : il ne reste plus que quelques arbres d'or, le plus opulent, le plus princier, celui que l'on voit de la pièce Watteau, et qui à lui seul semble une treille d'un raisin privé, du raisin de la déesse de l'automne, mais ce rapport si délicat du ciel d'un bleu tendre, micacé et comme un rien frileux avec les hautes branches nues qui à nouveau mettent en valeur la coloration foncée du bois : cette alternance d'un soleil qui, à la petite Provence, enveloppe de telle manière qu'on se croirait dans la grande, et d'un air vif, stimulant qui donnerait le désir de marcher vite dans chacune des perspectives quasi infinies qui s'ouvrent en éventail devant le promeneur. Ce matin je me contentai d'un quart d'heure autour du bassin de Neptune et à l'orée des allées de Trianon, reprenant une fois de plus les toutes premières pages du traité du Père de Caussade : *L'Abandon à la Providence divine.* »

Et pourtant, de plus en plus, la maladie et la douleur l'empêchent de traiter tant de grands sujets qui le sollicitent. « Bergson peut mourir d'un jour à l'autre ; s'il meurt avant que je ne lui aie apporté un hommage public, je me connais trop pour ne pas être sûr que je ne me le pardonnerai pas. » Ce *Bergson* ne fut jamais écrit. Une semaine à Chartres, en 1932, acheva de convaincre Charlie qu'il devait donner le pas, et désormais pour toujours, au domaine religieux sur le domaine esthétique. « Je dirai que jusqu'à Chartres j'étais survolé par mon travail et que depuis Chartres je survole mon travail... je veux dire que, jusqu'à Chartres, les fruits de mon propre travail gardaient à mes yeux une valeur de prestige dont Chartres les a découronnés... Il n'y a de vrai prestige, de prestige valable que le prestige de l'in-

sondable et il n'y a d'insondable que Dieu. » Son mysticisme s'est déplacé ou, plus exactement, il n'accepte plus
d'écrire ni de parler sur l'art que dans la mesure où il se
sent approuvé et assisté par Dieu. La vie du chrétien
passe avant son travail « et c'est cela, et cela seulement
que je vise en disant que dorénavant je survole mon
travail».

Ce qui ne l'empêche pas de faire ce travail. En novembre 1933 il reçoit, dans l'île Saint-Louis où il s'est réins-
tallé, cette fois rue des Deux-Ponts, la visite de Sister
M. Madalena, présidente aux Etats-Unis de Saint Mary's
College, à Notre-Dame, Indiana. En 1938 elle le fit nommer professeur à l'Université de Notre-Dame, université
catholique voisine de Saint Mary's. Il fit là des cours
sur Pascal, sur Claudel, et quatre conférences sur le
thème : « *Qu'est-ce que la littérature ?* » Elles constituè-
rent le premier livre écrit par lui directement en anglais.
Il y soutenait que tout grand art est une transmutation.
« En présence de ces accomplissements artistiques qui
tiennent du miracle, je suis toujours ramené aux Noces
de Cana, au miracle de l'eau changée en vin » et il citait
le mot de Joubert : « Voltaire est clair comme de l'eau,
Bossuet est clair comme le vin. »

Mais il prépare ces cours dans un état physique qui
va s'aggravant. Moralement l'affaire de Munich le
bouleverse. Il avait toujours méprisé Hitler. L'abandon,
par la France et l'Angleterre, de la Tchécoslovaquie, le
« lâche soulagement », l'indignent. Quand, en 1939, les
menaces de guerre se précisèrent, il tint, malgré l'affection que lui témoignaient en Amérique professeurs et
étudiants, à rentrer en France. Il y retrouve son appartement de l'île Saint-Louis. Ses amis le voient gravement
malade, « aussi blanc (dit Jean Mouton) que le linge
qui l'entourait », mais ils s'étaient tellement habitués à
un Charlie en apparence moribond et spirituellement
vigoureux qu'ils restaient convaincus qu'il vivrait vieux.
Lui-même le croyait. Pourtant, assis en robe de chambre
de velours rouge qui lui donnait un air de seigneur véni-
tien, dans ce recoin qu'il appelait « le pavillon sur l'eau »

CHARLES DU BOS

parce qu'il donnait sur la Seine, sur les quais, sur les ponts, il essayait de faire, de chacune de ses journées, l'examen d'une partie de sa vie. Caressant sa pipe bourrée de tabac anglais, savourant l'arôme de son thé de Chine, il disait à Jean Mouton : « La grandeur de la vie, c'est d'être un échec ; la grandeur de la vie, c'est d'être une blessure. »

Puis il partit pour la Celle-Saint-Cloud où la famille de sa femme possédait une maison de campagne, la Vallée du Lys. « Ce sera ma dernière demeure, dit-il, je me sens si fatigué que je n'ai plus envie de les varier. » Toute nourriture lui inspirait un insurmontable dégoût et lui donnait des nausées ; il n'absorbait plus que des minimes quantités de citronnade. « Ses yeux ont pris une telle profondeur, expriment une telle lassitude... Le regard splendidement clair, mais il doit traverser pour arriver jusqu'à nous, une zone de douloureuse obscurité... Charlie est plus pâle, plus mince ; sa voix si belle, d'un débit si parfaitement soutenu et tranquille, tombe à certains moments dans un registre hésitant, plus rapide (1). » A partir du 30 juillet il perdit le contrôle de ses bras et de ses jambes (un caillot de sang obstruait une artère). Il était encore vivant « mais semblait s'être vidé de toute substance charnelle ». Maintenant ses amis savaient qu'il allait mourir ; il le savait aussi et tenait à mourir en pleine conscience de son état. « Il voulait vivre sa mort. » Quand le curé de la Celle-Saint-Cloud lui donna l'extrême-onction, il dirigea lui-même la cérémonie, mais comme il ne pouvait faire des signes de croix jusqu'au bout, ses gestes ressemblaient à des bénédictions.

Puis sa voix, de temps à autre, lui échappa et il fallut l'aider à terminer ses phrases. « Charlie, toute sa vie, avait aimé mesurer la durée de ses conversations ; il devait aussi régler son suprême entretien avec nous sur cette terre. » Il embrassa tous ses amis et murmura : « Merci pour tout... Il faut avoir beaucoup de miséri-

(1) Jean Mouton.

corde. » Puis il s'assoupit tranquillement et, dans un demi-sommeil, murmura les noms de ses intercesseurs : saint Augustin, Bach, Botticelli, Keats et, une fois encore, le nom de Nietzsche. A l'infirmière qui l'interrogeait pour savoir s'il souffrait, il répondit : « Oh ! pas du tout, je dicte à ma femme. »

Ainsi mourut, grandement, comme il avait vécu, un des hommes que j'ai le mieux aimés, un des écrivains que j'ai le plus admirés. Souvent il s'était désolé de ne pas être un créateur. Sa modestie le trompait ; il avait été le créateur du plus merveilleux des personnages, le créateur de Charlie.

Je ne l'avais pas revu depuis son séjour en Amérique. Au mois d'août, tandis que j'étais en Périgord et que montait la guerre, j'appris en même temps son retour en France et sa mort. Mais, dans les moments d'exaltation ou de tristesse, je crois voir encore, fixés sur moi, les yeux de Charlie, tendres, profonds, qui semblent attendre de l'ami un sérieux et un courage égaux aux siens et je crois l'entendre me répéter l'injonction pythagoricienne chère à Nietzsche : « Se taire et être pur. »

CHARLES PÉGUY

I

Charles Péguy était né à Orléans, le 7 janvier 1873, fils et petit-fils de paysans, de vignerons, « de tenaces aïeux qui sur les sables de la Loire conquirent tant d'arpents de bonne vigne ». Il avait plaisir à décrire ses ancêtres : « Les hommes noirs comme les ceps, enroulés comme les vrilles de la vigne, fins comme les sarments », et « les femmes au battoir, les gros paquets de linge bien gonflés roulant dans les brouettes, les femmes qui lavaient la lessive à la rivière ». Sa grand-mère ne savait pas lire. Sa mère, veuve presque tout de suite après la naissance de son fils, gagnait sa vie en rempaillant des chaises et c'était la grande fierté de Péguy qu'elle eût été une parfaite rempailleuse.

Elle le fit élever d'abord à l'école communale. Là un inspecteur le remarqua et lui permit de concourir pour une bourse au lycée d'Orléans. Plus tard, quand il fut bachelier, ce lycée, comme font les collèges de province, envoya l'élève Péguy, l'un de ses meilleurs, à Paris. Il voulait préparer l'Ecole Normale et devenir professeur, mais ayant échoué à l'examen, il décida de faire tout de suite son service militaire. Cette année de caserne le marqua pour la vie. D'autres en conservent un mauvais souvenir. Péguy aima le régiment. Comment ne l'aurait-il pas aimé ? Le soldat est un homme qui fait le ménage, le ménage de la chambrée, de la cour du quartier, et Péguy, pendant toute son enfance, avait vu faire le ménage de la vigne, le ménage des champs, le ménage de la maison bien tenue. Le soldat est un homme qui fait de longues marches et Péguy était un grand marcheur. Le rythme des chansons de marche allait devenir celui de sa prose. Enfin le soldat est un homme qui se bat et ce descendant des paysans-soldats qui ont fait la France, ce citoyen de la ville de Jeanne d'Arc, était de cœur et d'esprit un guerrier.

Après son année de service, il vécut au collège Sainte-Barbe pour suivre les cours du lycée Louis-le-Grand. « Nous sommes de cette petite compagnie de Barbistes qui, pendant quelques années, préparant l'Ecole Normale Supérieure, suivirent les cours de Rhétorique Supérieure de Louis-le-Grand. Allons, nous allions en cagne ; disons le mot de l'argot de notre jeunesse. » Les frères Tharaud, qui l'ont alors connu, décrivent un petit paysan rougeaud, trapu, sans grâce extérieure, mais qui possédait ce don mystérieux : le prestige. D'où venait ce prestige ? Pour une part, de la maturité du seul étudiant de Sainte-Barbe qui eût déjà été un soldat, mais surtout de la force morale de l'homme. Péguy croyait à ses idées avec une vigueur d'homme du peuple. Enfant, il s'était nourri de Victor Hugo et Hugo l'avait rendu républicain. A vingt ans, il était socialiste, d'un socialisme, dit Tharaud, « qui ressemblait plus à celui de saint François qu'à celui de Karl Marx ». Il était socialiste parce qu'il aimait le menu peuple qu'il avait connu à Orléans, rue Bourgogne.

Promenades au Luxembourg, lectures sous les galeries de l'Odéon, matinées à la Comédie-Française, ce provincial s'enivra de la beauté de Paris : « Paris, monument des monuments, ville monument, capitale monument... Pour nous, Français, ville de France la plus française. » Reçu enfin à l'Ecole Normale (« couveuse pour intellectuels »), en 1894, il y eut pour professeurs Bergson, Andler, Romain Rolland. Il y devint le disciple de Jaurès, ancien élève de l'Ecole Normale, déjà chef du parti socialiste, et qui de temps à autre revenait à l'Ecole. De Jaurès, homme politique alors selon son cœur, homme politique qui savait ses classiques, Péguy attendait le socialisme de ses rêves, qui était un mysticisme fraternel. Pour aider Jaurès, il souhaita fonder un journal et, comme il ne doutait jamais de ses forces, il entreprit, étudiant sans le sou, de réunir cinq cent mille francs.

« L'Ecole Normale, dans ce temps-là, était merveilleusement outillée au point de vue militaire... Nous étions, nous formions une petite bande d'une souplesse, d'une mobilité, mais d'une fermeté extraordinaire. Notre vitesse de mobilisation avait été portée à un point de précision inouï. En quelques minutes, nous pouvions, partant de la rue d'Ulm, porter nos effectifs sur les points menacés de la Sorbonne... J'étais le chef militaire les jours *qu'il y avait* à se battre... Et comme la capacité d'un même homme ne varie jamais beaucoup, j'avais en somme, dans ce militaire civil, sensiblement le même commandement que j'ai depuis dans le militaire militaire, c'est-à-dire que j'avais une bonne section. »

Il fut un élève qui jugeait ses maîtres, parfois avec admiration (Bergson), parfois avec ironie (Lanson). « J'étais à l'Ecole Normale quand M. Lanson y vint enseigner... Ça, c'était du travail... Tout se tenait. Il savait tout. Et on savait tout. Si celui-ci avait fait une Iphigénie, c'était parce qu'il était petit-neveu de l'oncle de celui-ci qui en avait ébauché une... Une fois ça s'expliquait par les auteurs, une fois par les comédiens, une fois par les gazettes et une fois par les tréteaux. Tantôt c'était la faute à la cour et tantôt c'était la faute à la ville... Il arriva une catastrophe. Ce fut Corneille... Lanson ne demandait pas mieux que d'expliquer Corneille par le même enfilement de causes secondes... Pourquoi fallut-il qu'à ce seul nom de Corneille, tout s'évanouit de ce qui avait précédé. » Cette sévérité, cette juste sévérité pour la fausse culture, ce sera une part importante de la pensée de Péguy.

Normalien, il pouvait suivre la carrière normale d'un professeur français. Sa vie semblait toute tracée et de manière conforme à ses espoirs d'enfant. Brusquement, il décida de quitter l'Ecole et d'aller vivre à Orléans pour écire, lui socialiste athée, un poème sur Jeanne d'Arc.

Pourquoi ? Parce que, pense Tharaud, voulant exprimer les sentiments forts qui l'obsédaient, il avait reconnu que « ces sentiments avaient pris une forme sublime dans une dame qu'il connaissait bien » et qui était la Pucelle d'Orléans. Cette fille « d'une audace ingénue » qui ne respectait aucune autorité, n'hésitait devant aucun obstacle et réussissait là où les grands capitaines avaient échoué était aux yeux de Péguy l'image de ce qu'il fallait être en toute lutte militaire ou civile.

Quand il revint, avec un énorme manuscrit dans ses malles, l'Affaire Dreyfus le passionna. Pour lui, elle était une forme de l'éternel débat entre la mystique et la politique. Le mystique va droit aux êtres et aux choses ; le mystique agit par amour et foi ; le politique s'occupe surtout des conséquences et des moyens. Le politique socialiste, vers 1900, préparait des élections, comptait des voix, des sièges. Le politique antidreyfusiste disait : « Que Dreyfus soit innocent ou coupable, il importe peu. On ne trouble pas la vie d'un grand peuple pour un seul innocent. » Mais Péguy, lui, « ne voulait pas », dit Tharaud, « que la France perdît son âme en sacrifiant un innocent à son salut temporel ».

Que pouvait-il faire pour la cause, pour ses deux causes : socialisme et dreyfusisme ? Ecrire, faire écrire ses amis, publier. Il loua donc, au Quartier Latin, « une boutique d'angle » (il était très fier qu'elle fût d'angle) et, comme Jeanne d'Arc, se jeta dans la bataille. A la lettre, car on se battait autour de la boutique. « Nous fûmes une fois de plus », écrit-il, « cette poignée de Français qui, sous un feu incessant, enfoncent des masses, conduisent un assaut, enlèvent une position... » Après quatre ans de luttes, le dreyfusisme enleva en effet la position, mais les mystiques du parti furent déçus par les résultats de la victoire. C'étaient les politiques dreyfusistes qui triomphaient, qui gouvernaient, qui persécutaient leurs anciens adversaires, et qui affaiblissaient la France par des querelles civiles et religieuses. Péguy désapprouvait l'anticléricalisme fanatique autant que le cléricalisme antidreyfusiste. L'affaire des fiches l'indigna. Déjà les mystiques dreyfusistes étaient dégoûtés de leur triomphe. Dans une nouvelle boutique où il avait établi les bureaux de la revue fondée par lui : *les Cahiers de la Quinzaine,* Péguy s'efforça « de maintenir contre ses anciens amis la ferveur héroïque, l'ardeur de dévouement, de sacrifice et d'inquiétude aux trois grandes causes que défendaient les *Cahiers :* le dreyfusisme intégral, le socialisme pur et la haute culture de l'esprit ». Le symbole de ce qu'il laisse derrière lui, c'est sa dernière vision de Jaurès. Il avait aimé un Jaurès poétique et libre. « J'ai eu cette bonne fortune de marcher aux côtés de Jaurès récitant, déclamant.... Racine et Corneille, Hugo et Vigny, Lamartine et jusqu'à Villon, il savait tout ce que l'on sait. Et il savait énormément de ce que l'on ne sait pas... » Mais quand Péguy vit Jaurès pour la dernière fois, celui-ci, devenu directeur de *L'Humanité,* chef d'un parti proche du pouvoir, « allait plonger, faire le plongeon dans la politique. Il était frappé d'une grande tristesse. Il assistait à sa propre déchéance... Il jetait un dernier regard au pays de la véritable amitié ».

A la vérité il n'était pas facile de demeurer l'ami de Péguy. Comme Jeanne d'Arc, il était un chef impérieux et exigeant. Artiste imprimeur, il faisait des *Cahiers* un chef-d'œuvre de typographie, mais il menait tambour battant ses collaborateurs et ses abonnés. « Qui n'est pas avec moi », disait-il, « est contre moi. » Beaucoup résistaient. Il se brouilla (temporairement) avec Daniel Halévy, qui avait donné aux *Cahiers* de beaux textes solides, avec Georges Sorel que longtemps il avait appelé « notre maître Georges Sorel ». Avec les Tharaud, Julien Benda, Romain Rolland, il maintint le contact, mais non sans heurts. Romain Rolland (cité par Guillemin) se souvenait non « d'un Péguy tendre, enjoué, tranquille, temporisateur », mais de « sa brutalité, sa férocité, ses haines implacables ». Il eut des accrochages avec les catholiques et d'autres, plus sérieux, avec les abonnés anticléricaux.

Né au temps de l'Affaire, les *Cahiers* avaient une clientèle de professeurs, d'instituteurs, d'infidèles que le néomysticisme de Péguy surprenait, parfois choquait. Car Péguy, vers 1908, revenait au catholicisme de son enfance, au catéchisme d'Orléans. Il y revenait à travers Jeanne d'Arc, à travers la France, et parce que la vie de l'Eglise lui apparaissait toute mêlée à celle du pays. Marié civilement, ses enfants non baptisés, sa femme refusant de les faire baptiser, il se trouvait dans une position fausse, mais comme Jeanne d'Arc il était bien sûr d'arranger ça directement avec Dieu. En quelques dures marches d'épreuve, il allait à pied à Chartres, pour confier ses enfants à la Vierge Marie. Quand il publia son nouveau *Mystère de la Charité de Jeanne d'Arc,* cette image d'une « paroissienne indocile », d'une sainte rebelle, blessa beaucoup de catholiques. « Que veux-tu ? » dit Péguy à Tharaud, « Jeanne d'Arc était faite comme ça ; elle préférait saint Michel à l'abbé Constantin. »

Guillemin évoque un autre Péguy (car il était à lui seul « un peuple, un labyrinthe », un brave homme de papa qu'aimaient ses enfants, heureux parce que son fils Marcel a été deuxième en version grecque ; « ça prouve que (comme prof') je ne suis peut-être pas aussi couillon qu'on le dit. » Mais l'homme du foyer n'était pas l'homme en colère des *Cahiers* ; un peuple, vous dis-je, un labyrinthe, un catholique respectueux des athées honnêtes, pourvu qu'ils aient la charité ; un Alceste que Sorel voyait « plein de ruses », un rebelle de 1902 qu'en 1911 son colonel remarquait « pour sa grande déférence devant ses supérieurs » ; un rebelle qui pensait à l'Académie, mais un rebelle tout de même, et les « gens de bien » ne s'y trompaient pas, qui nieront son génie jusqu'au moment où, mort en soldat, ils l'annexeront.

Dans presque tous les *Cahiers* écrits de 1905 à 1914, il parlait de la guerre prochaine, il s'y préparait, il y préparait les autres. Dès le débarquement de Guillaume II à Tanger, Péguy avait graissé ses souliers collection de guerre et complété son équipement. Il ne craignait pas cette guerre ; il la souhaitait presque. Elle allait lui permettre d'être ce qu'il était : un héros. Quand il s'agit de se faire tuer, il n'y a pas de concurrence, ni de protestations des abonnés. « Vingt ans d'écriture et de barbouillage ont été lavés instantanément. » Lieutenant, chef de section, il redevenait pur. « Tu les vois, mes gars, disait-il, tu les vois ? Avec ça, on va refaire 93 (1). » Il espérait que la France sortirait mieux trempée de la fournaise. Pour lui, l'histoire se divisait en *périodes* qui étaient mesquines, et en *époques* qui étaient grandes. Vivre pendant une période lui paraissait un destin manqué. Il achevait une note sur Descartes (où il montrait que Descartes, en somme, lorsqu'il inventait, était plus bergsonien que cartésien) quand l'ordre d'appel le toucha. Il était prêt. Il endossa son uniforme, dit adieu à ses amis et rejoignit le 276ᵉ d'Infanterie, « le 276ᵉ de ligne », disait-il souvent, à la mode ancienne. Il fut tué d'une balle au front, le 5 septembre, la veille de la bataille de la Marne, debout, et alors qu'il criait à ses hommes couchés : « Tirez ! Tirez donc nom de Dieu !... »

Il avait écrit : « Je rendrai mon sang pur comme je l'ai reçu. » C'était la règle et l'honneur cornéliens, c'était la règle et l'honneur chrétiens. Il vécut en 1914 ce qu'il avait toujours écrit.

(1) Cité par Guillemin dans *Europe.*

II

Cette brève esquisse de la vie permet déjà d'entrevoir les grands traits du caractère.

Avant tout Péguy était un homme du peuple français, avec les qualités et les défauts du peuple français, avec l'amour du travail qui avait été celui de l'ouvrier français, avec la méfiance aussi du peuple français, et son inquiet souci d'égalité. Péguy, écrivain, a travaillé aussi dur que son grand-père, le vigneron, que sa mère, la rempailleuse. Il a tressé les phrases avec le même soin que sa mère tressait les brins de paille. Que de fois il l'avait vue, cette mère active et ménagère, essuyer les meubles cirés avec le même torchon de laine jusqu'à s'y mirer parfaitement. « Puissé-je écrire jamais », disait-il, « comme on essuyait les meubles, le buffet, le lit... Puissé-je devant une phrase fouillée comme un buffet avoir cette vivante, cette laborieuse, cette ouvrière certitude qu'au plus creux des plus fines moulures il ne reste pas un atome de poussière. »

Il avait connu à Orléans un morceau de l'ancienne France, des ouvriers de l'ancienne France, un peuple gai, un peuple qui chantait. « Dans ce temps-là un chantier était un lieu de la terre où des hommes étaient heureux. Aujourd'hui un chantier est un lieu de la terre où des hommes récriminent, s'en veulent, se battent, se tuent. » C'était un temps où il y avait un honneur extraordinaire du travail. « Nous avons connu un honneur du travail exactement le même que celui qui, au Moyen Age, régis-

sait la main et le cœur... Nous avons connu cette coquetterie de l'ouvrage bien fait, poussée, maintenue jusqu'à
la plus extrême exigence. J'ai vu toute mon enfance rem-
pailler des chaises exactement du même esprit et du
même cœur, et de la même main, que ce même peuple
avait taillé des cathédrales. »

Il était fier, avec grande raison, de la décence, de la
finesse, de la culture profonde de ce peuple duquel il
sortait...

> *La décence, et l'honneur et la mort qui s'y grave*
> *Ont écrit leur histoire au cœur de ce verger...*

Eugène Dabit, fils et petit-fils d'ouvriers, devait me
dire plus tard les mêmes choses : « Mon grand-père »,
disait Dabit, « lisait Victor Hugo, Michelet, Quinet. Mais
que lisent les ouvriers d'aujourd'hui et qui, parmi
nous, tente d'écrire les livres qu'ils pourraient et
devraient lire ? » Péguy souffrait de voir le socialisme,
auquel il croyait, transformé en évangile du refus de travail. « Notez qu'au fond ça n'amuse pas les ouvriers
de ne rien faire sur les chantiers. Ils aimeraient mieux
travailler. Ils ne sont pas en vain de cette race laborieuse.
Ils entendent cet appel de la race... Et au fond ils se
dégoûtent d'eux-mêmes, d'abîmer les outils. Mais voilà,
des messieurs très bien, des savants, des bourgeois leur
ont expliqué que c'était ça le socialisme, que c'était ça
la révolution. »

Son socialisme à lui était un socialisme français, celui
de Proudhon, et non pas « ce socialisme dogmatique,
hargneux, de Karl Marx », qui est le socialisme des
messieurs très bien et des bourgeois universitaires.
« Etant peuple naturellement, je n'exècre rien tant que
ceux qui le font à la peuple. » Il haïssait le veston
« démocratique mais sévère » des grands sociologues
de la Sorbonne. Au fond il n'acceptait pas, il ne comprenait pas, il n'encaissait pas les bourgeois, même radicaux, même socialistes. Il avait des amis bourgeois. Presque tous ses amis étaient des bourgeois. Il pouvait les

estimer, il pouvait même les aimer, mais il gardait à leur égard une méfiance, un ressentiment, une agressivité de « plébéien en transfert de classe ». C'est un fait qu'il entre dans la composition de Péguy, comme en celle de tant de Français, une part de Julien Sorel.

A ses amis bourgeois il reprochait, décemment mais désagréablement, mais injustement, d'être nés bourgeois, comme si c'était leur faute : « Il ne faut pas nous le dissimuler, Halévy, nous appartenons à deux classes différentes, et vous m'accorderez que dans le monde moderne, où l'argent est tout, c'est bien la plus grave différence, la plus grande distance, qui se puisse introduire. Quoi que vous en ayez, quoi que vous y fassiez, quoi que vous y mettiez dans le vêtement, dans la barbe et dans le ton, et dans l'esprit et dans le cœur, quoi que vous vous en défendiez, vous appartenez à une des plus hautes, des plus anciennes, des plus réelles, des plus nobles, et puisqu'aussi bien on s'explique, puisqu'il est entendu que nous ne nous flattons plus, une des plus nobles familles de la vieille tradition bourgeoise libérale républicaine orléaniste. De la vieille tradition bourgeoise française, libérale française. »

Et certes il n'y a rien de honteux, bien au contraire, à être de vieille tradition bourgeoise et libérale, rien de discourtois à rappeler à un ami qu'il appartient à une famille de cette tradition, mais il y avait dans la façon de le rappeler, chez Péguy, quelque chose d'hostile et d'imperceptiblement amer, une humilité hautaine, une humilité combative, la plainte d'un amour-propre à vif qui ne trouvait de pansement convenable que dans la certitude qu'en latin, en grec, en philosophie, et dans « toutes les matières de l'enseignement » il était l'égal, et probablement le supérieur de ses amis.

Avoir passé par l'Ecole Normale, savoir par cœur tous les grands vers français, avoir ce sens de la langue et du mot propre que donne seule la connaissance des langues mères, comprendre intimement les grandes philosophies et traiter Descartes comme il traitait Jeanne d'Arc, familièrement, était pour lui un grand et légitime bonheur. Aucune prose plus que la sienne, sauf peut-être celles de Montaigne et de Rabelais, n'est hérissée de citations. Et probablement pour des raisons analogues. Parce que Montaigne et Rabelais appartenaient à une époque consciente de son grec et de son latin, et tout émerveillée de sa découverte. Ce qui avait dû être à Orléans le cas de Péguy, enfant de génie, lorsqu'il avait passé de l'école communale au lycée.

Mais Péguy, plus encore que latin et grec, cite Hugo et Corneille. Cet universitaire en rupture de ban se complaît dans les explications de textes et dans les évocations de textes. S'il pense à Waterloo, il voit aussitôt la « morne plaine » et le mamelon : « Derrière un mamelon la Garde était massée... » S'il emploie le mot *demain*, il résiste mal à commencer : « Ah ! Demain c'est la grande chose », et tout le morceau suit. Et même des textes de chansons, surtout militaires : « V (oi) là le Général qui passe, tout bossu, tout crochu et tout mal fichu... » Ce goût de citer, ce goût de se replonger dans les textes qui leur sont communs, est assez naturel aux Français et il a sa beauté. Il nous unit dans l'amour, dans l'admiration des mêmes choses. Il nourrit les promenades et les pensées.

« Heureux ceux », dit Péguy, « heureux deux amis qui s'aiment assez, qui veulent assez se plaire, qui se connaissent assez, qui s'entendent assez, et qui sont assez parents, qui pensent et sentent assez de même, assez ensemble dedans chacun séparément, assez les mêmes chacun côte à côte pour (savoir) se taire ensemble. » Ce Normalien reste un terrien. Il aime les textes, mais il a horreur des pédants ; il aime les précisions, les parenthèses, les virgules bien placées, mais il a horreur des fiches. Une certaine forme d'érudition, importée d'Universités étrangères, lui fait horreur. Plus qu'homme au monde il aime l'histoire de la France et la connaît. Mais il ne croit pas que l'histoire, ce soit seulement des documents. En fait les plus belles histoires, Thucydide, Tacite, ont été écrites par des hommes qui n'avaient pas d'archives, ni de fiches. « Pour le monde antique », dit

Clio, « je manque de références ; pour le monde moderne, je manque de manques. » Contre les Universités de son temps, il part en guerre. Les *Cahiers* sont un « brûlot au flanc de la Sorbonne ».

Car Péguy est un polémiste efficace et redoutable. Malheur à Charles V. Langlois, universitaire tout-puissant, historien de Charles V, qui a osé (sous un pseudonyme) parler, à propos de Péguy, de « la propension aux exposés discursifs sans queue ni tête ; du goût pour l'allitération et la litanie, avec des symptômes d'écholalie, et pour des puérilités typographiques bien connues des psychiatres ». Après vingt pages de Péguy il ne reste rien de Charles V. Langlois. Celui-ci a paru accuser Péguy d'avoir passé au catholicisme par vénalité, pour s'assurer une clientèle. « Eh bien, sur ce point je suis en mesure de rassurer complètement M. Langlois. Si M. Langlois savait un mot d'histoire, il saurait que depuis que le monde est monde les catholiques n'ont jamais soutenu leurs hommes. Si les catholiques avaient soutenu leurs hommes le gouvernement de la France ne serait point tombé aux mains de M. Langlois... C'est une grossièreté, quand on a autant d'argent que M. Langlois, de chercher une querelle d'argent à un homme qui en a aussi peu que moi. »

En outre M. Langlois vient de prendre part à une « cérémonie grotesque » organisée en Sorbonne pour célébrer le cinquantenaire de l'entrée de M. Lavisse à l'Ecole Normale. » ... Fêter l'entrée de M. Lavisse à l'Ecole Normale, c'est fêter l'entrée du fossoyeur dans la maison. Une idée aussi saugrenue ne pouvait venir qu'à M. Langlois. Or pour les méthodes de M. Langlois, M. Lavisse n'est même pas un historien. Et alors quand on voit M. Langlois saluer cérémonieusement et solennellement en Sorbonne M. Lavisse et l'introniser et le patroniser, alors on est conduit à se demander si ces grandes, ces fameuses méthodes, ces grandes souveraines, ces grandes impérieuses, qui ne s'inclinent pas devant le saint et devant le héros, ne s'inclineraient pas parfois devant les puissances temporelles... Ces impeccables historiens

CHARLES PÉGUY

ne veulent pas qu'on dise la messe, mais ils veulent bien
célébrer la cérémonie Lavisse. » Conclusion sévère :
« M'accuser de vénalité et signer Pons Daumelas quand
on est M. Charles-Victor Langlois, je ne sais pas comment ça s'appelait sous Charles V, mais je sais que,
sous Poincaré, ça s'appelle une pleutrerie. »

La Sorbonne de M. Langlois croit que l'histoire se fait
avec des documents ; Péguy pense qu'elle se fait aussi
contre des documents. « La réalité, l'événement de la
réalité, l'événement réel est cette rosace aux fleurs de
rose infiniment fouillée. L'histoire, l'événement de l'histoire, sont ces carreaux de plâtre qu'aussitôt la rosace
abolie nous mettons au même lieu. » Et c'est pourquoi
les poètes sont peut-être les véritables historiens. Bergson a joué un rôle immense dans la formation de Péguy
parce que Bergson est un poète autant qu'un philosophe
et que lui aussi se préoccupe beaucoup plus du réel que
des fiches bien classées. Quand, de droite et de gauche,
une attaque furieuse fut déclenchée contre la philosophie de Bergson, Péguy fut aux côtés de Bergson. Et
c'était tout naturel.

Bergson n'était pas seulement le maître qu'il avait
admiré à Normale. C'était le philosophe qui lui permettait de défendre philosophiquement le christianisme
contre le positivisme et le matérialisme. L'Eglise a toujours enseigné que la mort spirituelle était le résultat
d'un durcissement et que l'impénitence finale était un
durcissement final. Mais qu'est-ce que cette sclérose
métaphysiquement ? Il a fallu que Bergson vînt pour
pénétrer à fond les réalités de l'habitude, du vieillisse-
ment, du durcissement. « Car du bois mort est du bois
tout envahi de *tout fait,* tout entier momifié, plein de
son habitude et plein de sa mémoire... Parallèlement une
âme morte est une âme tout entière envahie de *tout
fait...* tout entière racornie... C'est une âme dont la souplesse a été mangée peu à peu par ce raidissement. »
Bergson, qui sauve le *se faisant,* est indispensable à
Péguy. Le philosophe étaye le poète.

« Un citoyen de l'espèce commune, un chrétien de la commune espèce. Le citoyen dans le bourg, le chrétien dans la paroisse. Et un pécheur de la plus commune espèce. Il est bien le même homme qui ne s'est jamais vêtu que d'une étoffe commune, qui n'a jamais écrit que sur du papier commun, qui ne s'est jamais assis qu'à une table commune. » C'est ainsi qu'il aime à se décrire, épi de cette immense moisson qu'est une génération française. Et par commun, il n'entend pas vulgaire, loin de là. Jeanne d'Arc était une fille commune, une paysanne commune, une bergère commune. Comme Charles Péguy fut un lieutenant commun, un héros commun, un soldat commun de l'immense armée de la Marne.

Rien ne l'avait plus marqué que son service militaire et ses périodes d'officier de réserve, de territoriale. Il aimait le vocabulaire de l'armée. A son amour des longues marches, il associait toujours, dit Tharaud, quelque idée militaire. Il marchait « avec le regret sourd que cette marche-là ne fût qu'une simple promenade ». Il aurait voulu de tout son cœur que chacun de ses pas retentît dans l'histoire, comme retentissent dans l'histoire chacun des pas des soldats de la Grande Armée ; il aurait voulu marcher dans une époque et non dans une période. Comme son cher Hugo, il était, il se disait pacifiste. Il partit en guerre en août 1914 pour tuer la guerre et pour le désarmement général. Mais, comme Hugo, il disait ces choses pour calmer sa conscience. De

cœur il aimait les armées. « Une grande philosophie »,
disait-il, « c'est celle qui s'est un jour bien battue au
coin d'un bois. » Quelquefois il blaguait le pacifisme de
Hugo, vieux roublard, vieux malin, qui parlait si bien
de la paix mais qui était si heureux de trouver l'Empereur et « les rouges lanciers fourmillant dans les pi-
ques », et les canons des Invalides, « les canons prisonniers sous tes voûtes splendides », et la Colonne, et l'Arc
de Triomphe, pour entrer dans ses vers et pour lui fournir de si belles rimes. « O drapeau de Wagram ! O pays
de Voltaire ! — Puissance, liberté, vieil honneur militaire ! » Ces deux vers de Hugo l'émouvaient, peut-être
parce qu'ils le résumaient.

Il avait l'amour du passé de la France, un amour très
beau d'enfant de l'école primaire doublé d'un historien.
Dans ce passé, il ne choisissait pas. Il éprouvait un grand
mépris pour ces auteurs de manuels (républicains), qui
voulaient que le jour eût soudain succédé à la nuit le
1er janvier 1789 et que le mal eût vécu son dernier jour
en France le 31 décembre 1788. Il admirait les soldats
de Jeanne d'Arc autant que ceux de Valmy, les soldats
de Turenne autant que ceux d'Austerlitz. Il savait que
c'étaient les mêmes, issus des mêmes familles, « soldats,
fils de soldats, sous la même oriflamme ».

Sa République était la république des mystiques républicains, celle qui était « belle sous l'Empire », celle qui
avait promis la fraternité et non celle qui persécutait
les Frères, celle de Lamartine et non celle de M. Com-
bes. Au fond la république, pour lui, était morte avec
Hugo. Elle était morte le jour où elle avait cessé d'être
une mystique pour devenir une politique. Ce n'était pas
la peine, pensait-il, de se battre et d'écrire pour mettre
au pouvoir, à la place d'une équipe de politiciens conser-
vateurs, une équipe de politiciens radicaux. Et parce
qu'il aimait et estimait les Français, il accusait de leur
déchéance les seuls, les coupables politiciens. « Nous
arrivons vers vous », disait-il à Notre-Dame de Chartres :

DE GIDE A SARTRE

Nous arrivons vers vous de Paris capitale.
C'est là que nous avons notre gouvernement,
Et notre temps perdu dans le lanternement,
Et notre liberté décevante et totale.

Ainsi, de ce dialogue dont parle Jean Schlumberger, et qui est la vie même du peuple français, Charles Péguy fut la complète incarnation. Si l'on tente de la comprendre par analyse et raisonnement logique, la France résiste à l'explication. Car elle est à la fois religieuse et anticléricale, religieuse et cynique, révolutionnaire et conservatrice, travailleuse et rebelle, militaire et pacifiste, populaire et aristocratique, républicaine et monarchiste, républicaine et impérialiste, frondeuse et disciplinée, sérieuse et frivole, raisonnable et folle, chrétienne et libre-penseuse, pauvre et riche, confiante et désespérée. Mais si l'on voit tous ces éléments unis, malaxés, pétris, pour former un être unique tel que Péguy, on comprend que la contradiction n'est que dans les mots et que la réconciliation est possible dans un corps vivant. Et par là Charles Péguy, plus que tout autre de sa génération, est l'une des possibles incarnations de la France, avec les faiblesses et les grandeurs de la France.

Mais c'est toujours la France, ou petite ou plus grande,
Le pays des beaux blés et des encadrements,
Le pays de la grappe et des ruissellements,
Le pays de genêts, de bruyère, de lande.

IV

On a dit de lui qu'il est un auteur difficile. Ce n'est pas vrai. Seulement il faut le lire à haute voix et dans un mouvement de marche. Cet homme qui a tant aimé les longues promenades à pied « et les pays marchants », ce fantassin, ce pèlerin, écrit une prose et des vers qui sont comme une chanson de marche. Nous en avons tous chanté, au régiment, de ces complaintes sans fin où chaque couplet commence par le dernier vers du couplet précédent. Ainsi procède Péguy. Accrochant volontiers toute phrase à quelque mot de la phrase précédente. Répétant volontiers les idées et les mots. Répétant certaines idées et certains mots comme un refrain.

Sa prose rappelle les chansons de régiment ; ses vers rappellent les litanies de l'Eglise. Une longue monotonie de rythme et de forme ne l'effraie pas. Il laisse ses pensées marcher pas à pas. C'est très court, un pas, mais à force de juxtaposer des pas réglementaires, le bataillon finit par arriver à l'étape. Péguy n'a pas de plan. Ce qu'il veut, c'est au long du chemin exprimer les sentiments et les idées qui lui sont suggérés par les événements. « L'idée d'un plan arrêté », dit Tharaud, « lui était absolument étrangère. Ce n'est pas assez dire, elle lui paraissait l'ennemie de l'œuvre créatrice telle qu'il la concevait. Ce qu'il voulait avant tout, c'était conserver l'impression, la fraîcheur de la pensée frémissante d'être née et d'émerger à la conscience claire. En cela sa pente naturelle s'accordait parfaitement avec l'idée que son maître Bergson se fait de ce moment unique qui n'est pas encore le passé, qui n'est déjà plus le futur, qui est le présent, la vie même, le bourgeon qui éclate, le moment rapide, ténu, qui fait l'éternelle jeunesse du monde, et tout de suite se transforme pour devenir mémoire, vieillesse, et se durcir en écorce. »

Par certains côtés, par le laisser-aller, par la volonté de prendre contact avec la dictée intérieure de la pensée, par le goût des répétitions, il ressemble à Gertrude Stein, ou plus exactement Gertrude Stein ressemble à Péguy, que probablement elle ignorait. Mais leurs maniérismes sont très différents. Les maniérismes favoris de Péguy sont, avec le rythme des chansons de marche, la parenthèse inattendue, insolite, l'adjectif multiple, quadruple, sans virgules, et la citation encastrée dans le texte, comme elle fait partie du mouvement naturel de la pensée d'un lettré. Voici un exemple :

« J'ai beau faire ; j'ai eu beau me défendre. En moi, autour de moi, dessus moi, sans me demander mon avis, tout conspire, tout concourt à faire de moi un paysan non point du Danube, ce qui serait de la littérature encore, mais simplement de la vallée de la Loire, un bûcheron d'une forêt qui n'est même pas l'immortelle forêt de Gastine, puisque c'était la périssable forêt d'Orléans, un vigneron des côtes et des sables de la Loire... » Oui, un vigneron, mais un vigneron qui a passé par le lycée, par l'Ecole Normale, et qui ne peut se défendre d'évoquer Ronsard après La Fontaine. « Il faut pourtant bien que je déclare que nous, les gars de la Loire, c'est nous qui parlons le fin langage français. »

Il parlait le fin langage français, mais l'infortuné Charles V. Langlois n'avait pas entièrement tort quand il accusait Péguy de propension aux exposés discursifs sans queue ni tête, de goût pour les litanies et l'allitération. Il est vrai que des *cahiers* comme *L'Argent, Clio, Victor-Marie comte Hugo, Note conjointe sur M. Descartes* n'ont ni queue ni tête, ni exorde ni conclusion ; il est vrai que Péguy pousse sa complainte, bourrée de belles citations, droit devant soi, sans savoir où il va. Seulement il est vrai aussi que ces *cahiers* sont beaux, qu'ils restent beaux maintenant que l'actualité s'en est retirée et qu'on suit cette prose comme on suit la musique du régiment. Il y a un poème de Hugo qui a pour titre *Ibo* (*J'irai*) et qui ne va nulle part, mais, dit Alain, c'est un des plus beaux. Tel est Péguy. Il incarne « les centaines, et les milliers et les centaines de milliers d'hommes marchant du même pas, tombant de la même mort, éternellement impérissables... »

V

Tels sont nos Français, dit Dieu. Ils ne sont pas sans
⌈défauts.
Il s'en faut. Ils ont même beaucoup de défauts.
Ils ont plus de défauts que les autres.
Mais avec tous leurs défauts, je les aime encore mieux
⌈que les autres, avec censément moins de défauts.
Je les aime comme ils sont. Il n'y a que moi, dit Dieu,
⌈qui suis sans défauts.

Péguy, lui aussi, aime les Français comme ils sont.
Et c'est la seule façon d'aimer. Aimons donc Péguy
comme il est. Quelquefois lourd et cahotique. Chemin de
terre où les mottes grasses collent à la pensée. Montée
raide, paragraphes qui vous coupent le souffle, mais qui
débouchent sur un point de vue sublime. Voie difficile,
imparfaite, encaissée, obscure, mais qui conduit tout
droit à une plaine battue par les balles. Il faut toujours,
lorsqu'on parle de Péguy, terminer par les plus beaux
de ses vers, ceux qu'il signa de son sang :

Heureux ceux qui sont morts pour la terre charnelle
Mais pourvu que ce fût dans une juste guerre.
Heureux ceux qui sont morts pour quatre coins de terre
Heureux ceux qui sont morts d'une mort solennelle.

Heureux ceux qui sont morts, car ils sont retournés
Dans la première argile et la première terre.
Heureux ceux qui sont morts dans une juste guerre.
Heureux les épis mûrs et les blés moissonnés.

CHARLES PÉGUY

Que Dieu mette avec eux, dans le juste plateau,
Ce qu'ils ont tant aimé : quelques grammes de terre,
Un peu de cette vigne, un peu de ce coteau,
Un peu de ce ravin sauvage et solitaire...

Mère, voici vos fils qui se sont tant battus,
Vous les voyez couchés parmi les nations.
Que Dieu ménage un peu ces êtres débattus,
Ces cœurs pleins de tristesse et de déceptions...

Mère, voici vos fils et leur immense armée,
Qu'ils ne soient pas jugés sur leur seule misère ;
Que Dieu mette avec eux un peu de cette terre
Qui les a tant perdus et qu'ils ont tant aimée.

Est-il possible de mieux exprimer ce qu'en 1940 nous souhaitions dire au monde, en lui montrant la France meurtrie ?

Amis, voici nos fils qui se sont tant battus,
Qu'ils ne soient pas jugés sur leur seule misère...

mais mettez avec eux, disions-nous, dans le juste plateau, ce qu'ils vous ont donné : les cathédrales, la sagesse de Montaigne, la foi de Pascal, l'esprit de Voltaire, la musique de Hugo, cinq siècles de peinture, dix siècles de batailles, et alors, nous le savons, le plateau des vertus, dans votre esprit, l'emportera sur celui des fautes et vous direz, comme Dieu dans Péguy : « Tels sont mes Français. Ils ne sont pas sans défauts. Mais je les aime comme ils sont. »

ROMAIN ROLLAND

Parce que beaucoup le rattachent instinctivement à une génération antérieure, on s'étonnera peut-être de trouver dans ce livre une étude sur Romain Rolland. Mais il est né trois ans seulement avant Gide et mort trente ans après Péguy. Et comment oublier le rôle qu'a joué pour moi, et pour tant d'autres, au temps de notre jeunesse, son *Jean-Christophe* ? C'était à nos yeux un grand roman, pas aussi parfait techniquement que *Guerre et Paix,* mais ancêtre de tous nos romans-fleuves, des *Thibault,* des *Hommes de bonne volonté,* et qui, en fait, nous enthousiasmait. En outre Romain Rolland fut, pendant la guerre de 14-18, un des Français patriotes qui ne pensaient pas que le patriotisme dût s'exprimer par le mensonge, la surenchère et la haine. Cela lui valut, pendant tout le reste de sa vie, en France une sorte d'ostracisme de la littérature officielle et le silence de la critique, à l'étranger un profond respect, un public immense et, en 1918, le prix Nobel. Ce courage intellectuel méritait la place que nous lui avons donnée. Le lyrisme de Romain Rolland, son abondance chaleureuse effarouchent certains lecteurs de notre temps, plus cyniques, plus stendhaliens. Qu'ils lisent pourtant

Jean-Christophe, les journaux, l'abondante correspondance. Ils y trouveront des passions vraies. Alain tenait *Liluli* pour un drame digne des plus beaux. Et que cette générosité torrentueuse ne détourne pas trop vite les esprits délicats ! Romain Rolland, sur des sujets comme la guerre, la misère, l'hypocrisie, s'abandonne à l'éloquence d'un Victor Hugo, d'un Tolstoï. Est-ce un crime ? Son exaltation étonne les gens d'aujourd'hui ; elle était sincère et, je crois, bienfaisante. Il ne faut pas mesurer l'admiration à qui sut admirer, comme il convenait, Beethoven et Michel-Ange. « Nous avons à savoir, dit Alain, que cet homme glorieux n'a jamais fait la cour à aucune puissance et ne prit jamais conseil que de lui-même. »

LA JEUNESSE
ET LES DÉBUTS

Il était né à Clamecy (Nièvre) d'une famille de notaires, qui depuis cinq générations se repassaient l'étude. « Je suis né d'une bourgeoisie aisée, entouré de parents qui m'aimaient, dans un pays aimable et dont j'ai plus tard chanté — par la voix de mon *Colas* — la saveur joyeuse. » Toute sa vie il se souviendra de la propriété du grand-père, près d'Auxerre ; il en gardera dans les yeux, dans les narines, les images et les odeurs de l'herbe, de la résine, du miel, des acacias, de la terre chaude ou mouillée.

Pourquoi alors se sentit-il, tout enfant, prisonnier ? Pourquoi appela-t-il la vie « la Ratoire » ? Bien que ses parents fussent sains, grands, osseux et sans tare, il sera toujours une plante fragile. Une imprudence de servante l'avait, à moins d'un an, mis aux portes de la mort. Il en gardait une faiblesse des poumons et le souffle oppressé. Une petite sœur était morte à trois ans, d'une angine. Lui-même souffrait d'innombrables bronchites, de maux de gorge, d'hémorragies nasales. « Je ne veux pas mourir » répétait-il dans son lit d'enfant. Il allait vivre soixante-dix huit ans, moribond indestructible (comme Voltaire), pâle et grêle, les joues creuses. « Rolland, dit Charles du Bos, dont la coupe du visage, le teint, le regard relèvent du régime de pain et d'eau d'une prison qui doit être située près de Genève. » Cela est malveillant et peu digne de Charlie, mais Rolland ne fut jamais l'un de ses auteurs.

Une enfance de combat. Il étouffe au sens physique et au sens spirituel. Pourtant il tient de sa mère « le sens et l'amour de la musique, le sentiment religieux, l'indépendance irréductible de l'âme à l'égard du monde et de l'opinion ». Il commença ses études au collège de Clamecy, puis en 1880, sa famille s'installa à Paris, son père ayant vendu l'étude, et il put suivre les cours, d'abord du lycée Saint-Louis, puis de Louis-le-Grand. « A quelle heure le destin s'est-il vraiment éveillé, mis en marche ? » De quand date le « *Je n'accepte* » qui sera sa devise ? Certainement de l'arrivée à Paris. «L'atmosphère malsaine du lycée, cette caserne d'adolescents en rut, la fermentation du Quartier Latin, la fièvre gluante des rues, la Ville hallucinée, me soulevaient le cœur... La lutte pour la vie commençait, implacable, imposée sur les épaules débiles d'un petit bonhomme de quatorze ans. Aucun étai où s'appuyer. Le peu de foi de province écroulée. Les gamins de ce temps crachaient dessus. Un positivisme matérialiste, plat et gras, étalait son huile rance sur l'étang aux poissons. »

Aux souffrances de cette brutale transplantation, deux remèdes : la nature, la musique. La nature, il l'avait toujours aimée sans le savoir. Mais « le sceau qui fermait ce Livre des Livres a été, enfin, brisé pour moi, en 1881, sur la terrasse de Ferney. Alors j'ai vu, j'ai lu en elle. » Pourquoi Ferney ? Sa mère l'avait emmené en Suisse. On s'arrêta chez Voltaire. L'harmonie pleine et calme du paysage, les larges horizons, la terre riante qui s'inclinait vers le lac et au loin, comme l'orage amorti d'une Symphonie Pastorale, la frise panathénienne des grandes Alpes... « Pourquoi donc est-ce ici que la révélation m'est venue, ici et non ailleurs ? Je ne sais. Mais ce fut un voile qui se déchira. » Soudain les paysages du Nivernais, ceux de son enfance, prirent pour lui leur sens. « Dans cette même seconde où je vis nue la Nature et où je la « connus », je l'aimai dans mon passé, car je l'y reconnus. » De ce jour il alla souvent chercher en Suisse les grands horizons et l'air pur des montagnes.

Les concerts symphoniques, à Paris, lui furent un

Ersatz, précieux, pour le chant des montagnes. En 1883 il trouva la musique et retrouva la foi. « Je suis revenu par Mozart à la foi. » L'année suivante, en 1884, il compléta la phrase : « Et je l'ai abandonnée, par Beethoven et Berlioz. » Mais c'était une autre foi. Ce second éclair brilla, entre seize et dix-huit ans, par la lecture de l'Ethique de Spinoza. « Il est absolument nécessaire, disait Spinoza, de tirer toutes nos idées des choses physiques, c'est-à-dire des êtres réels, en allant, suivant la série des causes, d'un être réel à un être réel, sans passer aux choses abstraites et universelles... Mais il faut remarquer que, par la série des causes et des êtres réels, je n'entends point ici la série des choses particulières et changeantes, mais seulement la série des choses fixes éternelles. » Cette lecture de Spinoza fut sa nuit de Pascal. Il découvrit son Dieu, l'être unique, infini, l'être qui est tout l'Etre, et hors duquel il n'y a rien. « Tout ce qui est, est en Dieu. » Et moi aussi, je suis en Dieu, se dit le lycéen rêveur, je dois donc posséder pour toujours la paix de l'âme. Debout ! Marche ! Agis ! Combats !

Agir, créer, combattre, ce sera désormais le but de sa vie. Beethoven et Wagner, Shakespeare et Hugo l'y aideront. Et aussi Tolstoï qu'il vient de découvrir, et dont l'influence fut sur lui « très forte esthétiquement, assez forte moralement, et intellectuellement nulle ». Reçu à l'Ecole Normale en juillet 1886, il introduisit avec lui les grands Russes dans le cloître de la rue d'Ulm. En 1887 il écrivit à Tolstoï qui lui répondit en l'appelant son « frère ». Quatre ans plus tôt il avait rencontré en Suisse Victor Hugo, «le vieux Orphée, tout blanc, ridé, sorti du fond des âges... La foule le mangeait des yeux, irrassasiée. Un ouvrier, près de moi, disait à sa femme : « Hein ! qu'il est laid !... Il est rudement beau. »

L'Ecole lui donna des amis : Suarès, Louis Gillet, mais peu de maîtres. Il n'aima pas la philosophie et la critique littéraire « d'un spiritualisme papelard », qui régnaient alors rue d'Ulm (dit-il) avec le vieux Boissier et le jeune Brunetière. Il choisit donc l'histoire, enseignée avec un strict souci de la vérité, passa l'agrégation d'histoire et fut envoyé à l'Ecole française de Rome. Là il découvrit l'Italie. Il n'avait aucun désir de s'occuper d'archéologie, mais plutôt d'histoire de l'art, et singulièrement d'histoire de la musique. Sa vocation véritable l'entraînait vers le théâtre ou le roman. Il rêvait d'un roman musical, fait d'un contrepoint de sentiments plutôt que de faits.

A Rome il revit une femme de soixante-dix ans, naguère entrevue à Paris chez les Monod, étonnamment jeune de cœur, Malwida von Meysenbug, amie de Wagner et de Liszt, de Nietzsche et de Lenbach, qui avait connu Mazzini et Herzen. Tout les rapprochait : l'amour des grandes œuvres, l'horreur de la vie mondaine, le désir de travailler à l'union nécessaire de la bourgeoisie cultivée et du peuple. Cette amitié, pendant dix ans, modela Romain Rolland : « En ce sens j'ai été créé par Malwida. » Elle lui inspira confiance en lui-même, en son œuvre future : Je vous dois de m'être éveillé plus clairement à moi-même... Vous m'avez donné conscience de mes forces... Je sentais dans votre cœur un écho de mon cœur ; je sentais donc que j'avais raison d'être ce que j'étais. »

En 1892 il s'était marié avec Clotilde Bréal, fille du savant professeur de philologie au Collège de France. Des goûts communs l'avaient rapproché de cette jeune fille. Sa belle-famille l'introduisit à la fois dans les milieux universitaires, académiques et mondains. Mais le Paris frivole et superficiel des années 90 exaspéra ce jeune homme en colère. Son beau-père, Michel Bréal, qu'il aimait, exigeait que le gendre fît une thèse de doctorat. Le ménage partit pour Rome où Rolland écrivit, avec bonheur, une *Histoire des origines de l'Opéra*, avant Scarlatti et Lulli, qui lui valut le titre de docteur et une chaire d'histoire de la musique, d'abord à l'Ecole Normale, puis à la Sorbonne.

Sa vie semblait aiguillée sur une voie ouverte et facile, mais sa nature avait horreur de la facilité. « J'ai depuis quelques années un démon de violence, qui me prend par moments. Alors je suis capable de briser tous les liens. » Et aussi : « J'ai le corps lâche et l'esprit intrépide. A mesure que celui-ci a grandi, il a rempli la maison et il en est le maître. C'est au corps d'en sortir... Que la carcasse tremble, qu'elle ait froid, qu'elle ait peur, elle doit marcher, elle marche (1). » Une fois qu'il a choisi son but et son chemin, rien ne le ferait reculer. Son but, à ce moment, c'est un théâtre de combat qui soit un théâtre populaire. Il ébauche une Divine Tragédie (*Aërt, Saint Louis*), de tendance chrétienne et mystique ; puis une série de pièces sur la révolution française, (la seule, celle de 1789). La première de cette série, *Les Loups* (*Morituri*), fait grand bruit parce qu'elle est jouée en 1898, c'est-à-dire en pleine Affaire Dreyfus et que les spectateurs croient (à tort, dit l'auteur) y reconnaître Dreyfus, le colonel Picquart, le général Mercier. Les chefs des deux partis sont dans la salle, ce qui violemment irrite Romain Rolland. Il est dreyfusiste, mais respecte trop son art pour y mêler, afin de plaire ou de déplaire, des allusions à l'actualité.

En 1901, après neuf ans de mariage, il divorça. A *Malwida von Meysenbug* : « Une triste nouvelle : je vais divorcer... Il ne s'est rien passé de particulier entre Clotilde et moi — rien, sinon que nos deux vies sont trop différentes et s'éloignent fatalement l'une de l'autre. Vous savez que lorsque j'ai épousé Clotilde, elle était sous l'impression de la mort de sa mère et de celle de César Franck, qui avait été un grand et noble ami pour elle. Elle souffrait profondément de son milieu pharisien et avait le plus généreux désir d'une vie de travail et de recueillement... Mais il faut croire qu'elle avait trop présumé de ses forces... Son idéalisme ne tarda pas à fléchir et elle se laissa reprendre par la molle contagion de ses amitiés parisiennes... Aujourd'hui nous sommes à bout de forces. La vie commune ne serait possible que si l'un de nous se sacrifiait à l'autre ; et moi je ne le dois pas ; et elle, elle ne le veut pas. » Et huit jours plus tard :

---

(1) Texte publié par J.-B. Barrère.

« La plus cruelle semaine vient de se terminer... Mon plus grand chagrin est de ne pas savoir ce qu'elle deviendra et de craindre pour elle. La voici seule maintenant ; et elle est si faible ; et elle a de dangereux amis. »

Romain Rolland lui-même venait de lier (provisoirement) son destin littéraire à celui de Charles Péguy. Il souhaitait publier en librairie *Morituri* (*Les Loups*) ; ce n'était pas facile. La pièce avait mécontenté les deux camps. « Mais il n'importe. J'ai dit ce que je croyais bien ; et qu'après on me haïsse ! Je ne crains pas la haine. » Seulement aucun éditeur, aucune revue ne voulait prendre *Morituri*. « On me répond carrément que le sujet ferait désabonner une partie des clients. » Le courageux et loyal Louis Gillet lui conseilla de s'adresser à Péguy, autre lutteur, qui venait de fonder (à vingt-cinq ans), avec la dot de sa femme, la librairie Georges Bellais.

Sur les instances de Louis Gillet, Péguy écrivit à Romain Rolland, qui fut heureux de lui confier sa pièce. Elle tombait en de bonnes mains. Péguy, artisan consciencieux, voulait que le premier livre publié par lui fût un chef-d'œuvre de typographie. A quoi il réussit. Seulement il tint à vendre sa splendide édition à un prix populaire : deux francs, ce qui fit scandale dans le monde de la librairie. On boycotta l'ouvrage. Celui-ci s'épuisa, mais très lentement. Tout le *Théâtre de la Révolution* allait paraître plus tard, en 1909, avec ces dédicaces : *Le 14 Juillet* — Au peuple de Paris ; *Danton* — A mon Père ; *Les Loups* — A Charles Péguy.

A la fin de 1899 Péguy fonde les *Cahiers de la Quinzaine*. Socialiste mystique, et non politique, il prend pour devise : « La Révolution sera morale ou elle ne sera pas. » De cette époque date, non pas une amitié, mais une communion intellectuelle entre deux hommes également indépendants. *A Malwida von Meysenbug* « Je connais des hommes de la Révolution, — un surtout ; et si vous voyez Gillet, demandez-lui des détails à son sujet : il se nomme Charles Péguy... Il a fondé une Revue à lui seul où il dit les choses les plus éloquentes, où il ose dire les vérités les plus audacieuses à tous les puissants, de quelque parti qu'ils soient. » Ce fut Rolland qui suggéra à Péguy de faire place dans les *Cahiers* aux inédits de lettres pures. Il y aura désormais des Cahiers d'art réservés chacun à une œuvre entière. Le sixième Cahier sera le *Danton*.

A partir de 1901 Romain Rolland collabore régulièrement aux *Cahiers*. Sa santé le contraint à quitter souvent Paris pour la Suisse ou pour Rome. En 1902 il achève un Beethoven pour Péguy, termine un drame sur la guerre du Transvaal : *Le Temps viendra*. Surtout il commence un roman-fleuve. « Mon roman est l'histoire d'une vie, de la naissance à la mort. Mon héros est un grand musicien allemand, que les circonstances forcent, à partir de seize à dix-huit ans, à vivre en dehors de l'Allemagne, à Paris, en Italie, en Suisse, etc. Le milieu est l'Europe d'aujourd'hui. Le tempérament de mon héros n'est pas le mien... mon individualité propre se retrouve disséminée dans des personnages secondaires. Mais pour tout dire le héros est Beethoven dans le monde d'aujourd'hui... C'est le monde vu du cœur d'un héros comme centre. »

Il mène de front des *Vies des Hommes Illustres* (Beethoven, Michel-Ange, Tolstoï) et ce roman en plusieurs volumes. Le tout ira aux *Cahiers de la Quinzaine* où le succès du Beethoven (1903) dépasse toutes espérances. Epuisé en un mois, il fut tiré en seconde édition à trois mille exemplaires et renfloua Péguy. Pendant les vacances de 1903, Rolland rédige le premier volume de son roman (mais est-ce là un roman ? se demande-t-il. Biographie héroïque lui plairait mieux). Il a choisi le titre d'ensemble : *Jean-Christophe* et celui du premier volume : *L'Aube*. Le second volume : *Le Matin* fut sans doute remis aux *Cahiers* en même temps. Pendant dix ans il va « se réfugier » dans cette épopée d'un musicien imaginaire.

Le succès fut immédiat. Romain Rolland débordait le cadre étroit des *Cahiers* et leurs deux mille lecteurs. *Gabriel Monod à Péguy* « Jean-Christophe est un chef-d'œuvre. Réussirez-vous à le faire pénétrer dans le public et y a-t-il un grand public capable de l'apprécier à sa valeur ? » L'expérience prouva vite que ce grand public existait. Un éditeur, Ollendorff, offrit d'assurer à *Jean-Christophe* une plus large diffusion. L'auteur, naturellement, le souhaitait. L'amitié Péguy-Romain Rolland en souffrit. L'édition Ollendorff causait préjudice à celle des Cahiers. Si Romain Rolland continue de donner à ceux-ci priorité, il veut avoir le droit ensuite de traiter seul. C'est la brouille, mais de courte durée. Péguy cédera tout son stock de *Jean-Christophe* à Ollendorff (1). *Journal de Romain Rolland* « Je serais injuste si je ne tenais compte de la fatigue écrasante et de la tension perpétuelle où vit Péguy depuis cinq ans. Et enfin je sais aussi que ses défauts énormes et les germes de folie qui sont en lui sont la condition de sa force et de l'œuvre incroyable qu'il a pu faire avec rien. »

" JEAN-CHRISTOPHE "

Il faut admirer, et il faudrait reprendre, le *Théâtre de la Révolution* (*Le 14 Juillet, Danton, Les Loups*). C'est beau par le ton, grave et haut sans emphase ; beau par les mouvements de foules aussi imprévisibles, aussi incontrôlables que les fureurs de la mer ; beau par les passions brûlantes de l'auteur. Il leur a imposé le corset du style, mais percent malgré lui l'horreur de la bêtise et de la violence, un puritanisme stoïcien, l'amour de la vérité, même si cette vérité va contre ses préjugés. Car Romain Rolland a bien pu dire, sans doute avec bonne foi, que *Les Loups*, ce n'est pas l'Affaire. N'empêche que le personnage injustement condamné sur une seule lettre que, très évidemment, il n'a pas écrite, évoque avec force Dreyfus ; n'empêche que Teulier, esprit juste, acharné à défendre un inconnu qu'il n'aime pas, ressemble à la fois au colonel Picquart et à Rolland lui-même. Cela est fort bien ainsi. Qui pourrait empêcher les hommes, à toutes époques, d'éprouver les mêmes passions ? Nous avons connu en notre temps le Roi Lear et Timon d'Athènes, et Hamlet dans un café de Montparnasse, et Teulier témoignant au procès de Rennes.

Mais le lien, solide, et suprême, entre Romain Rolland et nous, demeure *Jean-Christophe*. Il faut se transporter par la pensée au temps où, abonnés aux *Cahiers de la Quinzaine*, nous attendions, avec impatience et bonheur, une tranche nouvelle de ce roman, un mouvement nouveau de cette symphonie. Pourquoi l'envoûtement de toute une jeunesse ? Parce que c'était un grand sujet, des grands sujets : l'amour, l'art, la mort, le but de la vie, grandement traités. *Jean-Christophe* occupa Romain Rolland pendant vingt ans : dix ans d'incubation, pendant lesquels, se sentant à Paris terriblement étranger, il portait en lui, « comme une femme son fruit » cette « Ile des Calmes », ce rivage sur lequel il était seul à aborder, au milieu de la mer hostile ; puis dix ans d'exécution : des épisodes d'abord et, à partir de 1903, la rédaction définitive.

Pour Romain Rolland, *Jean-Christophe* était, bien plus qu'une œuvre littéraire, une mission. En cette époque de décomposition morale et sociale de la France, il voulait « réveiller le feu de l'âme qui dormait sous les cendres ; opposer aux *Foires sur la place* qui accaparaient l'air et le jour, la petite légion des âmes intrépides ». Il lui fallait donc un héros qui osât regarder les ridicules et les crimes du temps avec des yeux libres, clairs et sincères, un de ces Hurons que Voltaire faisait venir à Paris pour juger l'Europe. Il était naturel que Beethoven lui apparût comme un modèle possible puisqu'il avait été, non seulement un grand musicien, mais une âme héroïque. Jeter Beethoven dans le monde moderne, y peindre ses colères, ses triomphes, ses échecs, cela était tentant. Toutefois il faut se garder de dire : « Jean-Christophe, c'est Beethoven. » Des éléments de la vie de Beethoven ont servi pour l'enfance, pour la naissance d'un musicien allemand, fils de musicien dans une petite ville rhénane. Cela se réduit à quelques épisodes des premiers volumes. Oui, Jean-Christophe jeune est enveloppé « d'une atmosphère de vieille Allemagne, de vieille Europe ». Ensuite il est jeté dans le monde moderne et devient autonome. Le cordon ombilical entre Beethoven et lui est coupé.

L'immense symphonie peut être divisée en quatre mouvements. De *L'Aube* à *L'Adolescence*, c'est la révélation de la musique, de la douleur et aussi, par l'admirable oncle Gottfried, de la consolation. *Second mouve-*

118

ment : *La Révolte* où Jean-Christophe se dresse contre
les servitudes d'un milieu provincial allemand. Compromis dans une bagarre entre paysans et soldats, ayant tué
un officier, il s'enfuit en France. *Troisième mouvement :
La Foire sur la place*, peinture amère, souvent juste
hélas !, du Paris d'avant-guerre, boulevardier, frivole, où
pourtant Jean-Christophe trouve un ami, Olivier Jean-
nin, projection de l'auteur. (Au vrai Romain Rolland,
comme tant d'écrivains, s'est dédoublé ; sa force a engen-
dré Jean-Christophe Kraft, sa finesse française Olivier.)
Quatrième mouvement : Olivier s'est marié et ce mariage
a été malheureux (*Les Amies*). Il meurt au cours d'une
émeute ; Jean-Christophe, qui a frappé un policier, doit
fuir en Suisse. Là il s'abandonne à un amour coupable
qui le conduit au bord du suicide, mais dans la solitude
montagnarde il retrouve son courage et son art. Il a
passé par le *Buisson ardent* ; il a entendu la voix de
Dieu ; il est sauvé.

Qu'était-ce qui nous attachait, nous jeunes hommes
qui eûmes vingt ans en 1906, plus à ce livre qu'à aucun
autre ? D'abord, comme pour tous les romans d'apprentissage (*Illusions perdues, Wilhelm Meister, Le Rouge
et le Noir*) le bonheur de retrouver nos angoisses, nos
espoirs, nos vocations dans ces premiers contacts d'un
enfant et d'un adolescent avec le monde. Puis une philosophie, des règles de conduite, très simples, qu'énon-
çait par exemple le naïf et délicieux Oncle Gottfried :
« Sois pieux devant le jour qui se lève. Ne pense pas
à ce qui sera dans un an, dans dix ans. Pense à aujour-
d'hui. Laisse tes théories. Toutes les théories, vois-tu,
même celles de vertu, sont mauvaises, sont sottes, font
le mal... Aime chaque jour, même quand il est gris et
triste, comme aujourd'hui. Ne t'inquiète pas. Vois. C'est
l'hiver maintenant. Tout dort. La bonne terre se réveil-
lera... Attends. Si tu es bon, tout ira bien. Si tu ne l'es
pas, si tu es faible, si tu ne réussis pas, eh bien, il faut
être heureux ainsi. C'est sans doute que tu ne peux
davantage. Alors pourquoi vouloir plus ? Pourquoi te
chagriner de ce que tu ne peux pas faire ? Il faut faire

119

ce qu'on peut... *Als ich Kann*... Un héros, c'est celui qui fait ce qu'il peut. Les autres ne le font pas. » Romain Rolland lui, avait fait ce qu'il pouvait, en des circonstances difficiles ; il nous donnait le courage d'essayer de faire nous-mêmes ce que nous pouvions. Nous lui en étions reconnaissants.

Ensuite nous y trouvions la musique. C'était le temps où, chaque dimanche, je venais de ma province à Paris pour aller au concert, où une symphonie de Beethoven m'emportait comme un grand fleuve, où l'andante de la Cinquième caressait et calmait mon front fatigué. Dans *Jean-Christophe* nous voyions en quelque sorte la musique à l'état naissant. Christophe, au début, ne savait pas qu'il était musicien, mais très vite à la fois la nature et les maîtres lui révélaient son génie. Naturellement l'auteur ne pouvait donner aucune idée de la musique de Christophe. Jamais nous ne saurons ce qu'étaient les *Lieder* de son adolescence. « En revanche, dit Alain, tout le livre est musique par un mouvement épique qui va selon le cours du temps... Même un lent *Adagio* n'attend pas ; il nous emporte ; on sent d'autant mieux l'inflexible loi par ce mouvement majestueux, sans violence ni faiblesse... L'âme de la musique est cette loi du temps, souveraine dans les terminaisons, plus magistrale encore dans les premières attaques de l'œuvre. Ainsi je comprends à peu près pourquoi Jean-Christophe n'aime pas Brahms. » Oui, et je comprends aussi pourquoi *je* n'aime pas Brahms.

Et pourquoi Christophe, en amour, « campe ici et là comme un sauvage ; nulle part assis ni fixé. Son premier amour éclaire en passant telle figure et puis telle autre. Elles n'ont pas le temps d'être. Ainsi va la musique. » Et ainsi va l'amour du musicien. Mais il y avait dans *Jean-Christophe* une autre histoire d'amour qui me touchait davantage, celle d'Olivier, l'ami de Christophe. Olivier, aussi français que Christophe est allemand, a épousé Jacqueline. Ils se sont aimés ; ils ont été à eux seuls un univers sans lois, un chaos amoureux. « Etreintes folles, soupirs et rires, heureuses larmes, que reste-

t-il de vous, poussière de bonheur ? » Jacqueline, au
début, a voulu partager les souvenirs et les travaux de
son mari. « Son esprit se jouait sans effort dans des
lectures abstraites qu'elle eût eu peine à suivre à d'autres moments de sa vie ; son être était soulevé au-dessus
de terre par l'amour ; elle ne s'en apercevait pas : telle
une somnambule qui marche sur les toits, elle poursui-
vait tranquillement, sans rien voir, son rêve grave et
riant... Et puis elle commença de voir les toits ; et cela
ne l'inquiéta point ; mais elle se demanda ce qu'elle faisait dessus et elle rentra chez elle. »

Cela ressemblait à l'histoire du premier mariage de
Romain Rolland : un grand amour suivi d'un désenchan-
tement. C'est une douloureuse aventure et, parce qu'il
l'avait vécue, Rolland la raconte douloureusement. Le
plus triste est que Jacqueline, d'abord hissée au-dessus
d'elle-même par son amour, retombe au Paris de *La
Foire sur la Place*. Christophe hait cette caricature de
la France, cette littérature érotique, ces bavardages de
coulisses et d'alcôves littéraires. Il se sent blessé par
l'affirmation que la musique française est supérieure à
la musique allemande. Il va écouter « leur » nouvelle
musique. C'est le temps de Debussy. « Tout lui semblait
baigné d'un demi-jour perpétuel. On eût dit une grisaille,
où les lignes s'estompaient, s'enfonçaient, émergeaient
par moments, s'effaçaient de nouveau... Les titres des
œuvres changeaient ; il était parfois question de printemps, de midi, d'amour, de joie de vivre. La musique,
elle, ne changeait point ; elle était uniformément lente,
pâle, engourdie, anémique, étiolée. C'était alors la mode
en France, parmi les délicats, de parler bas en musique. » Quant au public, il suffisait pour connaître ses
goûts de regarder les affiches des théâtres ; on y voyait
toujours les noms de Meyerbeer, de Gounod, de Masse-
net, voire de Mascagni et de Leoncavallo. Les grands critiques français n'admettaient que la musique pure et
laissaient l'autre à la canaille. Or toute musique expres-
sive, descriptive, était déclarée impure. « Dans chaque
Français, il y a un Robespierre. Il faut toujours qu'il

décapite quelqu'un ou quelque chose afin de le rendre pur. »

Au réquisitoire de Christophe contre la Foire sur la Place, Olivier répondait par une défense de la France : « Tu vois les ombres et les reflets du jour, tu ne vois pas le jour intérieur, notre âme séculaire. » Comment est-il permis de calomnier un peuple qui, depuis plus de dix siècles, agit et crée, un peuple qui a pétri le monde à son image par l'art gothique, par la raison classique — un peuple qui, vingt fois, a passé par l'épreuve du feu et s'y est retrempé, et qui, sans mourir jamais, a ressuscité vingt fois... « Tous tes patriotes qui viennent chez nous ne voient que les parasites qui nous rongent, les aventuriers des lettres, de la politique et de la finance, avec leurs pourvoyeurs, leurs clients et leurs catins ; et ils jugent la France d'après les misérables qui la dévorent. » Quand Romain Rolland parlait » des meilleurs d'entre nous », de ceux qui gardaient le respect de l'art et de la vie, nous, les jeunes hommes de son temps, pensions à lui.

Christophe mourait en se souvenant de son enfance, « Trois cloches tranquilles sonnèrent. Les moineaux, à la fenêtre, pépiaient pour lui rappeler l'heure où il donnait les miettes du déjeuner... Christophe revit en rêve sa petite chambre d'enfant... Les cloches, voici l'aube ! Les belles ondes sonores coulent dans l'air léger. Elles viennent de très loin, des villages là-bas... Le grondement du fleuve monte derrière la maison... Toute sa vie coulait sur ses yeux comme le Rhin. » Tout s'apaise. Tout s'explique de soi-même. « C'est le plus haut point de l'art, à ce que je crois, quand l'œuvre refuse les commentaires (1). »

(1) Alain.

III

" AU-DESSUS DE LA MÊLÉE "

Stefan Zweig a écrit un jour à Romain Rolland :
« Comme tout se forme bien dans votre vie ! La renom-
mée vous est venue très tard. Mais au juste moment pour
vous donner l'autorité dans la mêlée. Imaginez-vous pendant une guerre de 1910 : personne n'aurait écouté votre
voix... Rien n'était hasard et tout nécessité : Malwida von
Meysenbug, Tolstoï, le socialisme, la musique, la grande
guerre, vos souffrances, pour devenir ce que vous êtes
devenu... Votre vie est une des rares qui ont les péripé-
ties d'une œuvre d'art, le chemin qui monte en lacets
vers un but inconnu. Ce but était pour moi l'épreuve
morale de vos idées dans la guerre. »
La guerre de 1914 a en effet été, pour Romain Rolland,
la pierre de touche. Non seulement l'idée de guerre lui
faisait horreur, mais en particulier il tenait une guerre
entre la France et l'Allemagne pour fratricide. Les musiciens allemands l'avaient nourri, formé ; il avait en
Allemagne de nombreux amis. Cependant il se sentait,
autant que personne, Français fils de Français, Français d'innombrables générations, passionnément attaché
à son pays. Il reconnaissait qu'en pratique, il n'y avait
pas autre chose à faire pour un jeune Français, en
août 14, que se battre. Mais pour lui, qui n'était ni d'âge
militaire, ni de santé à faire campagne, le devoir, pensait-il, était ailleurs.
Il fallait sauver une civilisation. Il voyait clairement
que la civilisation occidentale, la nôtre, la plus riche,

la plus précieuse, était menacée par cette guerre civile.
Il voyait que ces enfants héroïques qui partaient avec
tant de courage, ne savaient où ils allaient. Bien sûr, un
devoir était clair : défendre nos terres, nos foyers. Mais
après ? Comment concilier l'amour de la patrie et le
salut de l'Europe ? Soudain il fallait choisir. Dans la
nuit, tâtonnant, il attendait qu'une grande voix s'élevât
et dît : « Par ici ! » Rien ne venait, que le bruit des
armées. Les hommes qui avaient mené l'assaut au temps
de l'Affaire : Anatole France, Octave Mirbeau, restaient
silencieux. Tous avaient abdiqué et Jaurès avait été tué.
« Partout une haine assassine soufflée par des rhéteurs
sans risques. » Les amis de Rolland : Péguy, Louis Gillet, Jean-Richard Bloch combattaient. Lui-même se trouvait en Suisse ; il pensa que son rôle serait de dire ce
que personne, en France ni en Allemagne, n'osait dire.

« Un grand peuple assailli par la guerre n'a pas seulement ses frontières à défendre ; il a aussi sa raison.
Il lui faut la sauver des hallucinations, des injustices,
des sottises que le fléau déchaîne. A chacun son office :
aux armées de garder le sol de la patrie. Aux hommes
de pensée de défendre la pensée. S'ils la mettent au service des passions de leur peuple, il se peut qu'ils soient
d'utiles instruments ; mais ils risquent de trahir l'esprit
qui n'est pas la moindre part du patrimoine de ce peuple. »

Il espérait que, s'il en appelait, au-delà des passions,
à la justice, les plus grands des Allemands feraient écho
à sa voix. Le 29 août 1914, ayant appris la destruction
de Louvain, haut lieu de l'esprit, il écrivit à Gerhart
Hauptmann : « Je ne suis pas de ces Français qui trai-
tent l'Allemagne de barbare. Je connais la grandeur intellectuelle et morale de votre puissante race... Je ne vous
reproche pas nos deuils ; les vôtres ne seront pas moin-
dres. Si la France est ruinée, l'Allemagne le sera aussi. »
Mais il leur reprochait des excès monstrueux et inutiles.
« Vous bombardez Malines, vous incendiez Rubens. Louvain n'est plus qu'un monceau de cendres... Mais qui
donc êtes-vous ? Etes-vous les petits-fils de Goethe ou

ceux d'Attila... J'attends de vous, Hauptmann, une réponse qui soit un acte. »

La réponse vint, négative, dure. Quatre-vingt-treize intellectuels allemands, par un manifeste, défendirent la mégalomanie du Kaiser. Thomas Mann, dans un accès de fureur et d'orgueil blessé, revendiqua comme un titre de gloire pour l'Allemagne tout ce dont l'accusaient ses adversaires. Les intellectuels, en temps de guerre, soit réflexe de défense, soit crainte de l'opinion, reniaient l'intelligence. Romain Rolland écrivit alors, dans le *Journal de Genève* le fameux article : *Au-dessus de la mêlée*, qu'il avait d'abord intitulé : *Au-dessus de la haine*. Ce texte souleva en France d'incroyables fureurs. Non seulement des écrivains professionnellement nationalistes accusèrent l'auteur de n'être plus français, mais des amis même, qui aimaient Rolland et l'admiraient, jugèrent qu'en pleine guerre l'unanimité devenait nécessaire et qu'il avait tort de s'isoler.

Si l'on relit aujourd'hui l'article, toutes passions éteintes, on le juge sage et modéré. Que disait-il ? Il s'adressait d'abord aux combattants, à Louis Gillet, à Jean-Richard Bloch : « O mes amis, quel que soit le destin, vous vous êtes haussés aux cimes de la vie et vous y avez porté avec vous votre patrie... Vous faites votre devoir, mais d'autres l'ont-il fait ? » Non, les maîtres de l'opinion n'avaient pas fait le leur. « Quoi ! Vous aviez dans les mains de telles richesses vivantes, ces trésors d'héroïsme. A qui les dispensez-vous ? » A la guerre européenne « cette mêlée sacrilège qui offre le spectacle d'une Europe démente, montant sur le bûcher et se déchirant de ses mains, comme Hercule ». Ce qu'il reprochait, non aux combattants, mais aux faux héros de l'arrière, c'était de préparer des lendemains inexpiables : « Cette élite intellectuelle, ces églises, ces partis ouvriers n'ont pas voulu la guerre... Soit ;... Qu'ont-ils fait pour l'empêcher ? Que font-ils pour l'atténuer ? Ils attisent l'incendie. Chacun y porte son fagot. »

Contrairement à ce que disaient ses ennemis, il proclamait que le pire danger restait l'impérialisme allemand, expression d'une caste féodale et militaire. « C'est lui qu'il faudra détruire d'abord. Mais il n'est pas le seul. Le tsarisme aura son tour. » Il n'hésitait pas à annoncer que les crimes seraient punis. « L'Europe ne peut passer l'éponge sur les violences faites au noble peuple belge... Mais au nom du ciel, que ces forfaits ne soient pas réparés par des forfaits semblables. Point de vengeances ni de représailles. Ce sont des mots affreux. Un grand peuple ne se venge pas, il rétablit le droit. »

Je ne vois dans ces idées rien à blâmer. Pourtant, en 1914, elles ne furent ni admises, ni pardonnées. « Je me trouve seul, exclu de cette communion sanglante. » Seul ? Pas tout à fait. Quelques hommes osaient lui écrire : Gide, Stefan Zweig, Martin du Gard, Jules Romains, Einstein, Bertrand Russell. Mme More-Lamblin lui cita quelques lignes d'une lettre d'Alain : « Il faut dire à Romain Rolland qu'Alain est avec lui de cœur et que des milliers de combattants s'accordent avec sa pensée. Il est beau de voir Romain Rolland dire toutes choses avec l'accent convenable. C'est d'ici qu'on reconnaît les véritables penseurs... » *D'ici,* c'était du front où Alain, engagé volontaire, servait dans une batterie.

Mais les amis fidèles se comptaient sur les doigts de la main ; la meute hostile était légion. Il avait dénoncé autrefois la « Foire sur la Place » et son charlatanisme. Elle prenait sa revanche. Même des écrivains sans méchanceté, comme Maurice Donnay, y allaient de leur coup de pied au pestiféré. L'article avait pour titre : *La Chanson de Rolland.* « M. Romain Rolland qui, avec ses deux ailes, plane si haut au-dessus de la mêlée... M. Romain Rolland garde Durandal pour un nouveau jugement de Salomon. Il tranche l'enfant en deux, une moitié au compte de l'Allemagne, une moitié au compte de la France... M. Romain Rolland se dit aussi le fils de Beethoven, de Leibniz et de Goethe. Nous ne pouvons pas partager votre orgueil de la basse germanophilie qui marque votre blason français. » D'autres se montraient plus injurieux. « M. Romain Rolland laissera-t-il son cœur aux Boches charmants qu'il cultive en Bocherie ? » ou encore : « Abandonnons à ses boniments exsangues le pâle Pierrot de la philosophie humanitaire. »

Dès 1914 il avait craint pour l'Europe les dangers d'une paix de haine : « Qu'y aurait-il de changé qu'une revanche de plus ? Veillez à ce que la paix future ne soit pas la menace d'une autre guerre. Veillez à ce que la réparation des torts ne cause pas d'autres torts, plus graves, à réparer. Veillez à ce que les promesses sacrées faites par les Alliés ne soient pas oubliées... et que la France républicaine, à combattre l'Empereur allemand, ne perde pas le goût de la liberté. »

En 1918 Rolland était certain que les Alliés, renforcés par les Américains, auraient le dernier mot. Mais l'Occident allait être ruiné, et surtout la France. « Je crois qu'en aucun temps on n'a vu une telle imbécillité de *tous* les chefs d'Etat et des gouvernements de *toutes* les nations d'Europe... Depuis quatre ans *tous* les Etats ont eu d'admirables occasions de terminer la guerre à leur honneur (voire à leur profit). *Tous,* devant l'occasion, ont fait le geste fou de la détruire avec rage et de s'interdire à eux-mêmes la possibilité d'échapper à la ruine. »

La révolution russe de 1917 lui avait inspiré une vive sympathie bien que son individualisme s'accommodât mal du communisme. « Le marxisme amoral n'a, disait-il, aucune loi intérieure à donner au peuple. Le Tolstoïsme paraît tout désigné pour être l'instrument de cette grande épuration morale, de cette grande religion populaire, raisonnable et sociale dont a besoin l'ordre nouveau... Je prévois qu'il deviendra (sans le chercher) l'Eglise laïque, officieusement protégée par l'Etat. » Par là il montrait qu'il connaissait mal, et Lénine, et le marxisme, si peu tolstoïens.

La victoire lui parut déshonorée par la Conférence de la Paix. Il avait mis quelque espoir en Wilson. Il découvrit en lui un prédicateur vaniteux, timide et fermé. Clemenceau dominait la Conférence, grand homme, mais aux vues courtes. Romain Rolland, revenu à Paris, sentait qu'il était sans pouvoir sur l'opinion publique. Une fois de plus il avait ramé à contre-courant. Le boycottage de son *Colas Breugnon* fut systématiquement organisé. Les journaux refusaient les articles et même les annonces. Lucien Descaves, directeur du *Journal,* admirait *Colas* et voulut en écrire. Il ne put faire paraître son article.

23 juin 1919 « A six heures du soir, tandis que je cause avec Suarès dans son rez-de-chaussée 20 rue Cassette, le ciel gronde. Je crois d'abord à un coup de tonnerre. Mais le grondement continue. C'est la signature de la paix. Les canons la saluent par salves espacées, d'une vingtaine de coups à chaque fois. Triste paix ! Entracte dérisoire entre deux massacres de peuples ! Mais qui pense au lendemain. »

Qui pensait au lendemain ? Romain Rolland, et il avait raison d'y penser, car le lendemain c'était 1939.

ANDRÉ GIDE
« Un homme au visage rasé dont les traits évoquaient certains masques japonais. »
(Photo Jean-Marie Marcel-Rapho)

JEAN GIRAUDOUX
« *Regard franc cerné de lunettes d'écaille.* »
(Photo Jean-Marie Marcel - Rapho

ROGER MARTIN DU GARD
« Il vivait le plus souvent à la campagne non point sauvage, mais solitaire et taciturne. »
(Photo A.F.P.)

JEAN COCTEAU
« *Magicien du langage, maître du goût, poète de l'invisible.* »
(Photo Denis Brihat - Rap

JEAN COCTEAU ET LA FRESQUE SUR LE COSMOS, 1959
« *Le trait sûr s'inscrivait sans une hésitation, sans un repentir, avec une maîtrise absolue.* »
(Photo Etienne Hubert)

CHARLES DU BOS

« *Un visage grave, aux grandes moustaches tombantes, éclairé par deux yeux d'une pro*
fondeur et d'une tendresse infinies. »

1930

Mercredi 1er Janvier

Camp du Drap d'Or   (9h25 matin)

En l'honneur du nouvel an, j'inaugure le cahier que François Mauriac m'a apporté Samedi dernier.

Messe de 7h½ à Notre Dame : souffrance (aigue), mais grande douceur, rires et larmes après la communion. Dans la salle à manger, pendant le petit déjeuner, regardé des photographies de Piero della Francesca dans le livre de Roberto Longhi donné à Zézette pour Noël 1927, et que j'avais repris à minuit ¼ au moment de me coucher. La grandeur : à mes yeux aucun art n'est aussi grand que celui de Piero. Jamais inégalé à la majesté de dimension et de proportion qui portent est la sienne : ici tout est à l'échelle et de la venue de l'arbe — de cet arbe au tronc élancé, colonne lisse et nue qui peut chapiteau perd au fait ce nuis feuillage si savam qui surplomb de son ombelle tout le sien du Baptême du Christ. La tête de la Madone du Polyptyque de la Miséricorde (galerie de Burgo San Sepolcro) : d'une si austère plénitude, comme si aux antipodes de l'ascétisme et de l'émaciation l'austérité remplissait tout son disque : le caractère motockeu raide tout ici dans l'absolu de la force. Je disais à Zézette que l'art de Piero ne satisfait de la manière dont j'imagine que l'art grec satisfait les autres, qui échue à un tel à sait satisfaire, et diverse. Elle me répliquait : « C'est qu'il vous faut toujours une dimension de plus, quelque chose de plus monumentale encore dans la grandeur ». Elle n'a pas tort et c'est pourquoi dans l'art grec, c'est à la sculpture archaïque que va ma prédilection, jusqu'à celle des xoana (que Paul Bourget me révélait en œuvre au printemps à 1906). Peut-être même est-ce l'aspect des xoana, de l'arbe — par ici Piero est si directem apparenté à la sculpture grecque — qui éveille en moi ce rapprochement.

Ayant reçu hier de Pieckmann le renseignement demandé, je transcris ici la phrase de Claudel que Pieckmann avait découvert ici même dans le camp le printemps dernier, et qui nous avait tant frappés et émus. Elle figure dans la lettre du 13 Juin 1917 au Père de Tonquédec (et a reproduit p. 196 dans la 3e édition, 1927, du livre de celui-ci) : « Quand j'écris, l'idée de la beauté intrinsèque de la page je sais ou des plaisir que je puis procurer m'est complètement étrangère. La poésie est pour moi l'expression de sentiments forts et profonds et secondement le moyen de cette campagne d'évangélisation progressive de toutes les régions de mon intelligence et de toutes les puissances de mon âme que j'essaie de poursuivre... depuis le jour où je me suis converti ». L'évangélisation intérieure, portant et sur l'intelligence et sur l'âme

CHARLES PÉGUY DANS SON BUREAU
« Il menait tambour battant ses collaborateurs et ses abonnés. »
(Atelier René-Jacques)

LE LIEUTENANT PÉGUY

« *Un lieutenant commun, un héros commun, soldat commun de l'immense armée de la Marne.* » *(Atelier René-Jacques)*

ROMAIN ROLLAND
« *Pâle et grêle, les joues creuses.* »

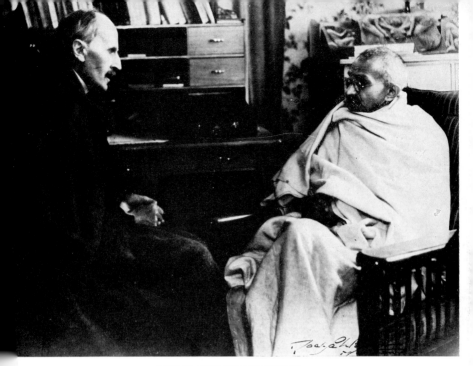

ROMAIN ROLLAND ET GANDHI
« Il s'attachera aux mystiques hindoues. »

(Atelier René-Jacques)

(Photo A.F.P.)

JEAN ANOUILH
« Il a simplement et magnifiquement appris à vivre. »
(Photo Albin-Guillot-Violle

JEAN ANOUILH ET MONELLE VALENTIN

« *Il épouse une actrice : Monelle Valentin et le départ est pris, au théâtre, avec une maî-*
trise... qui étonne. »

SIMONE DE BEAUVOIR
« Elle avait établi son quartier général au café de Flore, boulevard Saint-Germain. »
(Photo Doisneau - Rapho

SIMONE DE BEAUVOIR ET JEAN-PAUL SARTRE
« Ensemble ils pensèrent ; ensemble ils luttèrent ; ensemble ils obtinrent la gloire littéraire. »
(Photo Almassy)

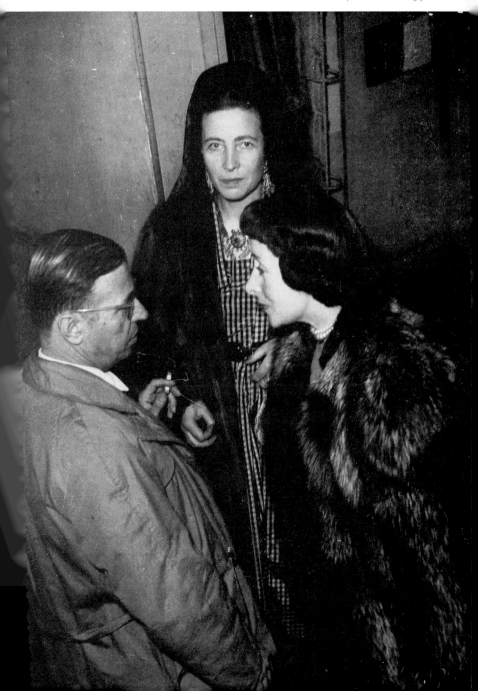

JEAN-PAUL SARTRE
« *Une remarquable intelligence, un réel talent dramatique et une rare puissance dialectiq...*
(Photo Almas...

IV

LA FIN
DU VOYAGE

Pour les hommes qui, comme moi, ont eu vingt ans en 1905, le grand Romain Rolland demeure celui des vies de Beethoven, de Michel-Ange ; celui du théâtre de la révolution ; celui de *Jean-Christophe* qui devint un peu plus tard celui d'*Au-dessus de la mêlée*. Mais l'œuvre ne s'arrête pas là. De la mêlée émergèrent une farce allégorique : *Liluli* et un roman : *Clérambault* qui est « l'histoire d'une conscience libre pendant la guerre», c'est-à-dire la passion, au sens tragique, d'un isolé en qui s'incarne à peu près l'auteur. Liluli, c'est l'Illusion, funeste Ariel qui jette les uns contre les autres, d'un côté à l'autre du ravin, des paysans qui se ressemblent. La déesse Llôp'ih (l'Opinion), idole barbare, joue un rôle mineur, mais fatal. Maître-Dieu, beau vieillard, majestueux et rasta, vend des petits dieux aux deux camps, et excite les combattants. « Je suis un homme d'ordre, dit Maître-Dieu, je respecte l'Etat, tous les Etats. Mon principe, monsieur, c'est d'être bien toujours avec ceux qui sont forts. Quels qu'ils soient, ils sont beaux, ils sont bons, ils sont... forts. C'est tout dire. Ils changent quelques fois ; mais je change avec eux, ou même un quart d'heure d'avance. Oh ! l'on ne m'y prend pas ! Et vous me trouverez toujours du côté du manche. »

La satire est vigoureuse. L'éternel Polonius harangue les peuples : « Préférez-vous qu'on vous assomme sur la terre, sous la terre, ou bien dans l'eau ? (Moi, pour ma part je n'aime pas l'eau ; le bon vin vaut beaucoup

129

5

mieux)... Souhaitez-vous d'avoir au ventre une balle ronde ou pointue, brune ou dorée, shrapnell, éclat d'obus, marmite, ou crapouillot, ou la belle arme blanche, qui est propre et plaisante ? Vous plaît-il mieux d'être étripé, grillé, crevé, escarbouillé, bouilli, rôti, — le dernier cri : électrocuit ?... Nous ne vous refuserons rien. Nous n'écartons, pour votre bien, que le barbare, le commun, les sous-marins, les gaz qui puent, enfin la mort mal élevée, la guerre non civilisée. Mais vous n'y perdrez rien. Nous poliçons la guerre. Poliçons-la, messieurs, et la repoliçons ! Que serions-nous sans elle ? C'est par elle que la paix a son prix. Et par elle, nous édifions, *in sæcula per pocula*, la Société des Nations. Car tout se tient, suivez-moi bien. Sans nation, il ne peut être de Société des Nations. Sans nation, point de guerre. Sans guerre, point de nation. Or donc, tout est très bien et sera encore mieux. »

Par le rythme, par les allitérations, les énumérations interminables et cocasses, le ton rappelle Rabelais. Il en est de même de *Colas Breugnon* « réaction contre les contraintes de dix ans dans l'armure de Jean-Christophe... J'ai senti un besoin invincible de libre gaieté gauloise, oui, jusqu'à l'irrévérence ». En même temps un retour au sol natal, à la Bourgogne nivernaise, a réveillé tous les Colas Breugnon que Rolland porte en sa peau. Vraiment c'est folie que de vouloir faire un cosmopolite de ce Français de souche et de culture dont les maîtres favoris, il le dit et le répète, ont été Montaigne et Rabelais. Bien sûr il a aimé Shakespeare et Dante, Beethoven et Tolstoï ; bien sûr il s'attachera aux mystiques hindous. Rien de ce qui est grand ne lui est étranger. Il croit à la nécessité, si l'on veut sauver la civilisation, de rapprocher les hommes, non comme Polonius par des discours, mais par des actes. Il croit à la nécessité de faire l'Europe et même, peut-être, l'Eurasie, mais cela sans effacer les traits particuliers de chaque nation. « Jamais il ne me viendrait à l'idée d'effacer l'individualité des races et des êtres. Il ne faut pas appauvrir le monde. »

130

La musique aide à comprendre cette harmonie dans la dissonance : « Ne sommes-nous pas faits, disait Shelley, comme des notes de musique, les uns pour les autres bien que dissemblables. » La musique, langue universelle, rapproche les cœurs. Beethoven parle aussi clairement à un Français qu'à un Allemand, à un Américain qu'à un Italien. Musical est le mode d'expression favori de Romain Rolland romancier. « J'en reviens toujours, dit-il, au besoin de donner à ces épopées humaines un dénouement analogue à celui que je proposais pour un drame de la Révolution : — les passions et les haines se fondent dans la paix de la nature. Le silence des espaces infinis entoure l'agitation humaine ; elle s'y perd comme une pierre dans l'eau. » Dans l'harmonie se fondent les couples de l'amour et de la haine, de l'héroïsme et de l'abandon, de la souffrance et de la joie. « *Durch Leiden Freude* », par la souffrance vers la joie, c'est toute l'histoire de Jean-Christophe. C'est celle de Romain Rolland.

La souffrance, il en a touché le fond au temps d'*Au-dessus de la mêlée*. Après la guerre il retrouva un bonheur personnel en épousant, en 1934, une jeune femme russe, de mère française, qui était devenue pour lui une amie et une collaboratrice. Il retrouva le bonheur de la création en écrivant un grand roman, *L'Ame enchantée* qui est l'histoire d'une femme ; en continuant, par le *Jeu de l'amour et de la mort,* son théâtre de la Révolution et en composant une grande étude musicologique sur *Beethoven, les époques créatrices.* Traduit dans le monde entier, il semble alors, aux yeux de ceux qui ne savent pas tout, à la fois l'un des Français les plus illustres, et l'un des plus solitaires en son pays. Mais cela n'est pas vrai. Il a, en France même, des amis fidèles : Claudel, Louis Gillet, Aragon, Jean-Richard Bloch, Roger Martin du Gard, Alain. Montherlant le loue d'avoir, en 1914-1918, « incarné et poussé jusqu'au bout une attitude infiniment supérieure en valeur morale et intellectuelle à celle des passionnés de tout calibre qui entraient dans l'événement. Encore que ceux-ci aient joué, eux

131

aussi, leur partie justifiée de la grande symphonie ».

A quelques exceptions près ses amitiés se situent « à gauche ». Il est très admiré en Russie soviétique. En Angleterre c'est Bernard Shaw, Bertrand Russell qui viennent à lui. Ils l'ont adopté pour son horreur de la guerre, pour son désir de transcender les castes. Et pourtant il demeure un aristocrate de l'esprit. Son aspect physique, sa distinction, le classent malgré lui. Bien qu'il accepte, et souhaite, une révolution, il en redoute les dangers et les folies. Il demeure en garde contre l'hystérie des foules. Dès qu'elles ont goûté le sang elles deviennent folles. Il les a montrées assoiffées de massacres dans *Le 14 Juillet*. Elles tuent Olivier dans *Jean-Christophe*. L'homme est un loup pour l'homme. Que faire alors ? Si les élites s'abandonnent aux discours à la Polonius ou aux jeux frivoles de *La Foire sur la Place,* si les foules apparaissent ignorantes et cruelles, si la justice même devient injuste, quel espoir reste-t-il ? Ne tombera-t-on point dans le plus noir pessimisme ?

Romain Rolland n'est ni pessimiste, ni optimiste. Il pense, comme Gottfried, que la vie doit être vécue au jour le jour, en harmonisant les tendances contradictoires que l'on trouve en soi. Il se refuse à être d'un parti, quel qu'il soit. Son rôle est de combattre la violence et la haine chez ses amis comme chez ses ennemis. Ce qu'il veut être ? Un moraliste, au sens le plus large, c'est-à-dire non pas un homme qui « fait de la morale », ni un ciseleur de maximes, mais un écrivain qui élève les âmes, qui leur fait voir ce qu'il y a en elles de grand. Et comment ? Par le contact avec la nature, avec l'art, avec la beauté. « Et c'est ici que je me suis vu en opposition avec Tolstoï : j'attribue une importance capitale à la beauté saine. Le grand art a pour essence l'harmonie ; et il donne la paix, la santé, l'équilibre à l'âme. Il les communique à la fois par les sens et par l'esprit, car les uns et l'autre ont droit à la joie. »

Voilà pourquoi, au-delà des modes, je demeure attaché à Romain Rolland. En ce qu'il a de meilleur, il est très grand. Il voit très clairement que l'art débouche sur la nature. La musique, la peinture, les livres sont des moyens utiles pour introduire dans le chaos du monde une harmonie intelligible à l'homme. « L'art est l'ombre de l'homme jetée sur la nature... L'immense trésor de la nature passe à travers nos doigts. L'intelligence humaine veut prendre l'eau qui coule dans les mailles d'un filet... L'esprit avait besoin de ce mensonge pour comprendre l'incompréhensible et comme il voulait y croire, il y a cru... De temps en temps un génie, en contact passager avec la terre, aperçoit brusquement le torrent du réel, qui déborde le cadre de l'art. » Il y eut des moments où Jean-Christophe, ravi par la beauté des choses, fut tenté de dire adieu à l'art. Romain Rolland lui-même, devant certains paysages, a entrevu quelque chose qui est au-delà de l'homme. Mais, comme son héros, il revient toujours à son art, parce qu'il est homme et que c'est à travers l'art qu'il appréhende le mieux la nature.

« O ma vieille compagne, ma musique, tu es meilleure que moi. Je suis un ingrat, je te congédie. Mais toi, tu ne me quittes point, tu ne te laisses pas rebuter par mes caprices. Pardon ! Tu le sais bien, ce sont des boutades. Je ne t'ai jamais trahie, tu ne m'as jamais trahi, nous sommes sûrs l'un de l'autre. Nous partirons ensemble, mon amie. Reste avec moi jusqu'à la fin. »

V

En 1937, après vingt-six ans passés en Suisse, Romain Rolland acheta une maison en France, à Vézelay, haut lieu de toute croisade, séjour digne de ce Croisé. Il y était à peine installé et travaillait à son *Robespierre* quand fut conclu l'accord de Munich. En septembre 1939 il écrivit à Daladier, président du Conseil, pour lui dire son dévouement au camp des démocraties. Parce que la cause défendue était, cette fois, aussi bonne qu'à Valmy, il l'embrassa. De sa terrasse de Vézelay il vit, dans la plaine où avait prêché saint Bernard, « courir les armées dans les tourbillons de poussière au soleil ». Au-dessus d'elles, dans le ciel pur de l'été, Liluli prodiguait ses grâces botticellesques — et ses mensonges.

Aux jeunes gens il conseilla de ne pas se laisser troubler par l'apparence du désastre. « Une telle épreuve doit être salutaire pour une race vigoureuse. Et du fond de la défaite je vois resurgir une France plus saine et rajeunie, pourvu qu'elle le veuille. J'ai foi en l'avenir de mon pays et du monde... Et je prends congé d'eux, le cœur en paix au milieu de la guerre et l'esprit assuré dans ces tremblements de terre. Je reviens, comme Candide, à mon jardin, mon jardin sans frontières. »

Sa vie se terminait, comme une symphonie de Beethoven, par l'affirmation, plusieurs fois répétée, de l'accord parfait. Christophe avait traversé le fleuve. « Toute la nuit il a marché contre le courant... Ceux qui l'ont vu partir ont dit qu'il n'arriverait point. Et l'ont suivi longtemps leurs railleries et leurs rires... A présent Christophe est trop loin pour que les cris l'atteignent de ceux restés là-bas... Christophe, près de tomber, touche enfin à la rive. Et il dit à l'Enfant qu'il porte sur son épaule :

— Nous voici arrivés ! Comme tu étais lourd ! Enfant, qui donc es-tu ?

Et l'enfant dit :

— Je suis le jour qui va naître. »

Conclusion optimiste ? Non point. Car ce jour qui va naître, Christophe ni Rolland ne le verront. Et d'ailleurs il sera aussi rude que le jour d'avant. Mais le travail, de l'aube à l'aube, aura été fait. Voici l'Enfant sur la rive. Jeunes hommes, à votre tour !

JEAN GIRAUDOUX

Giraudoux a été, dans la pléiade de notre génération, une étoile de première grandeur. Il y eut un temps où ses pièces, jouées par Jouvet, Renoir, Valentine Tessier, nous ravissaient et aussi nous donnaient bonne conscience. Nous étions fiers d'admirer un grand écrivain et des comédiens dignes de lui. Aujourd'hui des juges sévères revisent nos jugements enthousiastes. Les feux d'artifice verbaux, retombés, ne leur semblent plus que cendres et baguettes noircies. Mais je viens de relire tout Giraudoux, roman et théâtre, et s'il m'est arrivé de me sentir fatigué par des procédés de développement en série, brillants et faciles, je me sens pourtant reconquis, fidèle. Au-delà des canulars et des jeux, j'ai retrouvé la pureté, la noblesse, l'amour d'une certaine France, qui est la France, et d'une certaine image de l'homme, qui est l'homme. De Giraudoux tout ne survivra pas (cela est vrai de chaque écrivain) ; resteront quelques pages admirables, quelques monologues parfaits, quelques phrases qui font chanter notre langage aussi bien qu'il chanta jamais. Ce Giraudoux que je revois tel que je le connus, souriant et sérieux, moqueur et grave, diplomate et bohème, il survit dans ses essais, dans *Bella,* dans *Intermezzo.* Tant qu'il restera en France des petites villes, des petits fonctionnaires, des jeunes filles, des écureuils, et le souvenir de La Fontaine, il y aura du Giraudoux dans l'air.

I

BELLAC, chef-lieu d'arrondissement (Haute-Vienne) ;
4 600 habitants. Tanneries. Patrie de Jean Giraudoux.
Voilà ce qu'on lit aujourd'hui dans le Petit Larousse et
qui eût enchanté Giraudoux. Bellac, toute sa vie, resta
pour lui un mythe favori, celui de la France provin-
ciale ; la petite ville où, son père y étant conducteur des
Ponts-et-Chaussées, il apprit à connaître le contrôleur
des Poids et Mesures, l'inspecteur d'Académie, l'institu-
trice, personnages dont est faite la vie française. Grâce
à lui, non seulement Bellac, mais toutes les petites cités
du Limousin voisines de Bellac : Bessines, Saint-Sulpice-
Laurière, Château-Ponsac portent un halo poétique,
comme Château-Thierry grâce à La Fontaine, comme La
Ferté-Milon grâce à Racine. Une jeune fille pure, dans
ses romans, est une jeune fille de Bellac. « Pour ses lecteurs de Bolivie ou d'Australie, la France à son Bayreuth
qui est Bellac. » (1).
   Le circuit « par petits bourgs et cantons » que fit
Jean Giraudoux au hasard de la carrière, dans les Ponts-
et-Chaussées, de Léger Giraudoux, son père, est le seul
qui puisse donner la connaissance de la vie française.
Au lieu d'avoir à accomplir ce vagabondage d'honneur
par des préfectures, « dans cet itinéraire Bordeaux-
Angoulême-Paris que préfèrent les légionnaires romains

   (1) Chris Marker : *Giraudoux par lui-même* (Seuil). Voir aussi :
V. H. Debidour : *Giraudoux* (Editions Universitaires).

139

et les fonctionnaires ambitieux », il a été amené à suivre un chemin « ganglionnaire » de cantons et de sous-préfectures, « autrement fructueux pour la prise de conscience de son état national ». La poésie d'*Intermezzo,* inconcevable et inintelligible en tout autre pays émerge, ruisselante d'images, de cette enfance cantonale.

Toute sa vie Giraudoux défendra les sous-préfectures et les tribunaux d'arrondissement. Il aimera ces maisons à jardins spacieux en plein cœur des villes, toutes flanquées d'un cèdre magnifique parce que sous-préfectures et tribunaux furent institués vers l'époque où Jussieu rapporta son cèdre du Liban. Si l'on supprimait les sous-préfectures (menace périodique, toujours différée), ce serait la fin de « cette confrontation nocturne, dans chaque petite ville, du tribunal, de l'église, et de cette prison où ne dormait qu'un prisonnier unique, mais aussi nécessaire au juste qu'un seul péché. Dissous cet assemblage de procureurs, d'huissiers, de secrétaires généraux, qui maintenaient encore par leurs vêtements la noblesse dans les magasins des tailleurs et des chapeliers. Désormais dans toutes les petites villes de France les épicières riches n'épouseraient plus que des cordonniers riches... » Le ton est tendrement ironique ; il faut pourtant prendre au sérieux l'amour de Giraudoux pour cet harmonieux contrepoint de notre civilisation qui envoie des juges corses à Lille et des picards à Marseille.

Dans une petite ville chacun connaît tous les autres. La pharmacienne séduit, étonne. L'adjudant de gendarmerie devient un ami. Un enfant y apprend la vie avec confiance. La nature est aux portes du bourg, campagne limousine ou berrichonne, champs où « le topinambour cache la perdrix et l'avoine le lièvre ». Voilà encore qui rapproche Giraudoux de La Fontaine. Il aime les animaux et les connaît. De ses parents, il a peu parlé. On devine seulement, en lisant *Simon le Pathétique,* qu'ils eurent pour ce petit garçon beau et intelligent des ambitions toutes françaises : « Inutile, Simon, de t'encourager au travail. Ou tu travailleras, ou tu te passeras de pain... Regarde-moi Simon, laisse ces noix... Tu entres

140

dans la lutte avec une chance incroyable... Pas de charges ; je suis toute ta famille... Ton nom, tu peux en
faire ce que bon te semble ; il est neuf... Félicite-toi de
ces privilèges et pose cette pomme... Ne t'imagine pas,
parce que tu es boursier, devoir rien à personne... Tu ne
vas pas au lycée pour doubler le concierge. » L'enfant
le savait ; il allait au lycée pour faire des études parfaites. Pour devenir préfet, ministre. « Chaque soir répètetoi que tu veux devenir président de la République. Le
moyen est simple ; il suffit que tu sois le premier partout ; et tu l'as bien été jusqu'ici. »

Au lycée de Châteauroux, qui porte aujourd'hui son
nom, il fut en effet le premier partout. Un premier parfait, non seulement par sa connaissance des classiques,
mais par le caractère, la fierté, l'indépendance d'esprit.
« J'étais respectueux sans humilité, zélé sans zèle.
J'avais une écriture haute, nette, des cahiers à double
marge. » Ses maîtres l'estimaient. Il leur devait « une
vie large, une âme sans bornes. Je leur devais, en voyant
un bossu, de penser à Thersite, une vieille ridée à
Hécube ; je connaissais trop de héros pour qu'il y eût
pour moi autre chose que les beautés et des laideurs
héroïques... Je croyais — j'y crois — aux saules, aux
harpes, aux palmes. Je croyais comme toute ma classe,
au génie... On dédaigne ce qui n'est que talent, en province. Mais nous savions par cœur tous les vers, toutes
les ripostes sublimes. »

Ecrivain, il gardera un esprit noblement scolaire. Au
détour de chacune de ses phrases le lecteur averti saisira une allusion à quelque citation illustre et verra passer rapidement, volant très haut, l'ombre d'un grand
homme. Giraudoux copiera Homère dans *Elpénor,* en
lui imposant une déformation giralducienne. Il se plaira
toujours à parler des écrivains qu'il admire : Racine,
Nerval, La Fontaine. Premier en français, en grec, en
latin, en histoire, il est aussi premier en course à pied.
Un adolescent parfait doit l'être de corps comme de
cœur. Il franchit sans effort, dans sa foulée, les obstacles
du 110 mètres haies et ceux des examens. Un proviseur

parisien l'appelle. En 1900 il met, pour la première fois, le pied à Paris. Il suit à Lakanal, en première supérieure, les cours de Charles Andler, traducteur et commentateur de Nietzsche, admirable professeur qui l'aiguille vers la littérature allemande (vers *Siegfried,* vers *Ondine*) et il entre à l'Ecole Normale Supérieure. Il aime Paris qui coiffe si grandement la France des sous-préfectures.

Prière sur la Tour Eiffel : « Ainsi j'ai sous les yeux les cinq mille hectares du monde où il a été le plus pensé, le plus parlé, le plus écrit. Le carrefour de la planète qui a été le plus libre, le plus élégant, le moins hypocrite... Voilà l'hectare où la contemplation de Watteau a causé le plus de pattes-d'oie. Voilà l'hectare où les courses pour porter à la poste Corneille, Racine et Hugo ont donné le plus de varices... Voilà le décimètre carré où, le jour de sa mort, coula le sang de Molière. » Ce texte, comme cent autres de Giraudoux, laisse percer une immense fierté, un amour presque physique de la France, et de sa littérature, et de son art. Amour qui, chez Giraudoux, n'a rien d'un chauvinisme hargneux (qui jamais parla mieux des grands Allemands, des grands Américains ? Qui dénonça plus durement les harangues patriotardes et belliqueuses de Rébendart ?), amour qui ressemble au bonheur naïf d'une jeune fille qui a la chance de naître belle. Quelle chance d'être la France — et d'être français — et d'être Giraudoux !

Car la perfection, en lui, survit au dépaysement. Il est premier à Paris comme à Bellac, comme à Châteauroux. En 1905 il sort premier de Normale, « heureux d'être un de ces mille Français qui assurent les relations entre les auteurs classiques et les sentiments journaliers ». Mais au lieu d'aller vers le professorat, il accepte un poste de précepteur dans une famille princière allemande, celle des Saxe-Meiningen ; puis, après un tour d'Europe, passe en Amérique où il sera lecteur de français à Harvard. Etrange itinéraire cosmopolite du plus enraciné des Français. Rentré en France, il devient le secrétaire d'un personnage puissant et monstrueux : Maurice Bunau-Varilla, directeur du *Matin.* Dans ce jour-

142

nal il dirige la page littéraire, ce qui l'amène à écrire ses premiers contes et à découvrir le monde des lettres. Il fréquente le café Vachette ; il devient l'ami du jeune éditeur Bernard Grasset, plein d'audace et de goût, qui en 1909 publie le premier livre de Giraudoux : *Provinciales* et en 1911 *L'Ecole des Indifférents*. Un écrivain se trouve révélé ; Gide lui consacre un article vers le temps, à peu près, où Barrès découvrait Mauriac. Une génération atteignait sa majorité littéraire.

Bien qu'il eût obtenu (brillamment, cela va de soi) une licence d'allemand, Giraudoux avait choisi une autre carrière : *la* Carrière. En 1910 il entre au quai d'Orsay, comme vice-consul, ayant passé (sans effort) le concours des Chancelleries. Philippe Berthelot dirigeait alors le cabinet du ministre, grand homme, plus grand que nature, cultivé, paradoxal, joueur, séduisant. Une phrase de Giraudoux dans *Le Mercure de France :* « Un cheval passa ; les poules suivirent, remplies d'espoir », amusa Berthelot. Il fit venir à son bureau l'auteur. Elégant sans être dandy, fier sans insolence, beau sans fadeur, spirituel sans hargne, le jeune vice-consul plut à son chef. Berthelot allait désormais le guider dans les couloirs du Quai comme il guidera Claudel, Morand, Léger. Mais en août 14 la mobilisation fit du poète un sergent.

Un sergent qui resta poète et devait rapporter de la guerre quelques beaux livres : *Lectures pour une ombre, Adorable Clio.* Courageux comme l'est un homme parfait, sans ostentation, et même avec humour, Giraudoux, devenu officier, fut (naturellement) le premier écrivain décoré à titre militaire. Par certains de ses aspects marginaux, la guerre (qu'il haïssait) lui donnait une nouvelle occasion d'observer les Français. Une compagnie d'infanterie est un village. On y connaît les noms de tous, les manies de chacun. Deux fois blessé, sur l'Aisne, puis aux Dardanelles, le lieutenant Giraudoux fut, par la grâce de Berthelot qui voulait sauver, d'une mort vaine, ce charmant esprit, envoyé comme instructeur militaire d'abord au Portugal, puis aux Etats-Unis (d'où la *Journée portugaise* et *Amica America*). Ayant

143

ainsi passé la Grande Guerre avec mention très bien, il est ramené par la paix au quai d'Orsay où ses citations, son talent et l'amitié d'un grand homme lui valent d'être nommé au service des Œuvres françaises à l'étranger dont il va devenir le chef. Il se marie, a un fils (Jean-Pierre), publie en 1921 un beau roman : *Suzanne et le Pacifique.*

C'est alors que je l'ai connu, regard franc cerné de lunettes d'écaille, manières charmantes, propos aériens, car il parlait Giraudoux, ce qui est un langage. Je l'admirais déjà pour son style ; je l'admirai pour son caractère quand son patron Philippe Berthelot fut disgracié par Poincaré. Dans un roman sévère : *Bella*, Giraudoux peignit les deux hommes. Parce qu'il y introduisit l'histoire, et les passions qu'elle suscite, ses livres prirent alors une autre stature. *Eglantine, Jérôme Bardini*, le *Combat avec l'Ange, Choix des Elues* auraient suffi à lui donner un public reconnaissant de tant d'intelligence et de poésie, mais ce public eût été restreint. Giraudoux semblait un auteur assez difficile, par un papillotement d'images qui aveuglait les yeux faibles. Une rencontre, celle de Jouvet, fit de lui un homme de théâtre, une des idoles de la jeunesse et lui assura une gloire mondiale.

« L'acteur, a écrit Giraudoux, n'est pas seulement un interprète, il est un inspirateur. » L'acteur-metteur en scène qui, comme Jouvet, a le sens du théâtre, devient, pour le poète, un conseiller. Mais aussi l'auteur, lorsqu'il s'accoutume à travailler pour une troupe (comme Shakespeare, comme Molière), arrive, avec ses acteurs, à une intimité si grande que ses personnages s'insèrent d'eux-mêmes dans ces formes vivantes. L'auteur dramatique reprend alors conscience, comme le dit Giraudoux, de sa mission originelle : être le fournisseur attitré d'une troupe théâtrale, la suivre dans ses tournées, et répondre aux commandes de ses acteurs. « Entre Henri Becque et Lope de Vega, celui qui a raison n'est pas Henri Becque qui écrivit deux ou trois pièces, mais Lope de Vega qui en écrivit trois mille, qui trouvait encore à quatre-vingts ans, revêtu de son cilice, dans la matinée, le moyen d'écrire deux actes, d'arroser son jardin, et, avec le temps qui lui restait, de composer une cantate pour l'acteur qui avait une voix. »

De ce théâtre qui ne ressemble à aucun autre, sinon peut-être à Aristophane, et qui, avec celui de Claudel, remit en honneur, à la scène, le style, nous parlerons plus loin. Il tint la première place, au cours des années 1930, dans l'œuvre de Giraudoux. La carrière diplomatique cheminait parallèlement. Après avoir été, au Quai, chef des services d'information et de presse, Giraudoux, coupable d'avoir écrit *Bella,* fut, par le ressentiment de Poincaré, remisé sur une voie de garage : la Commission d'Evaluation des Dommages alliés en Turquie. Poincaré mort, il retrouva, à partir de 1934, une activité voyageuse et devint « inspecteur des postes diplomatiques », ce qui lui permit d'être charmant, vêtu de probité candide et de lin blanc, dans les îles les plus lointaines. Cependant le parfait citoyen souffrait de vivre dans une France imparfaite. Il constatait un divorce entre la France, maîtresse des cérémonies du monde et le Français, individu mesquin et grincheux ; entre la France, image d'une stabilité inattaquable et le Français, changeant, mal gouverné ; entre la France, conscience dans le travail et le Français débrouillard. Dans un livre politique : *Pleins Pouvoirs,* il dit son vœu : que chaque Français fasse son affaire de la France.

C'était en 1938. A l'Allemagne de Goethe, à l'Allemagne de Saxe-Meiningen succédait l'Allemagne de Hitler. Quand la guerre éclata, Daladier eut l'idée de faire de Giraudoux un Commissaire à l'Information. Ce grand écrivain qui avait blâmé les discours belliqueux de Rébendart fut chargé de la propagande de guerre. Giraudoux se libéra par l'humour. A l'officier supérieur qui lui demandait d'un ton également supérieur ce que l'Imagination française entendait opposer à la Propagande allemande, il répondit : « Le Grand Cyrus (1) ».

J'ai alors, pendant quelques semaines, vécu à ses

(1) Chris Marker (Editions du Seuil).

côtés ; je fus témoin de sa pureté, de son horreur du mensonge. Quand je partis pour les armées, il me dit : « Je vous envie. » Après le désastre de Juin 40 il publia *Sans Pouvoirs* où il dénonça une mobilisation qui avait ressemblé à un départ d'émigrants, une armée qui était devenue une garnison. Après cela il vécut dans la retraite et dans la foi. Il savait que la patrie évanouie sortirait un jour du coma. Puis, soudain, en 1944, il mourut. De quoi ? On ne sait. « Empoisonnement », dirent quelques-uns et, en ces temps apocalyptiques, tout était possible. « Si j'ai une certitude, avait-il écrit, c'est celle de faire quand mon tour sera venu, une ombre parfaite... Parce que j'aurai été consciencieux. » Simon n'avait jamais été plus pathétique.

II

Pour définir un écrivain, le critique français cherche volontiers à quelle lignée il appartient. Thibaudet distinguait la lignée du vicomte (Chateaubriand) et celle du lieutenant (Stendhal). Giraudoux n'appartenait ni au vicomte, ni au lieutenant. Quelques-uns ont cru trouver en lui un restaurateur de la préciosité du xviiᵉ siècle, c'est-à-dire d'une forme de rhétorique qui donnait plus d'importance aux recherches de style qu'à l'idée. Mais Giraudoux attache au contraire grand prix à l'idée. D'autres ont évoqué le baroque et « ses girandoles qui descendent au milieu du roman comme les lustres de Christian Bérard dans le décor de l'Ecole des Femmes » (Chris Marker) ; d'autres encore les « rhétoriqueurs » du xvᵉ et du xviᵉ siècle ; les plus érudits ont décelé quelques ressemblances avec le Moyen Age. « On dit Simon le Pathétique comme on dit Perceval le Gallois », écrit Thibaudet. Et il est vrai que Giraudoux, ainsi que les poètes du Moyen Age, cherche sous les choses ordinaires l'essence de notre vie ; que, comme eux il aime les énumérations, voire les allégories.

Mais, pour connaître la lignée d'un auteur, rien de tel que de s'adresser à lui. Il sait mieux que personne quels maîtres l'ont inspiré, aidé à se découvrir. Je ne vois pas que Giraudoux ait beaucoup parlé des rhétoriqueurs, ni des précieux. Qu'il soit nourri des tragiques grecs et d'Homère, qu'il ait « éprouvé le besoin d'aiguiser son goût de vivre à ces pierres éternelles », cela est évident.

Qu'il ait eu un goût profond et constant pour Racine, pour La Fontaine semble non moins certain. Comment ne sentirait-il pas sa parenté avec Racine pour qui, dans sa jeunesse, l'étude et la joie de l'étude avaient remplacé tout contact avec la vie ? Derrière les grilles du lycée de Châteauroux Giraudoux comprenait Racine à Port-Royal. « Il n'est pas un sentiment en Racine qui ne soit un sentiment littéraire. Beau, sensé, élégant, il a passé brillamment, avec Sophocle, avec Goethe, ce conseil de révision des grands hommes de lettres. » On croit lire, en cet essai sur Racine, des Mémoires de Giraudoux, et cela jusqu'à la dernière phrase, si belle : « Le destin ne déteste pas, après les avoir séparés brutalement, redonner quelques semaines, pour une fois, et dans un leurre suprême, les grandes âmes à leur exercice. »

S'il a consacré cinq conférences aux cinq tentations de La Fontaine, c'est par besoin de faire connaître le caractère français et, par ce biais, le sien propre. Car il y a, en tout Français, outre un Jacques Bonhomme et un Joseph Prud'homme, outre le souci et la présomption, tous les éléments de ce prodige d'insouciance, de cette incroyable liberté que fut La Fontaine. Sa vie, c'est de l'eau claire : une fontaine. Le thème : la défense de La Fontaine contre les pièges d'une civilisation éclatante qui tentait de faire de cette simplicité un humain compromis avec l'humanité. Que sont les cinq pièges ? La vie, bourgeoise, les femmes, le monde, la littérature, la philosophie sceptique. A ces tentations Giraudoux est exposé comme La Fontaine. Il y échappe en partie, moins complètement toutefois que son héros et moins, certainement, qu'il n'eût souhaité.

Chez La Fontaine aucune résistance violente au monde bourgeois. Fils d'un receveur de l'enregistrement, plus tard maître des eaux et forêts, marié jeune, il n'a en apparence rien d'un rebelle. «Sans compter que la charge était bien payée, la femme bien rentée. » De ces joies provinciales La Fontaine s'évade par la distraction. Cette distraction est pour lui une volupté physique. Il aime la solitude et le sommeil. Giraudoux, lui, plus solidement encastré dans une hiérarchie, s'évade pourtant par la fantaisie — et tout simplement par l'évasion. Les disparitions de Jérôme Bardini ressemblent à des confidences. J'ai vu moi-même Giraudoux, amené par Herriot, alors président du Conseil, dans une conférence internationale, disparaître le premier jour et ne reparaître que le dernier. « Giraudoux, lui disait Herriot, vous êtes le plus détaché des attachés. » Détaché, oui, comme le loup de La Fontaine. Il supportait mal les colliers.

Seconde tentation : *les femmes.* Propre, élégant, coquet, comme Giraudoux très bien habillé, La Fontaine n'a pas de morale du cœur. Le petit Racine porte dans ses poches Sophocle et Euripide ; La Fontaine : Rabelais et Boccace. La Fontaine est inconstant. Il découvre avec ravissement qu'entre les êtres bavards et trompeurs qui lui inspirent les contes, et les femmes parfaites, inexistantes, qui lui inspirent Adonis, il est une variété intermédiaire : les femmes du monde, fausses elles aussi, mais belles, spirituelles : Mme d'Uxelles, Mme de Sévigné, Mlle de Scudéry. « Il devait plaire aux femmes, dit Fargue, ce grand absent loufoque qui parlait de nids, de rosée, de luzerne. » Mais un goût mutuel ne produisit jamais, entre La Fontaine et les femmes du monde, « que ce triomphe de l'allégorie qu'est l'amitié ». Pour le reste, comme il dit, les bohémiennes et les beautés locales rencontrées en voyage, à Poitiers, voire à Bellac, le contentaient.

Troisième tentation : le monde. La Fontaine, comme Giraudoux, l'éprouva. Ce fut pour l'un l'Académie, pour l'autre la Carrière. Mais tous deux, parmi les mondains, restèrent libres. La Fontaine défendit Fouquet disgracié, comme Giraudoux Berthelot, et il écrivit les *Animaux malades de la peste,* forte satire des gens de cour. Racine, Boileau acceptaient de faire la propagande de Louis XIV, non La Bruyère ni La Fontaine. Giraudoux tenta de faire celle de la France, mais jamais celle de Rébendart.

Tentation littéraire : La Fontaine se permit quelques odes héroïques, comme tous les poètes de son temps, mais la distraction et l'inconséquence le menèrent à la

Muse en apparence insignifiante qui devait lui inspirer son chef-d'œuvre : celle des Fables, comme l'auteur de *Pleins Pouvoirs* demeure surtout celui d'*Intermezzo* et d'*Ondine*.

Tentation enfin du scepticisme et de la religion. Après soixante-quatorze ans de libertinage, La Fontaine fit amende honorable et s'excusa auprès du vicaire de Saint-Roch et de « messieurs de l'Académie française » d'avoir composé un livre de contes infâmes. Giraudoux a très peu parlé de Dieu. Peut-être fut-il voltairien. « Dieu tient-il tellement à ce que nous parlions de lui ? L'écrivain n'a qu'à célébrer les arbres, les fleuves, les délices de l'âme, non pas par rapport à Dieu pour qui Il ne les a pas faits, mais par rapport aux hommes ». Brossard qui, dans *Combat avec l'Ange*, incarne à peu près Aristide Briand, dit : « Athée, pas le moins du monde. L'existence est une terrible déchéance... Appliquer à Dieu cette notion d'existence est un acte aussi impie et faux que d'imaginer Dieu à notre image. Existence de Dieu et barbe blanche de Dieu sont du même magasin d'accessoires. » Ce que les dieux peuvent faire pour les hommes, c'est de ne pas intervenir dans leur vie et de les laisser à leur transparence. « Avec Dieu ceux qui gardent l'âme fraîche sont ceux qui ne Lui posent aucune question. »

Giraudoux est un écrivain sans message métaphysique. S'il a des leçons à nous enseigner, des idées à défendre, elles concernent la vie terrestre, les sous-préfectures, les couples, les enfants, les spectres. Ses romans seraient impossibles à raconter. Les résumer serait les assassiner. Ce ne sont pas des récits mais des variations poétiques et humoristiques sur des thèmes qui s'élargiront. Non seulement il n'essaie pas d'être réaliste, mais il crée délibérément des univers tout à fait irréels. Plutôt que de romans traditionnels il s'agit, surtout dans le premier groupe, celui que l'on peut masser autour de *Simon*, de ballets où se meuvent, avec fantaisie et symétrie, la province et Paris, les héros et les hommes. Comme Jules Renard, Giraudoux s'attarde aux détails cocasses, mais alors que Renard insiste impitoyablement sur la bouf-

fonnerie de ses personnages, Giraudoux aime à envelop-
per les siens de grandeur et de beauté.

Mais aussi d'humour. Même quand Giraudoux écrit
un récit de guerre, le ton reste à la fois courageux et
désinvolte. « C'est un lieutenant qui m'appelle. Je suis
habitué à ces fantaisies d'officier. A la caserne on est
soudainement convoqué par un capitaine inconnu qui
veut connaître l'horaire des paquebots pour la Chine, en
passant par le plus d'îles possible, ou le programme du
doctorat en droit. » Le caporal téléphoniste lit de petits
livres brochés dont le sergent Giraudoux s'empare dès
qu'une rupture de courant éloigne le lecteur. « Il les lit
avec vitesse et je ne retrouve jamais le même. Son
camarade parfois l'interroge : « Qu'est-ce que tu lis ? —
Le Cœur sur la main. — Qu'est-ce que tu lis ? — *Ger-
minal.* » On signale un accident au cerisier qui sert de
poste central. Il part et c'est *Tristesse d'almées* que je
recueille. » Entre ces scènes des hommes meurent, mais
la comédie reste la comédie.

Le lieutenant Giraudoux, en grand uniforme arrive au
Portugal. Un vieux monsieur le suit avec admiration et
voudrait savoir pourquoi le fourreau de son épée est
bosselé : « Guerre ? Bataille ? » interrogeait-il. « Non,
répondais-je. Valise. » En Amérique « on étudie notre
uniforme, à nous sortis de la guerre... Qu'ai-je sur moi
qui soit allé à la guerre ? Mon briquet ? Tous lèvent
la tête, éteignent leur cigare et s'en allument un nouveau
à cette balle allemande qui passe, apprivoisée. Voilà les
délégués de la ville qui adopta Péronne ; ils ont des cartes de Péronne, des plans, des photographies, mais ils
voudraient savoir d'un Français si leur filleule était une
ville aimée en France... Je les assure ; bien que du Centre, j'adorais Péronne ; je croyais même que Jeanne
Hachette y était née ; je le leur révèle ; — ils s'en vont
heureux. »

Il avait séduit les Américains ; il eut besoin, après
la guerre, de retrouver les Allemands et de renouer, malgré les mauvais souvenirs, ses amitiés de Berlin et de
Munich. C'est un phénomène remarquable mais indénia-

ble, que le besoin éprouvé par le plus français des Français, par ce Limousin qui aimait Watteau, Debussy et La Fontaine, de se nourrir aussi des romantiques allemands. Les contes de la Motte-Fouqué le touchent autant que ceux de Perrault. La France et l'Allemagne se croient alors ennemies ; Giraudoux les voit plutôt complémentaires. Il sent qu'il vivrait difficilement sans ses amis de Bavière ou de Saxe diaboliques et romantiques, qui lui apportent le mystère, les vérités irrationnelles, plantes qui ne poussent guère à Bellac.

De ce déchirement naquit un livre : *Siegfried et le Limousin*. Le narrateur reconnaît dans les écrits d'un illustre Allemand d'après-guerre, Siegfried von Kleist, le style et jusqu'aux phrases de son ami d'enfance Forestier, écrivain français disparu. En fait Kleist est bien Forestier qui a été ramassé, amnésique, sur un champ de bataille, rééduqué dans un hôpital allemand et qui est devenu, ce Français, le guide (le Führer) des jeunes Allemands. « Il était déjà courant dans les écoles de demander aux élèves comment ils imaginaient la vie de Siegfried von Kleist avant sa blessure » et, s'il ne l'avait défendu, des biographies auraient fait de lui un descendant du vrai Kleist, « de Goethe ou de Werther ». Le narrateur entreprend de réveiller, chez l'homme sans mémoire, les souvenirs français. Il raconte à Forestier sa vie de Français. « Nous nous arrêtions dans chaque forêt pour cueillir des champignons... Vous aviez dans votre poche le Tome I de Vauvenargues... Nous voyions à deux heures le maire qui était partisan du grec... à trois heures le professeur de rhétorique de Limoges, partisan de la suppression des classiques. » A la fin le narrateur ramenait Siegfried en Limousin, ce qui valait au lecteur un beau couplet sur l'air ancestral et les cantons de la province.

Roman ? Sans doute, mais surtout essai sur la France et l'Allemagne par un écrivain qui, non seulement connaissait bien les deux pays, mais les aimait. Nous verrons qu'on tira de *Siegfried* une pièce qui fut le premier succès théâtral de Giraudoux. Il faut noter au passage l'idée de l'amnésique qui, son passé aboli, peut recommencer une vie toute neuve. Nous la retrouverons plusieurs fois chez Giraudoux, homme comblé qui fuirait volontiers sa destinée, puis chez Anouilh.

Les jeux verbaux, les girandoles descendent encore sur Siegfried, mais ne sont plus que des ornements. Le thème central, qui est un rapprochement franco-allemand, importe davantage à Giraudoux. A partir de *Bella,* si la forme reste celle de *Suzanne et le Pacifique,* de *Juliette au pays des hommes* (ce que Jean Cocteau eût appelé « poésie de roman »), le fond se charge du poids d'une société qu'il commence à connaître autre que scolaire. Le narrateur de *Bella* est Philippe Dubardeau, fils du grand Dubardeau des Affaires étrangères, c'est-à-dire de Philippe Berthelot. Le tableau de la famille Berthelot, assemblée de génies où l'oncle Gaston, l'astronome, montre le vrai journal du ciel cependant que le chirurgien, le chimiste, le financier racontent chacun sa dernière expérience, a de la grandeur. « C'était l'humanité se parlant à elle-même au bord extrême de l'inconnu. C'étaient les dernières réponses à Einstein, à Bergson... à Darwin, à Spencer. » Celui qui, dans une autre famille, eût médit de cousins, avouait sa brouille passagère, il l'espérait, avec Leibniz, avec Hegel. Le scolaire, ici, débouche sur le génie.

L'autre volet du dyptique, le portrait de Rébendart (Poincaré), est féroce, mais rien n'irritait autant Giraudoux que l'exploitation de la guerre à des fins politiques. « Tous les dimanches, au-dessous d'un de ces soldats en fonte plus malléable que lui-même, inaugurant son monument hebdomadaire aux morts, feignant de croire que les tués s'étaient simplement retirés à l'écart pour délibérer sur les sommes dues par l'Allemagne, il exerçait son chantage sur ce jury silencieux dont il invoquait le silence. Les morts de mon pays étaient donc rassemblés par communes pour une conscription d'huissier et se chicanaient aux Enfers avec les morts allemands... Au nom de ces morts réunis en longs brouillards ou en massifs ombreux, il faisait l'éloge de la clarté, de notre système numéraire, du latin, dans une langue faussement précise, adipeuse, acariâtre... La guerre ? On n'a pas tous les jours, pour justifier à ses propres yeux le plus détestable des caractères politiques, une pareille excuse. » C'était peut-être injuste, excessif, mais c'était beau.

Sur la vendetta des Rébendart et des Dubardeau se greffait un amour Capulet-Montaigu, celui du jeune Philippe Dubardeau pour Bella, veuve du fils de Rébendart, femme de vingt-cinq ans, grande, fine, silencieuse. L'homme le plus disert de France avait pour bru la femme la plus muette. « Chaque fois que Rébendart allait parler chez les morts, sa bru allait se taire chez les vivants. » C'est Roméo et Juliette, Rodrigue et Chimène, un amour sans cesse menacé, car Rébendart menace de faire arrêter pour forfaiture le père de l'amant de Bella. Celle-ci tente de lutter contre le sort. « Elle avait saisi d'une main la main de mon père, de l'autre la main de Rébendart et elle essaya de les joindre. » Tâche impossible, et dans l'émoi de l'échec Bella tomba morte. « Tel est le truc que trouva Bella pour libérer mon père de la prison : se rompre une artère. »

Roman étrange, point du tout construit, à la fois inoubliable par les scènes en marge de l'histoire et pourtant à demi manqué. Mais Giraudoux ne le voulait pas réussi. « Le roman anglais est, dans sa meilleure forme, un roman réussi, disait-il. Le roman anglais est écrit pour être lu ; le roman français est écrit pour être écrit. » Tous les romans de Giraudoux seront des colliers de couplets scintillants, des ballets de personnages stylisés. *Eglantine*, sœur de lait de Bella, oscillant entre Moïse et Fontranges, entre l'Orient et l'Occident, entre protecteur et protecteur (au sens plein et fort de ce mot à tort décrié) est une jeune femme tendre et transparente, sans passé. Moïse a aimé sa femme Sarah qui n'avait jamais menti, jamais exagéré, jamais prononcé une parole méchante. Il retrouve cette morte en Eglantine. Mieux encore, pour Eglantine, se taire au sujet d'un ami était déjà un effort trop dur ; elle rougissait de ne pouvoir

JEAN GIRAUDOUX

bien parler de quelqu'un. A son contact Moïse, qui avait été laid et même difforme, devient beau, parce que l'amour et la générosité embellissent, pour retrouver sa laideur dès qu'Eglantine aime Fontranges. Artificiel ? Bien sûr. Quel *art* n'est *artificiel* ? Les deux mots le disent. Exercices de style, et aussi plaisir à créer ces belles jeunes femmes muettes, qui ne détonnent jamais puisqu'elles se taisent, et que l'on aime à l'aube, au moment où elles sortent pures du sommeil, « parmi le thym et la rosée », disait le double de Giraudoux.

Le second groupe de romans s'ordonne autour de *Jérôme Bardini*. Frère de Giraudoux, Jérôme est l'homme qui souhaite fuir la vie, et sa vie, et les hommes. Il aime sa femme Renée, ce Bardini presque quadragénaire, mais il n'a pas été vainqueur dans son premier tournoi contre la vie et il brûle de recommencer vierge de tout passé, de se transformer en un autre Bardini de chair pure, de l'élever, de l'armer, de le sacrer. En somme il rêve d'être son propre fils. Renée devine qu'il veut partir : il n'a pas renouvelé sa provision de savon, d'eau de Cologne. Ce sont des signes prophétiques. Il laisse ses vêtements au bord de la Seine et plonge vers un tournoi nouveau. Mais il fuira les autres femmes et ne trouvera quelque bonheur qu'avec un enfant, lui-même être de fuite.

On dirait que Giraudoux, qui a tant aimé son enfance, en a la nostalgie. Toujours il prend le parti des enfants et des bêtes contre les adultes et les hommes. L'enfance seule a la fraîcheur qui permet de faire poésie et bonheur de tout, des « narrations » scolaires comme du système métrique, et « de la litanie des sous-préfectures ». L'enfant seul a pour compagnon les grands hommes, ceux de l'histoire et ceux des morceaux choisis. Les « inspecteurs » le traquent, en Amérique comme en France (*The Kid*). Un Jérôme Bardini, parce qu'il garde en lui un coin de fantaisie, sera traité par les enfants en frère. Mais M. Deane (qui est, être rare, un inspecteur sage) avertit Jérôme que c'est duperie de vénérer l'enfance : « Songez à ce qui vous restera, dans quelques

années, de votre divinité : un homme. » La névrose de
Giraudoux rappelle celle de Cocteau qui, lui aussi,
croyait le poète traqué par les grandes personnes et hésitait à demander un siège dans une Académie d'Adultes.

Choix des élues (1939) est le dernier des romans de
Giraudoux et peut-être le plus humain. Edmée, trente-
trois ans, vit dans une ville de Californie avec son mari
ingénieur, Pierre, et ses deux enfants, Jacques et Claudie. Ces quatre êtres s'aiment ; ils semblent heureux ;
mais Edmée ne peut entendre le mot « bonheur » sans
pleurer. Elle éprouve une impression d'angoisse, de
faute, de tromperie. En dépit de sa vertu, de sa loyauté,
de son amour, elle porte la peine et le remords de la
femme adultère. Pourquoi ? Parce qu'il y a entre elle
et Pierre une faille secrète. Pierre, polytechnicien beau,
courageux, intelligent, souffre de sentir qu'Edmée lui
reste fidèle parce qu'elle est loyale, et non parce qu'il
est le parangon des vertus humaines. Il se sent aimé,
de manière conjugale, mais l'idée qu'elle eût été aussi
fidèle au premier homme qui serait entré dans son lit
l'exaspère.

Edmée, après l'amour, s'endort alors que Pierre eût
été le plus spirituel des polytechniciens. Pierre est parfait ; Edmée aime les homme légers, inexacts, oisifs. Elle
aime les sénateurs légers, les marchands de canons
légers. « Comme toute obligation la blessait, elle aimait
les hommes changeants. Par une contradiction qui remplissait Pierre de fureur, cette femme lettrée détestait
tout débat littéraire. » Si le club invitait à une fête
d'honneur André Siegfried, on la retrouvait au jardin
jouant au ping-pong avec un homme de moindre densité.
Au repas, alors que le mari et le fils ne parlaient que
de Gandhi, de Racine, Edmée et sa fille entretenaient un
dialogue sur l'emplacement des salières ou la propreté
des huiliers. Las des vertus domestiques, Pierre trompait
sa femme avec Charlotte Corday, avec Mme du Châtelet.
Edmée manque tout à fait de lyrisme ; elle a très
mal conté à ses enfants le Chat Botté ou Cendrillon.
« Pierre était obligé d'intervenir pour rétablir le nombre

d'années de sommeil de la Belle au Bois dormant, la vraie portée kilométrique de ce qu'Edmée appelait les bottes de quatre lieues. Son exactitude polytechnicienne souffrait peut-être encore davantage des attentats aux mesures féeriques. »

Edmée sent cette fêlure et elle a — comme Jérôme Bardini — la tentation de fuir. Non de fuir avec un homme, mais seulement pour être libre, pour ne plus échanger ces baisers qui sont des malentendus, pour ne plus subir les manies de l'autre. Dans sa fuite même, elle irrite Pierre. « Lui, si jamais une folie l'égarait de sa route, on le retrouverait sur le terrain extrême de Corfou, à l'angle du Parthénon, en face du portail de Chartres. On retrouvait Edmée dans un square... » Edmée reviendra bientôt à Pierre, mais le drame recommencera pour sa fille Claudie. La famille modeste se reforme avec ses pions : le père, la mère, le fils avec sa fiancée, la fille et le gendre. Ils ont eu leurs « grands sentiments ». Des citadelles d'amour et de haine ont été prises et reprises. Ils dînent maintenant en parlant du temps, comme les acrobates après leur numéro. Tout est bien ; tout est raté.

Ainsi les passions, dans les romans de Giraudoux, s'achèvent souvent en apaisement et réconciliations avec la vie. Son admiration va aux aurores, à l'enfant, à la jeune fille, mais il aime aussi les femmes pures, les vieillards tendres. Les sensuels brutaux lui font horreur. Il veut que la sensualité soit enveloppée d'esprit, d'humour, et de vertu. V. H. Debidour a raison de dire que Pâris et Hélène, aux yeux de Giraudoux, ne savent pas aimer. Pour eux, c'est amusant, l'amour. Qu'il préfère Indiana, la petite catin qui dit : « Ah ! frère, sûrement l'amour n'est pas drôle ! »

Les personnages ne sont d'ailleurs pour lui que des prétextes. Il ne pense pas que le lecteur de 1930 demande à ses auteurs les chefs-d'œuvre du roman : *Madame Bovary* ou *La Princesse de Clèves*. Au vrai peu importe à ce lecteur qu'un livre soit un essai ou un roman : ce qu'il désire trouver, c'est un certain parfum, une manière d'arranger les mots, une culture propre à tel écrivain. On ne va pas se promener dans les champs pour voir un beau paysage, mais pour jouir des fleurs et des graminées, des insectes et des oiseaux. Les chefs-d'œuvre sont des statues qu'il convient de poser aux carrefours de la littérature. S'il y en a trop, ils encombrent les voies. « Il ne s'agit plus d'exciter par l'intrigue et l'imagination une société repue, mais de recréer, dans toutes ces alvéoles taries que sont nos cœurs, l'imagination de demain. » Le véritable amateur de Giraudoux ne cherche pas dans ses romans des personnages calqués sur ceux de la vie, mais le scintillement d'un esprit, la noblesse d'un caractère et la poésie d'une culture.

III

Giraudoux professait, sur le théâtre, des idées précises et simples. Avant tout, le théâtre ne doit pas être réaliste. Vers 1900-1910 les auteurs avaient cherché le réalisme au théâtre : on appelait cela le théâtre libre. « C'était joli, le théâtre libre ! On disait « il est cinq heures » et il y avait une vraie pendule qui sonnait cinq heures. La liberté d'une pendule, ça n'est quand même pas ça !... Si la pendule sonne deux cent heures, ça commence à être du théâtre... *Le théâtre, c'est d'être réel dans l'irréel.* « Shakespeare amenait sur la scène des esprits et des monstres ; Giraudoux y amènera un spectre et une ondine. Ici Alain : « Il est bien clair que les conventions de lieu, de rencontres réglées, comme de monologues et de confidents, ne sont point du tout des licences, mais appartiennent à la forme théâtrale. » Il faut « que le drame soit terminé dans le fait au moment où le poète nous le présente ; c'est pourquoi l'ancienne histoire plaît au théâtre ; les malheurs illustres sont assez connus d'avance de façon que l'on sait où l'on va, et que l'on est séparé de son temps et de soi ». C'est un des secrets de Giraudoux.

Pour des raisons analogues, le langage de la scène ne doit pas copier le langage quotidien le plus vil. Tous les critiques ne l'ont pas compris. Aux pièces où la langue française n'était ni insultée ni avachie, ils appliquaient « un qualificatif qui équivalait, paraît-il, aux pires injures, celui de pièces littéraires... Si, dans votre œuvre, les personnages évitent cet aveulissement du mot et du style... si dans leurs bouches il y a des subjonctifs, des futurs conditionnels, des temps, des genres, c'est-à-dire en somme s'ils ont de la courtoisie, de la volonté, de la délicatesse, s'ils utilisent le monologue, le récit, la prosopopée, l'invocation, c'est-à-dire s'ils sont inspirés, s'ils voient, s'ils croient, vous vous entendez dire aussitôt... que vous êtes, non un homme de théâtre, mais un littérateur. » Bref ces hommes dits, à tort, « de théâtre », qui appellent une tirade, si belle et si profonde soit-elle, un tunnel, semblent penser que tous les domaines de l'activité : la mode, la Marine marchande, la banque sont ouverts à la littérature sauf un : le théâtre. Giraudoux réagit contre cette hérésie en faisant triompher un théâtre écrit, et bien écrit.

Autre hérésie : le public, dit-on, a le droit de comprendre. « N'allez entendre que ce que vous comprenez », lui répète-t-on depuis un demi-siècle. « Allez à *La Tosca* ; quand douze carabiniers tirent à l'escopette sur son amant, vous avez toute chance de comprendre qu'on le fusille. Allez aux *Avariés,* vous y comprendrez que la veille de vos noces, il y a intérêt à ne pas enterrer votre vie de garçon entre des bras mercenaires... Le bonheur est que le vrai public ne comprend pas, il ressent. Ceux qui veulent comprendre au théâtre sont ceux qui ne comprennent pas le théâtre »... « Le théâtre n'est pas un théorème, mais un spectacle ; pas une leçon, mais un philtre... Vous êtes au théâtre, c'est-à-dire dans un lieu d'heureuse lumière, de beau paysage, de figures imaginaires ; savourez ce paysage, les fleurs, les forêts, les hauteurs et les pentes du spectacle ; tout le reste est géologie. »

Le lien entre le théâtre et la solennité religieuse est un lieu commun, vrai comme tant de lieux communs. Les premières tragédies furent des drames sacrés, des mystères. « Le théâtre est à sa meilleure place sur le parvis. » Le public n'y va pas pour retrouver sa vie quotidienne, mais « pour y entendre les confessions illuminées de ses destinées. Calderon, c'est l'humanité confes-

sant son goût de l'éternité, Corneille, sa dignité, Racine
sa faiblesse, Shakespeare son goût de la vie, Claudel son
état de péché et de salut. » Giraudoux, lui, révèle aux
hommes de surprenantes vérités : « que les vivants doivent vivre, que les vivants doivent mourir, que l'automne
succède à l'été, le printemps à l'hiver... que l'homme vit
de paix, que l'homme vit de sang, bref ce qu'ils ne sauront jamais », le tout dit par un archange qu'au théâtre
on nomme le Récitant et qui est l'auteur lui-même.

Giraudoux n'hésitera donc pas à utiliser au théâtre ses
charmes propres de poète cultivé, son beau langage, ses
images grecques et limousines. Il y restera lui-même.
Cependant les disciplines et les servitudes du théâtre
seront pour lui saines et utiles. Qu'il y soit contraint de
dialoguer arrêtera au juste moment ses longues énumérations. Malgré lui il cherchera le mot de théâtre, la
phrase qui fait mouche, le couplet qui exalte une foule,
et il les trouvera. Sous l'influence de Jouvet il débrous-
saillera ses intrigues et elles y gagneront. *Siegfried et le
Limousin*, roman, s'enlisait parfois ; *Siegfried et le
Limousin* au théâtre file allégrement, sans lourdeur.

Car les thèmes des pièces de Giraudoux demeurent à
peu près ceux de ses romans, ceux qui l'ont obsédé
depuis l'Ecole Normale, depuis Châteauroux, depuis Bellac. Il y a le thème France-Allemagne qui lui vient
d'Andler, de Goethe et de Saxe-Meiningen ; un thème
poésie de la petite ville de province qui lui inspire *Intermezzo* ; un thème amoureux et désuni, qui a été Pierre
et Edmée dans *Choix des Elues* et qui devient Jean et
Lia dans *Sodome et Gomorrhe* ; un thème horreur de la
guerre qui a été le leitmotiv de Dubardeau dans *Bella*, de
Brossard dans *Combat avec l'ange* et qui sera celui
d'Hector dans *La Guerre de Troie n'aura pas lieu*.

C'est un théâtre qui ne ressemble à aucun autre. Parfois on croit qu'il va obliquer vers Marivaux, vers Musset, vers Aristophane ; l'impression passe vite. Ce n'était
qu'une fausse reconnaissance. L'*Amphitryon 38* de
Giraudoux est peut-être la trente-huitième pièce inspirée
par la légende de Jupiter et Alcmène, mais elle s'éloigne

autant de Molière que de Plaute. Pour Giraudoux le sujet est la pureté humaine d'Alcmène triomphant de l'arbitraire des dieux. Ceux-ci savent mal parler aux mortelles. Ils doivent, pour leur plaire, diminuer l'éclat de leurs prunelles divines. Les malentendus comiques de Molière font ici place à de tendres marivaudages et aussi à des anachronismes cocasses qui soulignent l'irréel de cette histoire.

Quel sera l'avenir de ce théâtre ? Les jugements sur ce point sont très différents. Les uns continuent de l'admirer et pensent que plusieurs pièces de Giraudoux figureront bientôt parmi les classiques français. D'autres pensent que certains morceaux bien venus (par exemple le discours aux morts d'Hector dans *La Guerre de Troie*) surnageront dans les anthologies alors que la pièce elle-même aura été oubliée. D'autres enfin sont agacés par l'humour giralducien et croient que ee théâtre périra parce qu'il ne se prend pas au sérieux. Il n'y avait dans Racine, disent-ils, ni anachronismes voulus, ni préciosité.

Ce pessimisme me semble sévère. La meilleure partie du théâtre de Giraudoux pourrait être, j'en suis certain, reprise avec succès. Il est vrai qu'*Amphitryon, La Guerre de Troie, Electre, Sodome et Gomorrhe* sont consciemment anachroniques. Mais cela tient pour une part au désir de prendre pied, solidement, dans l'irréel, pour une autre au caractère de « parade » du théâtre au temps de Giraudoux. L'esprit d'Ubu revit en *La Folle de Chaillot*. *Les Mariés de la Tour Eiffel* ne sont pas loin. Nous avons pu constater qu'*Ondine* a réussi à New York. Une reprise à la Comédie-Française de *La Guerre de Troie* serait fort bien accueillie. *Siegfried et le Limousin* reste un sujet actuel. Il n'est pas exact que ce théâtre ne soit pas sérieux. Giraudoux parle avec légèreté d'idées qui ne sont pas légères. *L'Apollon de Bellac* est une petite pièce, mais un grand sujet : la vanité sans limites des hommes. Le *Supplément au voyage du capitaine Cook* a tout le sérieux de Voltaire et de Diderot, mais avec tout leur esprit.

Surtout j'aime *Intermezzo,* la seule pièce qui mette en

scène avec vérité poétique la France des sous-préfectures et cantons. L'opposition entre Isabelle, la jeune fille
française éternelle, l'Henriette des *Femmes Savantes*,
incarnée en la robustesse élégante de Valentine Tessier,
entre Isabelle qui enseigne l'arithmétique aux petites filles, et l'inspecteur qui représente l'anti-poète, elle existe
en Giraudoux lui-même, jongleur d'images et fonction-
naire parfait, elle existe dans toute la France qui est
voltairienne, rationaliste, mais assez contente de voir, de
temps à autre, un spectre émerger des brumes, dans les
prairies au bord de la rivière.

Giraudoux utilise les thèmes à la manière d'un musicien. Une idée, ayant été exposée, sera reprise sur tous les tons, à la main droite, à la main gauche, par la flûte, par les hautbois, par la contrebasse. Exemple : le narrateur de Siegfried, ayant remarqué dans la *Frankfurter Zeitung* des phrases qui rappellent son ami Jacques Forestier, passe aux journaux d'autres pays : « Je reçus la *Chicago Tribune* que je lisais sans curiosité, car Mr. Mac Cormick ne s'avisait jamais de démarquer André Gide ; la *Correspondancia de España* où l'éditeur ne s'ingéniait guère à glisser des phrases de Marcel Proust ; et la *Westminster Gazette,* où Wells plagiait si rarement Francis Vielé-Griffin. »

Ces énumérations biscornues sont toujours des fugues bien construites. Qu'apprenait-on aux jeunes filles de Bellac ? « On nous apprenait que sur leur Suède gantée de lichen, les Suédoises sont des volcans de neige, des feux de glace. Que les Petites-Russiennes imitent les écritures des vingt hommes qu'elles désirent, s'écrivent à elles-mêmes vingt demandes en mariage, les refusent par vingt réponses motivées et vont, méprisantes, par le monde. Que les Américaines, de même que leurs étudiants, ne viennent apprendre à Paris que l'architecture, viennent copier dans le cœur des Françaises je ne sais quelle architecture du bonheur. On ne nous laissait rien ignorer du Turkestan où le sultan, ennemi des chenilles

164

et des pucerons, est précédé dans son jardin par trois petites filles qui les écrasent sous leurs doigts... »

Ce dénombrement de pays et de faits cocasses s'y rapportant s'étend sur trois pages. On dirait que Giraudoux, écrivain de culture encyclopédique, s'est attaché à collectionner des rapports étranges et bouffons. Un mélange d'érudition, de fantaisie et d'ironie fait de certains de ses romans des canulars de génie. Giraudoux adore la symétrie des formules : « C'était parfois la semaine où les acacias embaument et nous les mangions dans des beignets ; où les alouettes criblaient le ciel et nous les mangions dans des pâtés ; parfois, c'était le jour où le seigle devient tout doré et a son jour de triomphe unique sur le froment ; nous mangions des crêpes de seigle. » Ce balancement lui-même est irréel.

Il le prête parfois à ses personnages : « Juliette Lartigue disposait d'une foule de réflexes, tous faux : elle donnait des gifles dans les semaines de piété, elle tendait la main pour savoir s'il faisait beau, et quand un de ses cils descendait sur sa joue, elle le recueillait et le croquait. Elle parlait par phrases jumelles, contradictoires. La première commençait par le mot « physiquement », et l'autre par « moralement ».

— Physiquement il est très mal, disait-elle. Moralement, il est parfait. Sensuellement elle est sérieuse. Moralement elle est légère. »

Enumérations, symétrie, érudition, voilà quelques éléments du style giralducien. S'il tient un beau thème, il ne peut s'empêcher de le répéter. A-t-il écrit : « Zelten ne se baignait dans le Rhin qu'en plongeant du pont d'où Schumann s'était jeté », il faut qu'il ajoute : « Il sautait à cheval le mur dont était tombé Beethoven dans la chute qui causa, dit-on, sa surdité. » Souvent l'énumération pure est comme un délire qui s'empare de lui. « Tous étaient maintenant éveillés en France. Tous étaient éveillés à Valençay, à Buzançais, et dans les pays des fromages, Roquefort et Livroux, déjà on les mangeait tout jeunes en buvant du vin blanc. Tous ouvraient les yeux, y compris les tireurs à l'arc de l'Oise, devant l'épouse en

165

papillotes et sans prétendants (*Ici passe très haut dans l'air l'ombre de Pénélope*), et qui bandent l'arc d'acajou... Y compris Monet, Bergson, Foch. A Louang-Prabang, à Cayenne, à Brazzaville, les administrateurs jeunes et vieux se disent qu'il doit faire rudement beau à Bayeux, à Périgueux, à Gap. »

Ces listes de grands hommes et de petites villes pourraient s'allonger sans fin. J'imagine très bien Giraudoux écrivant : « Le médecin de campagne haletait. Il y avait un cancer à Corgnac, une pleurésie à Payzac, une rougeole à Rognac », ou bien : « Il y avait 35 degrés à Bergen, 1 à Rome, 0 à Nice. Il neigeait sur la Cannebière et l'on faisait du nudisme en Islande. » La poésie de l'ubiquité unit l'individu au monde et le jardin de curé à la planète. On dirait qu'il éprouve un plaisir physique à transposer une phrase musicale sous toutes les latitudes. Rabelais avait de ces ivresses verbales, et Victor Hugo, mais le fleuve rabelaisien charriait des gaillardises et le torrent hugolien des épithètes sublimes ; le ruisseau giralducien ne porte que des mots purs et frais, des noms de jeunes filles et de bourgades françaises.

Il y a des lecteurs que ces tics d'écriture agacent, qui parlent de vanité, de pédantisme et de contorsion. Au vrai le pédantisme, peu offensif, de Giraudoux est toujours compensé par son humour : « Un très bon élève qui ajoute à cette sagesse le prestige mystérieux du cancre » disait Jean Cocteau, et Aragon : « Comment cela s'est passé, je n'en sais rien. Le certain est que j'ai changé. Un beau jour je me suis aperçu que j'avais pris goût à Giraudoux. Il ne m'irritait plus... Oui, je m'étais mis à aimer ça. Tout ça... Et qu'on me pardonne, c'est je crois la France que je m'étais mis à aimer. » C'est ainsi que je vois Giraudoux : le plus français des Français parfaits. Il y a évidemment aussi des Français imparfaits, mais ceci est une autre histoire.

JEAN COCTEAU

Il est difficile de juger Cocteau impartiale-
ment quand on l'a bien connu. Le bien connaître, c'était l'aimer. Son charme, l'éclat
de sa conversation échappaient aux normes.
Son inquiétude, ses souffrances inspiraient à
l'amitié une sollicitude affectueuse. On a dit
que son éclat était factice, que sa conversation
devenait vite un « numéro », une série de disques. Peut-être. Nul ne peut se renouveler tout
entier à chaque instant ; ce serait cesser d'être
soi ; mais ce numéro émerveillait. Il m'a bouleversé quand, après sa mort, je l'ai, une dernière fois, entendu à la Télévision.

Certains n'ont jamais vu en lui que le Prince frivole de sa jeunesse, l'acrobate, l'illusion-
niste, mais l'acrobate réussissait tous ses
tours et cette frivolité masquait des abîmes de
profondeur. D'autres l'ont accusé de suivre
des modes. « Je n'ai pas suivi des modes, disait-il, je les ai créées et je les ai abandonnées
aux autres dès que je les avais lancées. »
C'était vrai ; il a tantôt inspiré, tantôt soutenu, toutes les tentatives neuves dans tous
les arts. Porte-voix sensible de Diaghilev, il le
fut aussi de Picasso ; il inventa et unit les
meilleurs musiciens de ce temps, les meilleurs

peintres, les meilleurs écrivains. Ce créateur
était un prodigieux animateur.

La stupéfiante variété de ses dons a longtemps empêché ses contemporains de mesurer
la qualité de ses œuvres. L'incroyable activité
de cet homme qui descendait avec aisance toutes les pentes, qui trouvait moyen d'être à la
fois un considérable poète, un romancier original, un auteur dramatique, un cinéaste renouvelant le cinéma, un dessinateur au trait
infaillible, étonnait et décourageait les critiques. Ils ne pouvaient croire qu'une telle dis-
persion fût une forme de génie. Cocteau connaissait le danger, mais il prenait le risque,
tous les risques. Chaque fois qu'il atteignit
la perfection dans un genre, il l'abandonna
pour un genre différent, voire opposé. Dès
qu'il dirigeait une avant-garde, il la tenait
pour une arrière-garde. Ses voltes choquaient
des esprits moins universels. Sa légende faisait oublier son secret : le travail, un travail
de soixante ans, ascèse dure et sévère. « Caché, je vis caché sous un manteau de fables »,
disait-il. Il avait contribué à tisser ce manteau
parce qu'il pensait qu'à force de fables, le
noyau intime de la personne devient invisible.
On a dit de lui que, comme Oscar Wilde, il
a mis son génie dans sa vie et son talent dans
ses œuvres. Non, il a mis beaucoup de génie
dans ses œuvres et un grand talent dans sa
vie, un talent mêlé de maladresses presque
enfantines, car il resta toujours un enfant
émerveillé, tendre et craintif.

I

LA VIE

La vie de Cocteau a été une alternance d'évasions et de retours. Il avait eu cette chance redoutable : une enfance protégée, étant né à Maisons-Laffitte, en 1889, d'une famille parisienne de vieille bourgeoisie qui aimait les arts, et singulièrement la musique, « avec un éclectisme qui excluait le jugement ». Son grand-père jouait avec Sarasate dans un quatuor d'amateurs et avait bien connu Rossini. Peinture, musique, poésie, accompagnèrent les premiers pas de Jean. Il regardait sa mère s'habiller, les soirs d'Opéra et de Comédie-Française, dans un nuage de parfum et de poudre de riz mauve, bardée de velours, étranglée de diamants. « Ensuite le manteau de fourrure cachait les bouquets et les poignards lumineux, maman se penchait, m'embrassait vite et partait vers l'océan de rumeurs, de bijoux, de plumes, de crânes où elle irait se jeter comme dans un fleuve rouge, et mélanger son velours au velours du théâtre, son étincellement à l'étincellement des lustres et des girandoles. » Il rêvait de s'embarquer à son tour sur le fleuve rouge et de connaître les grandes salles d'or interdites aux moins de dix ans.

Cocteau était, comme Proust, de ceux que leur enfance a marqués pour la vie. C'est à la fois une force et une faiblesse. Force parce que la survivance en eux de la féerie les défend contre le durcissement de l'âge ; faiblesse parce que, ne pouvant se déprendre des paradis perdus, ils souffrent plus que d'autres des cruautés du monde adulte, et rêvent, jusqu'à la vieillesse, d'une chambre où, chaudement pelotonnés dans la chaleur maternelle, ils pourraient de nouveau réunir leurs jouets et leurs amours. Pour Cocteau, l'Eden de l'enfance fut parisien. Son père était mort en 1899, quand il avait dix ans. Sa mère s'installa rue La Bruyère. « Je parle parisien, disait-il, je prononce parisien. » Sa rapidité d'esprit, la sûreté de son goût, sa familiarité avec son temps, il les devait à Paris. Il a connu le Nouveau Cirque, le Châtelet, les matinées classiques de la Comédie-Française et l'intensité poétique des monstres sacrés. Au petit lycée Condorcet il a rencontré les enfants terribles et ce cancre prestigieux et mythique : l'élève Dargelos. Ses poèmes, ses romans, ses films sont hantés par les images de chevaliers à boucliers de cartables, d'une boule de neige meurtrière, et d'un filet de sang qui se caille au coin d'une narine d'enfant.

A Condorcet il travailla peu et n'obtint, comme il dit, que des prix de cancre : dessin, gymnastique et allemand (parce qu'il était élevé par une *fraülein*). Mais il eut, très jeune, le désir d'écrire. « La poésie est une calamité de naissance. » Comme tout adolescent qu'habite une vocation, il souhaitait rompre avec les goûts, d'ailleurs incertains, de son entourage, mais il éprouvait un grand embarras de ses admirations. Sa jeunesse, folle de théâtre, avait été dominée par des monstres sacrés : Mounet-Sully, Sarah Bernhardt, Réjane, de Max. Un camarade de Condorcet, René Rocher, l'emmena chez le tragédien roumain. « Ce grand cœur, dit Cocteau, entre autres fautes de goût, commit celle d'admirer mes premiers poèmes et de les servir. » De Max organisa au théâtre Fémina, en 1906, une soirée consacrée aux vers de ce poète de dix-sept ans.

Jamais Jean Cocteau n'a couru plus grand danger. Il se vit loué, pour de mauvais vers, et encensé jusqu'à la griserie par des comédiens illustres. Sa famille fut dans le ravissement. Elle aimait les lettres et n'avait aucune idée de ce qu'est le drame d'écrire. Avec gentillesse et fierté, elle fit publier des vers qu'il allait vite juger dignes du mirliton. « Ma vie se passera dit Cocteau, à faire oublier ces débuts-là. » Il ne faut pas exagérer. Sans doute cette adolescence, ces flatteries lui donnèrent son renom « de prince frivole ». Mais quoi ? Ces poèmes juvéniles sont à son œuvre ce que *Les Plaisirs et les Jours* furent à celle de Marcel Proust. Avant que de se trouver, un débutant appartient aux modes de son temps. Puis, comme ces molécules qui, de choc en choc, suivent des trajectoires imprévisibles, le jeune homme se voit jeté, par les hasards des rencontres, dans des directions inattendues dont un nouveau maître, un nouvel ami le détourneront demain.

D'ailleurs les premiers vers de Cocteau n'étaient pas si mauvais ; ils obéissaient aux influences de l'époque. André Gide en parla, dans la N.R.F., avec éloges et réserves. Puis, vers 1912, les ballets russes de Diaghilev éclaboussent Paris de couleurs vives. Ils éblouissent et réveillent Cocteau. Diaghilev, dont il devient le familier, lui dit le maître mot qui décida de sa carrière : « Etonne-moi ». Faut-il étonner ? En art, oui. Un traitement de choc aide à ouvrir les yeux et les âmes. Mais un choc, par définition, ne dure point. « Ce qui au monde passe le plus vite : la nouveauté » disait Valéry. Les engouements sont brefs. Très vite un art d'avant-garde devient un poncif. Les esprits retombent dans leur sommeil. D'où la nécessité, si l'on veut réveiller à tout coup, d'attaquer sur des points inattendus et de se renouveler sans cesse. Jean Cocteau devine par instinct cette stratégie de la surprise et de ce jour date la première de ces voltes qui ont si souvent étonné.

Il avait compris que la poésie exige un don total de soi. « Le poète, dit-il, est le serviteur d'une force qui l'habite et qu'il connaît mal. Il ne doit qu'aider cette force à prendre forme. » D'où une gymnastique de l'âme qui exige des retraites loin de Paris et du monde. Toute sa vie, Cocteau organisera des évasions de travail. S'enfermant à Offranville, chez Jacques-Emile Blanche, puis à Leysin, avec Stravinsky, il écrivit le *Potomak*, ouvrage difficile, ambigu, mais qui imposa aux esprits des secousses utiles. J'avoue ma faiblesse pour ce monstre vide, aux oreilles roses, qui vit dans une grotte sous la place de la Madeleine et pour la série des Eugènes, préfiguration des grands dessinateurs américains comme James Thurber. Car personne en notre temps n'a, plus que Cocteau, inventé des formes. Pendant les dernières heures de la paix, en 1913, il prit contact avec Picasso, avec Braque dont les recherches, par des cheminements secrets, rejoignaient les siennes.

Vint la guerre. Cocteau fut réformé, mais s'engagea dans un service d'ambulanciers volontaires. Puis adopté, parce qu'il était un charmant et courageux compagnon, par un régiment de fusiliers marins, il vécut à Dixmude et Nieuport, dangereusement, dans des guitounes. Les tranchées s'enfonçaient dans le sable et dans l'eau. Les obus « paraphaient la fin de leur paraphe soyeux d'un pâté noir de foudre et de mort ». Au moment où on voulut décorer Cocteau de la croix de guerre, on découvrit qu'il était brave illégalement. Un chef d'état-major le sauva des gendarmes, et aussi de la mort, car tous ses camarades fusiliers-marins furent massacrés. De cette campagne allait sortir, après le temps de gestation nécessaire, un beau roman : *Thomas l'Imposteur.*

Paris 1916. Il vole avec Garros ; il voit beaucoup Erik Satie, Max Jacob, Picasso. En 1917 il donne à la troupe de Diaghilev un ballet : *Parade,* avec musique de Satie et décors de Picasso, qui fit scandale. On se demande aujourd'hui pourquoi. Le thème n'avait rien de scandaleux : une parade devant un théâtre forain, trois numéros de music-hall, un public qui ne comprend pas que le spectacle est à l'intérieur. Mais Picasso et Satie déroutaient ; Cocteau, suivant sa tactique, étonnait. Si Apollinaire en uniforme n'était pas venu ce soir-là à leur secours, les auteurs eussent été maltraités par le public. Un scandale analogue fut suscité en 1921 par *Les Mariés de la Tour Eiffel,* autre parade.

Et pourtant, nouvelle réaction, ce scandaleux jeune homme évoluait vers un classicisme de choc ». Mouvement pour lui naturel. L'époque était sans cadres, sans ordres. Le « rappel à l'ordre » devenait une forme de renouvellement. Dans *Le Coq et l'Arlequin* (1918) Cocteau codifie son esthétique. Il y montre « son génie lapidaire ». Certaines de ses formules lui survivent. « Le tact dans l'audace, c'est de savoir jusqu'où on peut aller trop loin »... « L'art c'est la science faite chair »... « Je sais que la poésie est indispensable, mais je ne sais pas à quoi »... « Un jeune homme ne doit pas acheter de valeurs sûres »... « Il faut être un homme vivant et un artiste posthume »... « La bourgeoisie est la grande souche de France ; tous nos artistes en sortent. Baudelaire est un bourgeois. » Ces choses étaient vraies ; il fallait du courage pour le dire.

Le Coq et l'Arlequin fit de Cocteau le porte-parole du mouvement musical antiwagnérien du groupe des Six, et aussi des peintres cubistes. « *Prenez garde à la peinture !* disent certaines pancartes. J'ajoute : prenez garde à la musique. Un poète a toujours trop de mots dans son vocabulaire, un peintre trop de couleurs sur sa palette, un musicien trop de notes sur son clavier. » C'était un retour très français vers l'exactitude et la pureté du style.

Montparnasse avait arraché Cocteau à la rue d'Anjou, nouveau domicile cossu de sa famille. Picasso fut le premier à comprendre que Montparnasse était aussi mort que la rue d'Anjou. Cocteau se mit à l'école d'un nouveau génie : Raymond Radiguet qui avait alors quinze ans. Cet adolescent précoce était petit, pâle, myope. « Il dépatinait les poncifs ; il décapait les lieux communs. » Ses romans sont des phénomènes aussi extraordinaires que les poèmes de Rimbaud. Tout beau roman écrit à vingt ans est un miracle. Radiguet appuya Cocteau dans son virage vers le classicisme. Il le poussait à se méfier du neuf s'il a l'air neuf, à prendre le contrepied des modes d'avant-garde et à chercher des modèles chez les maîtres. Un artiste apprend son métier en copiant les chefs-d'œuvre. Quand Corneille pastichait les Espagnols, il devenait Corneille. Radiguet ne fut jamais plus Radiguet qu'en copiant *La Princesse de Clèves* pour en faire *Le Bal du comte d'Orgel.*

Sous cette influence juvénile et bénéfique, Cocteau s'inspira de *La Chartreuse de Parme* pour écrire *Thomas l'Imposteur,* et de Malherbe, de Ronsard, pour écrire *Plain-Chant.* Lancé comme un bolide, au moment où il avait rencontré Radiguet, vers des parades bizarres, il décide soudain de freiner et de prendre, à la fourche, la route classique. C'était se mettre en dangereuse posture. A gauche comme à droite, scandale.

Quoi, vous avez écrit Le Cap, Vocabulaire ? *Vous écrirez ceci ! Vous ne pouvez me plaire. L'homme aime l'uniforme et qu'on n'en change point.*

Il avait osé en changer quand la mort soudaine de Radiguet, enlevé par une typhoïde, le laissa pour un temps sans gouvernail et sans voile. Plus qu'homme au monde, il dépendait de ses amis. « Sans eux, disait-il, mes balles sont perdues ; sans eux ma flamme baisse. Sans eux, je suis fantôme. »

Ne pouvant supporter cette douleur, il essaya de l'opium, pour oublier, et eut grand-peine, ensuite, à se désintoxiquer. Il y arriva par le travail. Ce qu'il a fait entre 1923 et 1956 tient du prodige. Trois romans-diamants, parmi les mieux taillés de notre temps (*Le Grand Ecart, Thomas l'Imposteur, Les Enfants terribles*) ; plusieurs volumes de poèmes ; de remarquables essais comme *Le Secret professionnel, La Difficulté d'être* cependant que le théâtre l'embarquait enfin sur son fleuve rouge et or. Radiguet avait compris combien Cocteau avait le sens des grands mythes et l'avait aiguillé vers les tragiques grecs. Il les imita d'abord, en les renouvelant (*Antigone*), et ouvrit ainsi des chemins à Giraudoux, Anouilh ; puis il inventa (*La Machine Infernale, Orphée*). Hanté par le thème de la fatalité, il avait trouvé asile pour son désespoir parmi les colonnes brisées des temples. Avec un « bang » retentissant, il avait franchi le mur des habitudes et rompu avec le théâtre du boulevard.

Puis le jour vint où le dramaturge novateur comprit que le temps était venu d'innover contre lui-même et de chercher, suivant le mot de Stravinsky, une place fraîche sur l'oreiller. « Un scandale commence à devenir scandaleux lorsque, de salubre et vif qu'il était, il en arrive au dogme et lorsqu'il rapporte. » Entre la scène et la salle, entre l'auteur et le public, il voulut rétablir le courant, « écrire de grosses pièces subtiles et tenter les grands acteurs avec de grands rôles ». Yvonne de Bray, Edwige Feuillère, Jean Marais l'aidèrent à gagner la partie du théâtre de masses après celle du théâtre d'avant-garde. *Les Parents Terribles, Les Monstres Sacrés, L'Aigle à Deux Têtes, La Machine Infernale* réussirent. C'est que les deux parties qu'il jouait n'étaient pas contradictoires. En art, les vérités, qui sont éternelles, prennent des formes successives.

Tout ce travail avait été coupé de maladies, de voyages (dont un *Tour du Monde en 80 jours*), de tentatives neuves et hardies. *La Voix Humaine,* monologue au téléphone, lui ouvrit la Comédie-Française, et il crut voir, dans cette maison de marbre, hantée par les grandes ombres de sa jeunesse, l'enfant qu'il fut, mené à son fauteuil du jeudi par une ouvreuse à nœud rose, à moustache grise. Poète nomade, il écrivit *Les Parents Terribles* dans un hôtel de Montargis. *La Fin du Potomak* à Excideuil (Dordogne). Au *Figaro* il donna une éblouissante série d'articles : *Portraits-Souvenir.* Puis ce fut la Deuxième Guerre dont il passa une grande partie à Paris, attaqué de tous côtés, mais écrivant *L'Eternel Retour* sur le thème de *Tristan* et une tragédie en vers : *Renaud et Armide* que joua le Théâtre-Français.

Le cinéma le tentait depuis longtemps. Dès 1931 il avait tourné un court film : *Le Sang d'un poète,* produit par des méthodes artisanales, aujourd'hui encore célèbre dans le monde entier. (On le joue à New York et à Berlin depuis trente ans.) Nous essaierons de dire ce que fut l'apport de Cocteau à l'art de l'écran. Il avait coutume, lorsqu'il classait ses œuvres, de les étiqueter : poésie de roman ; poésie de théâtre ; poésie de cinéma. En particulier il avait compris les immenses ressources poétiques du cinéma qui se prêtent au merveilleux, à la folie des changements brusques, aux symboles incarnés. *Orphée, La Belle et la Bête* restent, et resteront, parmi les œuvres originales captées par la caméra. Nous venons de les revoir à la Télévision ; elles n'ont pas vieilli et ne vieilliront pas.

Après la Seconde Guerre, Cocteau vécut tantôt dans le Midi, tantôt près de Fontainebleau, à Milly-la-Forêt où il avait fait de sa maison un autre chef-d'œuvre, celui-là de décoration, d'amitiés, d'enfance prolongée. Un grand cheval de bois, sorti de quelque carrousel du XVIIIe siècle, voisinait avec une sirène étonnante et un lion héraldique. Poésie de maison. Il donnait alors une grande part de son temps à décorer des chapelles (à Villefranche-sur-Mer, à Milly) et une mairie (à Menton) avec une maîtrise de composition et une sûreté de trait miraculeuses. Cependant il continuait de publier des poèmes (*Clair-Obscur*), des essais (*Journal d'un inconnu*), de faire jouer des pièces (*Bacchus*). Ces travaux surhumains l'épuisaient. Une crise cardiaque grave amena fort près de chez lui les messagers de la Mort. Toujours sujet de controverses et cible pour des ennemis de tous bords, il s'avisa que l'Académie française devrait devenir un « refuge pour les artistes qu'on bâtonne comme étant coupables du crime d'individualisme ».

Un soir, comme nous dînions ensemble chez un ami, en sortant de table, il me prit par le bras : « Je voudrais vous parler, dit-il... Voici... On a dû vous dire que je n'ai aucun désir d'entrer à l'Académie française et que même je refuserais cet honneur s'il m'était offert, parce qu'il n'est pas dans ma ligne, parce que ce serait un démenti à ma vie tout entière... Eh bien, c'est faux. Si l'Académie voulait m'accueillir, cela me ferait un immense plaisir... Contrairement à la légende, j'ai toujours eu un grand respect, et même un grand amour pour les traditions. Rien ne me paraît plus sot que le conformisme de l'anticonformisme. Et puis il y a autre chose. J'ai besoin de me sentir étayé, soutenu par une compagnie d'amis. Vous n'imaginez pas à quel point j'ai été attaqué, harcelé, traqué... Oui, je sais. Beaucoup pensent que je suis au contraire un enfant gâté et un enfant terrible. J'ai souffert toute ma vie de cette erreur... Je suis un travailleur et un artisan des lettres... Alors jugez. Si vous pensez que j'ai de sérieuses chances, si vous choisissez de m'appuyer, je me présenterai. »

Je pensai que, si nous ne prenions pas Cocteau, qui s'offrait, nous agirions mal, à la fois envers lui et envers notre maison. « Je vous soutiendrai, lui dis-je, de toutes mes forces. » Il fut élu sans difficulté. Ses visites avaient enchanté ses futurs confrères. Plus tard, le recevant sous la Coupole, je lui dis : « Ce prompt accueil, assez rare chez nous, a surpris quelques augures. Ils ne croyaient pas à votre succès. Vous n'y croyiez pas tant vous-même. Vous pensiez que tout vrai poète est un enfant et qu'il y a témérité de sa part à venir s'asseoir parmi les grandes personnes. Mais les grandes personnes aiment les enfants, et les poètes. Vous avez fait, de vos visites, autant d'œuvres d'art. Votre conversation, paradoxale à force de bon sens, vous a conquis plus d'un suffrage. Elle aurait pu se transformer en monologue sans que vos interlocuteurs s'en plaignissent. Vous avez eu la coquetterie de maintenir l'échange et auriez dit volontiers, comme ce roi d'Angleterre à un courtisan : « Tâchez donc de me contredire, de temps à autre, afin que nous soyons deux. »

La séance de réception (jeudi 20 octobre 1955) fut triomphale. La foule, sur le quai Conti, prouva l'étendue de son audience. Il aima le roulement de tambour prolongé qui accompagne l'entrée sous la Coupole, les gardes rendant les honneurs, ce parterre de reines et de poètes. Je lui rappelai, dans ma réponse à son remerciement, une aimable histoire qu'il m'avait racontée à Milly-la-Forêt :

« Les parents de votre petite nièce lui annoncèrent qu'un ange venait de lui apporter un frère : « Tu veux voir ton frère ? lui demanda son père. — Non, dit-elle, je veux voir l'ange. » Nous sommes comme votre nièce, monsieur. Nous ne voulons pas voir un académicien de plus, nous voulons voir l'ange. »

Nous ne fûmes pas déçus ; nous vîmes l'ange, c'est-à-dire un confrère affectueux, spirituel et fidèle, égal au meilleur de lui-même. Il était allé siéger dans le coin de la petite classe, la plus gaie, avec Marcel Achard, Troyat, Marcel Pagnol, Gaxotte, que rejoignit plus tard René Clair. Ses cheveux rebelles, ses manches retroussées, son visage aigu ajoutaient à notre vieille compagnie une note originale et fine. Il se sentait aimé, respecté, et je crois qu'il fut très heureux chez nous. Mais Cocteau, même heureux, n'oubliait jamais la Mort. « Chacun loge sa mort et se rassure par ce qu'il en invente, à savoir qu'elle n'est qu'une figure allégorique n'apparaissant qu'au dernier acte... Experte au mimétisme, lorsqu'elle semblait être le plus loin de nous, elle est jusqu'à notre joie de vivre. Elle est notre jeunesse. Elle est notre croissance. Elle est nos amours. »

Un matin de 1963, avec ses gestes méticuleux, de ses mains gantées, elle fit signe aux exécuteurs de ses hautes œuvres.

Car ce n'est pas la mort elle-même qui tue,
Elle a ses assassins.

L'enterrement de Cocteau à Milly-la-Forêt fut une de ces réussites incroyablement parfaites dont les hommes sont capables seulement pour ceux qu'ils ont beaucoup aimés. Le ciel d'octobre semblait un ciel de printemps, d'un bleu pur et soutenu, où flottaient de minuscules nuages blancs. Un soleil généreux enveloppait la petite ville. Tous ceux qui entouraient ce cercueil, couvert d'une soie tricolore et de fleurs admirables, étaient des amis. La place, devant la mairie, rappelait, par ses maisons blanches et ses enseignes, les meilleurs Utrillo. Les pompiers aux casques de cuivre encadraient les académiciens et le préfet. Ce mélange officiel et champêtre aurait enchanté l'Enchanteur. On pensait que, s'il avait lui-même organisé cette cérémonie, elle eût été exactement ainsi : un hymne très simple à l'amitié. Les chœurs, ceux de Saint-Eustache, chantèrent une musique sublime. Puis le cortège traversa toute la ville pour se rendre à la chapelle, décorée par Cocteau, derrière laquelle la tombe avait été creusée dans une pelouse, parmi les « simples », ces plantes médicinales dont Jean avait fait les ornements de sa fresque. Simples aussi, mais beaux et touchants, furent les discours. Quelques oiseaux attardés se reposaient sur les arbres aux feuilles jaunissantes. Le poète s'endormait dans la douceur d'un jour inoubliable. Nous étions tristes de l'avoir perdu, heureux de lui avoir donné ce qu'il eût souhaité. Nous pleurions une mort et nous escortions un immortel, non pas de cette immortalité « maigre et laurée » que tentent en vain de conférer les honneurs officiels, mais de celle, authentique et durable, qui habite les esprits et les cœurs.

II

THÈMES - LE FIL ROUGE

Dans la belle nouvelle qui a pour titre *The Figure in the Carpet* (le motif dans le tapis) Henry James soutient que, dans la vie et l'œuvre d'un artiste, il y a toujours, caché sous le lacis des arabesques, un motif qui en est le secret. Cocteau, pour s'exprimer, a eu recours aux formes les plus diverses. Quel est le fil rouge qui court à travers tant d'œuvres en apparence si différentes ?

Ce fil semble difficile à saisir et Cocteau le savait, ce qui à la fois l'attristait et le rassurait. Il souffrait de se sentir presque inconnu, bien que très célèbre.

> *Caché, je vis caché sous un manteau de fables*
> *Plus tenaces que la poix*
> *Et ne laisse jamais d'empreintes sur vos sables,*
> *Mon corps n'ayant aucun poids.*

Visible et invisible, il était (comme il disait) « mal vu », expression à double sens très riche d'enseignements. Une importune légende l'enveloppait et le masquait. Elle avait fait de lui d'abord un adolescent frivole, éclairé par les couleurs vives des projecteurs de Diaghilev, puis un magicien dont les sortilèges suscitaient, d'un coup de baguette, poèmes, romans, drames, films, ballets, dessins et pastels. Le vrai Jean Cocteau, grave et laborieux, détestait ce personnage. Il l'évitait comme la peste ; il eût refusé de lui serrer la main. C'était pour le fuir qu'il vivait si souvent loin de Paris.

« Qu'il aille en paix, mon double et bouge à votre guise
— C'est le rôle des pantins. »

Ce double fabuleux avait avec lui peu de traits communs. Le grief que beaucoup firent à Cocteau de toucher
à tout était proprement absurde. Il changeait de véhicule,
mais pour porter les mêmes vérités. Une bouteille peut
contenir tour à tour des liqueurs blanches ou rouges,
vertes ou noires ; cela ne change rien à sa forme. Il a
demandé à chacune des neuf Muses de raconter ses travaux et ses peines, mais il n'a quitté chacune de ses neuf
sœurs qu'après en avoir tiré tout ce qu'elle pouvait enseigner. « Si j'écris, j'écris, disait-il ; si je dessine, je dessine ; si je m'exprime par l'écran, je délaisse le théâtre ;
si j'aborde le théâtre, j'abandonne le film, et le violon
d'Ingres me semble toujours être le meilleur des vio-
lons. »

Poème ou roman, film ou théâtre, en leurs infinies
combinaisons, les ingrédients de son alchimie : ange,
rose, coq, statue, chevaux, marbre, glace, neige, tir, balles, coquille d'œuf dansant sur un jet d'eau, enfant mortellement atteint, filet de sang aux lèvres, chambre en
désordre, demeuraient invariables. Il a toujours fait la
même pièce, écrit le même livre, composé les mêmes
poèmes, exprimé les mêmes sentiments, les mêmes idées.
Quels sentiments ? Quelles idées ? Et qui était Cocteau ?

Avant toute chose il était un poète et donnait à ce mot,
avec raison, un sens infiniment plus étendu que celui
d'auteur d'ouvrages en vers. Un poète, c'était pour lui un
créateur de mythes qui, par ses charmes et ses incanta-
tions, éclaire, au-delà des apparences, le mystère et la
beauté du monde. Par les rythmes, par le choix de mots
chargés de mythes, par la mise en lumière de détails
avant lui invisibles, le poète recrée l'univers. Il ne
sait comment. Un ange l'habite, qui est la meilleure partie de lui-même, « ange de glace, de menthe — de neige,
de feu, d'éther. » A son ange intérieur Cocteau avait
donné un nom : l'ange Heurtebise. Contre cet étranger,

plus lui-même que lui, il essayait en vain de défendre
sa paix.

> *Si ma façon de chant n'est pas ici la même,*
> *Hélas, je n'y peux rien.*
> *Je suis toujours en mal d'attendre le poème*
> *Et prends ce qui me vient.*

> *Je ne connais, lecteur, la volonté des muses*
> *Plus que celle de Dieu.*
> *Je n'ai rien deviné de leurs profondes ruses*
> *Dont me voici le lieu.*

Au vrai l'ange Heurtebise n'est pas un ange ; c'est le
superpersonnage que chacun porte en soi. Plutôt que
d'inspiration, il faudrait parler d'expiration. « On sort
des choses de soi, disait Cocteau, on les exhale, on les
expire. Nous contenons tous un ange et nous devons être
les gardiens de cet ange. » Il n'est pas surprenant que le
mythe d'Orphée l'ait hanté. Il était à la fois Orphée et
l'ange Heurtebise. Une moitié de lui conduisait l'autre
aux Enfers pour y sauver l'Eurydice de son imagination.
Son ange le torturait : « Je veux vivre, disait l'ange,
qu'importe si tu meurs ! » Mais ce tourmenteur était
le seul consolateur. Par le bas il était lié, comme tous
les hommes, à ses chaussures de limon ; il vivait comme
il pouvait. Puis l'ange l'empoignait, l'arrachait « à l'humaine et tendre boue », et l'aidait à vaincre ses dons.
Se former n'est pas facile ; se réformer l'est encore
moins. Et pourtant il se réforma ; il triompha de sa facilité. Il se fit de plus en plus rapide, de plus en plus économe de mots et de pirouettes. Il chercha de plus en
plus, comme il disait, à faire mouche et non à étonner
la patronne du tir. Sa rigueur, avec les années, devint
plus exigeante. La part de l'ange grandit.

Mais le monde réel supporte mal les formes que lui
impose la poésie. Des monstres vulgaires et forts prennent en chasse le poète. Cocteau était pour eux un gibier
de choix. Il avait un sens aigu de la solitude où se débat
l'individu, de l'impossibilité où l'on est de rejoindre ceux

qu'on aime, bref de la difficulté d'être. Nous qui jouissions avec ravissement des fusées de son esprit, imaginions mal les baguettes noires qui survivaient seules aux enchantements lorsque la nuit enveloppait l'esplanade où fut tiré le feu d'artifice. La vie du poète semble une danse, mais c'est, comme celle de l'acrobate, une danse au-dessus du vide. Toute faute s'y paie d'une chute mortelle. De l'idée, chère à nos romantiques, que le poète écrit avec son sang, Cocteau a fait un film mémorable.

> *L'encre dont je me sers est le sang bleu d'un cygne*
> *Qui meurt quand il le faut pour être plus vivant.*

Très tôt dans la vie le fil rouge a cerné la figure de la Mort. Il l'imaginait comme une jeune femme très belle, en blouse d'infirmière et gants de caoutchouc, qui parle vite, d'une voix sèche et distraite. Des motocyclistes vêtus de noir, ses aides, escortent sa longue voiture.

> *La mort n'agit pas elle-même.*
> *Elle a partout des spadassins*
> *Des bourreaux et des assassins*
> *Pour s'approprier ce qu'elle aime.*

Elle est plus effrayante, dans sa sécheresse administrative et stérile, que les squelettes des danses macabres. Parce que cette funeste opératrice lui avait arraché, très jeunes, des êtres qu'il aimait, Cocteau superposa toujours, en contrepoint, les lignes mélodiques de l'amour et de la mort. Il n'avait que trente ans que déjà il écrivait :

> *Je vois la mort en bas, du haut de ce bel âge,*
> *Où je me trouve, hélas, au milieu du voyage ;*
> *La jeunesse me quitte et j'ai son coup reçu.*
> *Elle emporte en riant ma couronne de roses ;*
> *Mort, à l'envers de nous vivante, tu composes*
> *La trame de notre tissu.*

Contre la mort et le malheur il ne connaissait point de défense efficace. Non seulement il était fataliste, mais il croyait à une conspiration, contre l'homme, de puissances néfastes. Le drame d'Œdipe le concernait aussi directement que celui d'Orphée. C'est avec un terrible sérieux qu'il lançait, au début de *La Machine Infernale* le dur avertissement : « Regarde, spectateur, remontée à bloc de telle sorte que le ressort se déroule avec lenteur tout au long d'une vie humaine, une des plus parfaites machines construites par les dieux infernaux pour l'anéantissement mathématique d'un mortel. » Même pendant les dernières années, si glorieuses, de sa vie, malgré les honneurs qui s'acharnaient sur lui, malgré les affectations et les amitiés qui l'entouraient, il ne fut jamais délivré de l'obsession de la machine infernale, et il est bien vrai qu'elle nous guette, et qu'elle nous détruira tous. Il est vrai aussi qu'il était plus vulnérable qu'un autre parce que plus sensible.

Cependant il faut tenter de vivre. Cocteau avait pour cela ses recettes. La première était l'invisibilité. Il la tenait pour un devoir :

> *Plus que la chair encore une âme dévêtue*
> *Attente à la pudeur. Un poète la doit*
> *D'une robe vêtir, pour que nul dans la rue*
> *Ne la montre du doigt.*

Le personnage faux qu'on avait fait de lui protégeait la personne. Ceux qui, voulant le blesser, piquaient des épingles dans la statuette de cire qu'ils avaient modelée pour lui ressembler, ne lui faisaient aucun mal parce qu'elle ne lui ressemblait pas. Il pensait que tout chef-d'œuvre est fait d'étranges énigmes et d'aveux bien cachés. « On vit dans les ténèbres ; ah ! que j'admire les gens qui savent ce qu'ils font. » Il gardait ses secrets parce qu'un secret qu'on ne garde pas cesse d'être un secret. Ses adversaires qui l'ont tant mitraillé, l'ont toujour manqué parce que l'Invisible ne se trouvait jamais là où ils croyaient le voir.

Sa seconde ligne de défense était le divertissement, au sens pascalien du mot. Certaines de ses phrases évo-

quaient les illustres *Pensées*. « Si même je dois durer
cent ans, écrivait Cocteau, c'est quelques minutes. Mais
peu de gens veulent l'admettre et que nous nous
occupons et que nous jouons aux cartes dans un express
qui roule vers la mort. » Lui-même, dans ce rapide qui
déchire la nuit des siècles, jouait aux cartes. Par quoi
j'entends : il présidait un festival, une corrida ; il char-
mait un dîner d'amis ; il interposait cent images entre
lui et l'abîme sous ses pieds. « Que faire, disait-il, contre
cette crainte du vide ? Elle me dessèche. Il la faut oublier.
Je m'y exerce. Je vais jusqu'à lire des livres d'enfants.
J'évite les contacts qui me donneraient le sens de la
fuite des heures. » Proust retrouvait le temps ; Cocteau
s'efforce de le tromper.

> J'ai, pour tromper du temps la malsonnante horloge
> Chanté de vingt façons.
> Ainsi de l'habitude évitai-je l'éloge
> Et les nobles glaçons.

Au vrai le seul blindage solide contre le bombarde-
ment des particules nocives qui désintègrent toute pensée fut pour lui le travail. Il a douté de la vie, et des
dieux, et de tous, mais il a gardé une certitude : sa vocation de poète. Depuis l'adolescence il a éperdument lutté
avec les mots. Les « parlementaires de l'inconnu » ne
dictent de poèmes qu'à ceux qui se mettent tout entiers
au service des Muses. Ces jeunes déesses inspirent le
désir d'écrire ; elles ne guident pas la main de l'écrivain.

> Elles portent au but celui-là qui les aide
> Et se met de côté
> Même s'il en a peur, même s'il trouve laide
> Leur terrible beauté.

> Or moi j'ai secondé si bien leur force brute
> Travaillé tant et tant,
> Que si je dois partir la prochaine minute
> Je peux mourir content.

185

Son troisième refuge est l'amitié. Il avait mérité quelques-unes des plus précieuses qu'on pût avoir en son temps, de Picasso à Max Jacob, de Diaghilev à Stravinsky, de Gide à Radiguet, et tant d'autres. De ses amis il a parlé généreusement.

> *J'ai peine à soutenir le poids d'or des musées,*
> *Cet immense vaisseau.*
> *Combien me parle mieux que leurs bouches usées*
> *L'œuvre de Picasso.*

Ou encore, sur le groupe de musiciens, que son amitié créa et lança :

> *Auric, Milhaud, Poulenc, Tailleferre, Honegger,*
> *J'ai mis votre bouquet dans l'eau du même vase*
> *Et vous ai chèrement tortillés par la base*
> *Tous libres de choisir votre chemin en l'air.*

« Je ne saurais vivre sans échanges, disait-il, mais je ne réclame pas qu'on me donne grand-chose. » Pour ceux qu'il aimait, il se quittait aisément et tâchait de les aider. Son goût a formé le romancier Radiguet, comme le comédien Jean Marais, comme le peintre Edouard Dermit.

De l'amour il a écrit très secrètement :

> *Amour avec quels doigts tresser votre couronne*
> *Puisque nous n'avons que dix doigts ?*
> *Il vous plaît qu'on se taise et pourtant je vous donne*
> *La louange que je vous dois.*

> *J'ai vécu de vos feux et de votre indolence*
> *Vous me fîtes aveugle et sourd*
> *Mais c'est ce qu'il fallait, amour, car le silence*
> *Est le seul poème d'amour.*

C'est une de ses musiques favorites que de mêler aux entrelacs d'amour le sommeil, frère de la mort :

186

> *Rien ne m'effraye plus que la fausse accalmie*
> *D'un visage qui dort ;*
> *Tout rêve est une Egypte et toi c'est la momie*
> *Avec son masque d'or.*

On voit que les thèmes de Cocteau, tout au long de la vie, ont bien peu changé et qu'ils ont toujours été tragiques : le sommeil, l'amour menacé par la mort, et la mort surtout, au centre de sa pensée.

> *Car je pense à la mort laquelle vient si vite*
> *Nous endormir beaucoup.*

Et encore :

> *On sort et on entre*
> *On entre et on sort*
> *On change de ventre*
> *C'est là notre sort...*
> *D'une nuit en route*
> *Vers une autre nuit*
> *La joyeuse voûte*
> *Trompe notre ennui.*

On ne peut dire qu'il ait eu peur de la mort ; je l'ai, de mes yeux, vu la regarder en face alors qu'elle était déjà dans sa chambre. Je dirais plutôt qu'il a tenté de se persuader qu'en accompagnant sa mort, l'homme peut pénétrer avec elle dans les futurs interdits. « C'est la tâche du poète que de traquer l'inconnu. » Chasse vaine, sans doute, et Orphée qui a osé traverser les miroirs liquides sera pipé par l'invisible. Mais ce défi à la machine infernale engendre un tragique original et beau.

III

LES TECHNIQUES

L'armature de la technique est, pour tout artiste, le style. Celui de Cocteau demeure essentiellement le même qu'il fasse œuvre de poète, de prosateur, de cinéaste ou de peintre. Il consiste à être rapide, dur, économe de vocables et d'ornements, à viser longuement et à faire mouche, coûte que coûte. Je l'ai souvent regardé dessiner. Le trait sûr s'inscrivait sans une hésitation, sans un repentir, avec une maîtrise absolue. Cela semblait presque incroyable. Il avait l'air de calquer un dessin préalable, mais la blancheur du papier, intacte, garantissait l'authenticité de l'artiste.

Il en était ainsi de ses vers, de sa prose. Ayant visé longuement, il raturait peu. En poésie il eut deux styles successifs, celui de sa jeunesse folle, style de parade, d'orchestre forain, de fantaisie verbale, de jeux de mots. Jeux parfois tragiques. Par exemple dans *L'Ange Heurtebise* :

> *Car en te tuant chaque mois*
> *Moi on me tue et pas toi.*
> *Ange ou feu ? Trop tard. En joue*
> *Feu !*
> *Il tombe fusillé par les soldats de Dieu.*

Remarquez la disposition typographique du mot *Feu !* Il crut à ces jeux mallarméens, imités du *Coup de dés*. Mais c'était là encore excès d'ornements, jongleries dont il se lassa, et il vint, avec bonheur à son second style

188

poétique, celui qui tient des grands poètes du XVIᵉ siècle aux inversions insolites.

> *Je regarde la mer qui toujours nous étonne*
> *Parce que si méchante, elle rampe si court*
> *Et nous lèche les pieds comme prise d'amour*
> *Et d'une moire en lait sa bordure festonne.*

Ou encore ce quatrain qui semble sortir d'un sonnet de du Bellay :

> *Je n'ai jamais d'argent et chacun me croit riche*
> *J'ai le cœur sans écorce et chacun le croit sec.*
> *Toujours sur ma maison mentira cette affiche*
> *Un aigle viendrait-il l'en arracher du bec.*

« Pastiches », ont dit ses détracteurs. Mais Proust et Valéry soutenaient que le pastiche est l'école de l'artiste et le prouvaient par leurs exemples. En prose Cocteau veut un style dégraissé, musclé. Le premier mot que dicte la Muse est accepté, même s'il détonne un peu, surtout s'il détonne. « L'idée naît de la phrase comme le rêve des positions du dormeur. » Son maître de prose est Montaigne qui dit toujours ce qu'il veut dire, comme cela vient. Il y a du rocailleux dans le style de Cocteau. A se relire il n'a honte que des ornements. Il loue Charlie Chaplin d'avoir, après chaque film, secoué l'arbre. « Il faut, disait Chaplin, ne garder que ce qui tient aux branches. » Cocteau sait qu'il n'a de style que s'il est fidèle à sa nature vraie et que ses voltes ne peuvent se faire que dans un très petit espace.

Il a souvent affirmé que tout progrès de l'artiste est un progrès moral. La modestie, la sûreté du jugement, les grâces du cœur font aussi la pureté du style. Victor Hugo aurait écrit : « Dans virtuosité, il y a vertu. » Cocteau disait : « S'il m'était possible, j'aimerais ouvrir un institut de beauté pour les âmes, non que la mienne soit belle ni que je compte faire des miracles, mais afin que le client soigne sa ligne intérieure. » C'est en effet la ligne intérieure qui infléchit les lignes extérieures.

Une œuvre est toujours un portrait-souvenir de celui qui l'exécuta.

Dans le roman sa technique alla se perfectionnant. *Le Grand Ecart* est autobiographique. Le héros, Jacques Forestier, a la chevelure, plantée en tous sens, de l'auteur et la porte hirsute faute de pouvoir la discipliner. « Sa réputation d'homme spirituel venait d'une rapidité d'esprit. Il appelait des rimes d'un bout à l'autre du monde. Par rimes, nous entendons : n'importe quoi... A cultiver une terre ingrate, à embellir de mauvaises herbes, il avait pris quelque chose de dur qui ne s'accordait guère avec sa douceur. Ainsi de mince qu'il était, il s'était fait maigre ; de nerveux, écorché vif. » En Forestier nous reconnaissons Cocteau et son style.

Thomas l'Imposteur est encore, pour une part, proche de l'auteur. Guillaume Thomas de Fontenoy a beaucoup de traits communs avec Cocteau. Leurs aventures de guerre se ressemblent. « Thomas se croyait ce qu'il n'était pas, comme n'importe quel enfant : cocher ou cheval. » A jouer ce jeu de la guerre, il finit par mourir réellement. Cela faillit arriver à Cocteau. Dans ce roman les portraits satiriques de femmes du monde qui s'en vont-en-guerre, de médecins et de prêtres sont bien venus.

Les Enfants terribles se rapprochent du chef-d'œuvre par des images inoubliables : la beauté du cruel élève Dargelos, les lycéens dans la neige, et surtout la chambre des enfants. Il y a des maisons, des existences qui stupéfient toute personne raisonnable. Cocteau excelle à les décrire. Surtout il a ce rare privilège d'avoir gardé lui-même assez d'enfance pour aimer des enfants et peindre leurs jeux sacrés : « On le met ? — On met quoi, où ? — Dans le trésor. — Qu'est-ce qu'on met dans le trésor ? — Le portrait du type qui m'a lancé la boule. » Les enfants « partent » pour un monde rêvé. Puis, grandissant, ils ne « partent » plus et trichent au jeu. Mais le génie de la chambre veille et tous mourront jeunes. A ses fables Cocteau n'a jamais conçu d'autre fin que la mort. En est-il une autre ?

Au théâtre nous avons décrit sa courbe. Lorsqu'il y vint, le théâtre dit « du Boulevard » se mourait. « Il fallait passer à d'autres exercices. » D'où le recours à l'antique (*Antigone, Œdipe, Orphée*), au Moyen Age (*Chevaliers de la Table Ronde*), ou à la farce surréaliste (*Parade, Les Mariés*). Puis le temps vint pour lui de se contredire. « Racine, Corneille, Molière furent les auteurs du Boulevard de l'époque. Ne vous y trompez pas. Boulevard veut dire gros public. C'est au gros public que le théâtre s'adresse. » D'où le retour à la tragédie de Boulevard : *Les Parents Terribles, Les Monstres Sacrés, La Machine Infernale, L'Aigle à Deux Têtes*.

Au cinéma son apport fut incomparable. Il fut l'un des premiers écrivains à comprendre que l'art de l'écran, aussi bien que le roman et le théâtre, peut engendrer des œuvres d'art. Le cinéaste écrit avec une encre de lumière, mais les lois du style restent les mêmes : une rigoureuse simplicité, un rythme, une obéissance modeste aux nécessités du métier. Si la caméra et le rail alourdissent la démarche, ils ont leurs trouvailles propres que le grand artiste utilise. Ainsi Michel-Ange, d'un défaut du marbre, tirait ses plus rares beautés. Cocteau a voulu être, au cinéma, non un poète qui condescend en gémissant à une technique, mais un technicien qui travaille, de tous les métiers, sur le plateau. « Ma méthode est simple, disait-il : ne pas me mêler de poésie. Elle doit venir d'elle-même. Son seul nom prononcé l'effarouche. »

Le mystère, comme la poésie, ne se laisse guère apprivoiser. A qui le cherche, il se refuse. Il se donnait à Cocteau qui l'attendait tapi dans un studio parmi ses souvenirs. Les plus beaux mythes nous viennent du fond des âges. Il les accueillit, les rajeunit et en suscita de nouveaux. C'est un fait qu'il fut avec Bunuel, avec René Clair, l'un des premiers à réaliser des films-poèmes. *Le Sang d'un poète, La Belle et La Bête, L'Eternel Retour, Orphée* resteront, dans les cinémathèques, des chefs-d'œuvre durables. Comme Swift il a compris que, plus l'histoire contée semble étrange, plus il importe que le conteur soit réaliste. Il faut chiffrer l'invisible et cerner avec précision l'impossible. La crédibilité ne peut naître que si l'auteur replonge le mystère dans la vie quotidienne. Voilà pourquoi Cocteau fait escorter la Mort par des motards, remplace les juges des Enfers par des bureaucrates en veston et fait transmettre, par la radio, les messages codés de l'au-delà. Il obtient ainsi des effets de beauté souveraine et secrète. Les grands mythes signifient par leur seule présence.

IV

Que restera-t-il de Jean Cocteau ? Bien des choses, en somme. Deux des plus beaux films de notre temps qui est le Moyen Age du cinéma ; des tragédies ; des romans ; des poèmes ; quelques profonds essais sur l'art. Il restera tout ce qui, sans être de lui, est sorti de lui, des ballets russes à la musique des Six, des romans de Radiguet aux tableaux d'Edouard Dermit ou de Jean Marais. Il restera des fresques gracieuses et nobles, des chapelles, une salle des mariages. Surtout il restera, tant que l'un de nous vivra, le souvenir de Jean Cocteau, magicien du langage, maître du goût, poète de l'invisible ; il restera cette chevelure rebelle, ces yeux vifs et tendres, enfin cette voix prenante et grave qui dessinait, comme en se jouant, d'un trait sûr, d'inoubliables arabesques

ROGER MARTIN
DU GARD

I

Comme la plupart des romanciers français de sa génération, Roger Martin du Gard appartenait à une famille bourgeoise. Son père était avoué, sa mère fille d'agent de change. Né à Neuilly-sur-Seine, en 1881, de parents catholiques, il fut élevé dans leur religion et s'en détacha, vers sa quinzième année. Il fit ses études au lycée Condorcet, puis à Janson-de-Sailly. « J'ai été un cancre », écrit-il. Ce n'est pas entièrement vrai ; il lisait beaucoup et essayait d'écrire. Un professeur, Mellerio, chez qui son père le mit en pension lui apprit à composer. Il allait rester, en littérature, un adepte du *plan*.

Ainsi que Mauriac, il fut élève de l'Ecole des Chartes. Il avait déjà le ferme désir d'écrire et, dès 1908, publia un premier roman : *Devenir* Il en parle comme d'un mauvais ouvrage de jeunesse et il a raison. Non que le livre ne contienne des promesses et même, pour qui le lit après *Les Thibault,* une préfiguration des personnages de Jacques et d'Antoine Thibault (qui sont les deux pôles de la nature de Martin du Gard, la révolte et le réalisme), mais c'est le classique roman d'adolescent, portrait de l'auteur jeune qui entre dans la vie avec l'espoir de la dominer. Déjà pourtant la qualité du dialogue est évidente. Tout le livre est une charge contre la bourgeoisie bien-pensante qui semble croire en l'art maléfique de dresser contre elle ses fils les mieux doués.

Alors se formait à Paris un groupe d'écrivains qui allait jouer, dans la vie littéraire de notre pays, un rôle

de premier plan : c'était celui de la *Nouvelle Revue Française*. Il avait, non pour chef, mais pour modèle et ami,
André Gide autour duquel se rangeaient des hommes
plus jeunes : Henri Ghéon, Jean Schlumberger, Jacques
Copeau, d'autres encore. Qu'avaient-ils en commun ? Certes pas une doctrine. Mais le respect des lettres, une certaine rigueur dans les choix, une dure franchise mutuelle. Un hasard amena l'affiliation de Roger Martin du
Gard à ce groupe. Il rencontra Gaston Gallimard, ancien
camarade de Condorcet qui faisait partie de cette jeune
équipe (« la bande à Gide »). A ce moment Martin du
Gard venait d'achever *Jean Barois* ; Gallimard lui offrit
de faire lire son manuscrit. Trois jours plus tard Gide
télégraphiait : « *A publier sans hésiter* ». Une lettre suivit : « *Celui qui a écrit cela peut n'être pas un artiste,
mais c'est un gaillard.* » Et en effet Martin du Gard,
moins artiste que Gide, était plus gaillardement romancier ; il avait moins que Gide l'horreur du banal, de
l'ordinaire, qui « sont le pain quotidien de l'homme et du
roman ». Sa première œuvre importante, *Jean Barois,*
secoua le lecteur français presque autant que Jean-Christophe. Après la guerre, il commença les *Thibault,* roman
d'une famille, longue saga dont les volumes se succédè-
rent au début suivant un rythme assez rapide, s'inter-
rompit cinq ans entre 1923 et 1928, puis de nouveau en
1930, et ne se termina qu'à la veille de la nouvelle guerre. Il vivait le plus souvent en province, à la campagne,
non point sauvage, mais solitaire et taciturne.

J'ai connu Martin du Gard en 1922, à l'abbaye de Pontigny. J'avais, depuis *Jean Barois,* de l'admiration pour
son talent. L'homme ne me déçut pas. A Pontigny, il ne
prenait jamais part aux discussions publiques, opposait
à tout effort pour l'y mêler un silence obstiné, mais
tirait de temps à autre son petit carnet pour prendre une
note. Tout ce qu'il entendait, voyait et pensait, allait dans
quelque vivier où il puisait ensuite ce dont il avait besoin
pour son livre. Martin du Gard n'écrivait jamais d'articles ; il ne faisait pas de conférences. « Tout ce que j'ai
à dire », affirmait-il, « passe automatiquement dans les

Thibault. » Beaucoup plus tard, lorsque j'allai lui rendre visite à Nice, au temps de sa studieuse retraite, j'y vis les fiches, rigoureusement classées, qui contenaient le passé et l'avenir des Thibault. Interrompirent seuls ce long effort quelques essais de théâtre : *Le Testament du Père Leleu, La Gonfle, Un Taciturne* et, en 1933, une très sombre peinture des paysans : *Vieille France.* Il n'admettait pas qu'un écrivain s'occupât de politique, signât des manifestes. « Ceux d'entre les écrivains, dit-il, qui croient devoir... traiter de l'actualité, ne font le plus souvent que mauvaise besogne... Les écrivains de race, qui ont toujours eu le goût si sûr, qui ont toujours été si scrupuleux sur le choix des termes, n'hésitent pas, quand ils parlent de politique à employer ce vocabulaire à formules creuses des politiciens. » Cela me semble contestable et n'est vrai ni de Benjamin Constant ni de Mauriac, mais c'était la justification, aux yeux de Martin du Gard, de son refus.

Nous verrons, en étudiant les *Thibault,* ce que fut la philosophie de l'écrivain. Que pensait l'homme ? Que croyait-il ? Comment avait-il évolué au cours de sa vie ? Il était difficile de le savoir, car Martin du Gard ne se livrait pas. « La littérature », disait-il, « faites-en si vous voulez, mais bon Dieu ! n'en parlez pas (1). » On avait l'impression que, capable de la plus fidèle amitié pour ceux qui en seraient dignes, sa pénétrante et ironique lucidité ne ménageait pas ses amis, et qu'il jugeait l'humanité, considérée comme une espèce animale, avec une croissante sévérité.

Comme *Jean Barois,* les *Thibault* ont été lus par un public étendu. C'est un des rares ouvrages qui aient eu à la fois l'audience du lecteur moyen et l'estime (en leur temps) du lecteur délicat. « Certains de ses amis », dit Gide, « s'étonnent de mon admiration pour ces livres où ils ne retrouvent aucune des qualités les plus goûtées de nos jours. Il y a là ni frémissements subtils, ni raffi-

(1) Cité par Clément Borgal : *Roger Martin du Gard* (Editions universitaires).

nements psychologiques, ni recherches de style, ni inquiétudes exquises ; et la grande force de l'auteur lui
permet précisément de se passer de tout cela. Je ne
connais pas d'écriture plus neutre, et qui se laisse plus
complètement oublier. Il ne s'agit même plus ici de transparence ; le lecteur entre directement en contact avec les
personnages que présente l'auteur. Ils ne font pas un
geste qu'on ne voie, ne disent pas une phrase qu'on n'entende, et bientôt, de même qu'on l'oublie, l'auteur s'oublie lui-même en eux... Vous protestez qu'ils ne font et
ne disent rien que de banal ; c'est-à-dire que ces personnages ne se distinguent pas de ceux que vous rencontrez tous les jours. Banal, oui ; puissamment banal.
Et tout autre livre, à côté (je parle de ceux de notre époque), paraît aussitôt quintessencié, recherché, précieux.
Oui, ces livres de solide et robuste bon sens s'opposent
à la préciosité générale... Je comprends, en lisant les *Thibault,* que ceux-là seuls m'intéressent profondément qui
luttent contre leur époque et nagent à contre-courant.
Je ne viens pas de prétendre que Roger Martin du Gard
soit le seul, de nos jours, à n'être point précieux ; mais
il me paraît que, parmi les non-précieux, lui seul compte. On s'apercevra de cela dans vingt ans. »

Vingt ans... Il n'en fallut pas tant. Dès 1937, Martin
du Gard obtint le Prix Nobel, ce qui était équitable, non
seulement parce que *Les Thibault* sont une suite de
beaux livres, mais parce qu'il est impossible de concevoir une vie d'écrivain conduite avec plus de dignité.
Après la guerre j'ai souvent revu Martin du Gard à Nice.
Il restait attentif à tout ce que l'on écrivait ; il gardait
un esprit critique, voire sévère, mais capable d'admiration. Lui-même ne publiait rien ; il travaillait depuis
1941 à une œuvre de longue haleine : *le Journal du Colonel de Maumort.* « Je crois tenir là, écrivait-il à Gide,
un sujet foisonnant. Tout peut y trouver place : des pensées de tous ordres sur l'actualité ; les méditations d'un
vieillard cultivé sur le monde et la vie, les portraits des
gens qu'il a connus, les aventures qu'il a traversées....
Maumort doit être très différent de moi ne fût-ce que

par sa formation d'esprit, sa carrière militaire... Dans la tradition du Luce de *Jean Barois* — mais mâtiné de Lyautey. »

Il espérait en faire un livre-somme, puis tomba en panne. La forme « mémoires » le gênait. Il savait (disait-il) composer une scène, non analyser un sentiment. (Ecole de Tolstoï et non de Proust). Que serait Natacha, se demandait-il, si nous ne la connaissions qu'à travers un « Journal du Prince André » ? Je le sentais chaque année plus réticent sur son nouvel ouvrage. « J'ai passé l'âge des grandes entreprises » disait-il. Pourtant je trouvais son jugement intact, son honnêteté intellectuelle aussi rigoureuse que jamais. Peut-être jouissait-il secrètement du plaisir de ne pas publier : « Quel incomparable apaisement : écrire un posthume ! » Il assista, en février 1951, aux derniers moments d'André Gide et publia en 1951 des *Notes sur André Gide,* puis en 1955 de courts souvenirs autobiographiques. Il mourut presque subitement dans sa propriété du Tertre, à Bellême, en août 1958.

II

Jean Barois n'est peut-être pas une œuvre d'art, mais c'est un livre qui a ému toute une génération de Français. Pourquoi ? Parce qu'il posait quelques-uns des problèmes essentiels de notre temps. Roger Martin du Gard avait placé en tête de son roman une reproduction de l'*Esclave enchaîné* de Michel-Ange. Jean Barois est en effet un homme qui essaie de briser des chaînes, d'échapper à un esclavage et de dominer la vie. Il échoue, mais non sans avoir donné à d'autres des raisons d'espérer. Les deux grands moments de sa lutte sont : *a)* Une crise religieuse. Barois, né catholique, essaie de se dégager de la foi et de ne plus accepter que les disciplines de la science. *b)* L'Affaire Dreyfus. Celle-ci avait été, pour les Français, de 1895 à 1905, l'occasion de prendre parti ; « romancée » dans *Jean Barois,* elle émut les lecteurs parce qu'elle agitait encore les esprits.

Le procédé technique employé par Martin du Gard dans son premier grand livre, le roman dialogué, n'était pas entièrement nouveau (Abel Hermant et d'autres s'en étaient servis) mais il avait rarement été utilisé jusqu'alors pour des sujets sérieux. *Jean Barois* est un roman écrit en somme comme une pièce de théâtre, mais sans le souci de la durée. L'avantage de cette technique, c'est d'être simple et de délivrer le romancier de certaines contraintes. Paul Valéry avait dit un jour qu'il ne composerait jamais de romans parce qu'il ne pourrait se résoudre à écrire : « *Oui* », *dit la Marquise en se le-*

vant... » Il eût été, par le roman dialogué, dispensé de cette humiliation. En outre Martin du Gard, dans *Jean Barois,* met en œuvre des éléments réels, scènes du procès de Rennes, articles de journaux, sans transposition. Ce sont là des facilités que l'auteur, dans les *Thibault,* se refusera.

Jean Barois a été un enfant fragile, orphelin de mère, que se disputaient une grand-mère très religieuse et un père, savant athée. Pendant son adolescence, il est pieux, d'autant plus ardemment qu'il aime une jeune fille bourgeoise et dévote, Cécile Pasquelin. Au moment des premiers doutes, il est tenté d'accepter le compromis, si vulnérable, du christianisme symbolique, mais la conversion *in extremis* de son père, les fiançailles avec Cécile resserrent les liens de Barois avec le catholicisme. Il se marie et devient professeur de sciences naturelles dans un collège religieux. Là il éprouve bientôt un grand trouble de conscience parce que ses supérieurs lui interdisent d'enseigner le transformisme. A un ami prêtre, il écrit : « Je ne nie pas l'importance historique du christianisme, mais il faut loyalement avouer aujourd'hui qu'il n'y a plus rien de vivant à tirer de ces formules. »

Cette crise religieuse provoque une crise conjugale. Cécile supplie Jean de venir avec elle à l'église :

CECILE. — *Tu ne peux pas me refuser ça.*

JEAN, lui prenant les poignets. — *Tu ne comprends donc pas ce que tu veux me faire faire ? Tu es donc aveugle à ce point que tu ne vois pas la laideur du geste que tu me proposes ? Tu sais bien, n'est-ce pas, que je ne crois pas à l'efficacité de cette prière, de ce cierge ? Alors ? Veux-tu me contraindre à jouer la comédie ?... Je ne m'oppose pas à tes croyances, mais laisse-moi libre des miennes.*

CECILE, dans un cri. — *Ah ! Ce n'est pas la même chose !*

Bientôt Jean Barois en vient à penser qu'un homme

qui tient à rester maître de ses pensées ne devrait pas être marié. Un peu plus tard, il doit rompre avec le collège, parce que le directeur a blâmé son enseignement. Cécile le quitte. Elle ne divorce pas, parce qu'elle tient le mariage pour indissoluble, mais se sépare de son mari. A ce moment celui-ci se croit enfin un homme libre et fonde, avec quelques amis, une revue, *Le Semeur,* qu'ils mettent sous le patronage d'un grand écrivain : Marc-Elie Luce, fils d'un pasteur sans église, sénateur socialiste, « sans aucun credo confessionnel », un mélange de Jaurès et de Zola. Luce lit les premiers numéros du *Semeur,* reçoit Barois et lui dit : « Je suis touché de votre admiration, mais vous êtes des sectaires. » Barois et ses amis se glorifient en effet d'être intransigeants. Luce leur conseille la tolérance.

Survient l'Affaire Dreyfus ; Luce, Barois et leurs amis sont pour Dreyfus. Longs combats. Victoire. Mais cette victoire est un affreux désappointement pour les mystiques du dreyfusisme (Voir Péguy). Ils sont étonnés et effrayés par le monstre qu'ils ont enfanté. Les hommes que leur mouvement a mis au pouvoir ressemblent par bien des côtés à ceux qu'ils ont renversés. Les nouveaux maîtres ne valent pas mieux que les anciens. Les honnêtes mystiques du mouvement en jugent les profiteurs avec sévérité : « Notre humble et tenace drapeau », dit Luce, « ils nous l'ont arraché des mains pour le brandir ostensiblement à notre place... Et aujourd'hui, au lendemain de la victoire, ce sont eux qui occupent en maîtres le terrain. Voulez-vous me permettre une distinction qui m'est chère : nous étions une poignée de dreyfusistes, et maintenant ils sont une armée de dreyfusards. »

Jean Barois, devenu un militant de l'anticléricalisme, prêche une libre pensée agressive. Mais un jour, il est écrasé par un tramway et au moment où il croit qu'il va mourir, il balbutie malgré lui : « Je vous salue, Marie, pleine de grâce... » Quand il a repris conscience et se souvient de cette faiblesse, il a peur de ce qui demeure au plus profond de lui-même et il écrit un testament intellectuel : « Je ne crois pas à l'âme humaine, substantielle et immortelle... Je crois au déterminisme universel et que notre dépendance est absolue... Je suis certain que la science, en apprenant aux hommes à savoir ignorer, procure à leurs consciences un équilibre qu'aucune foi n'a jamais su leur offrir... »

Mais il y a désormais en lui une fêlure. Autour de lui, Barois voit grandir une nouvelle génération de jeunes hommes qui, par réaction contre le romantisme anarchique de leurs aînés, reviennent à un catholicisme dogmatique et à une politique traditionnelle. La propre fille de Barois et de Cécile, Marie, veut prendre le voile. Barois lui-même hésite. Au crépuscule de sa vie, il mesure le néant de la science : « J'en ai assez des négations scientifiques ! Elles n'ont pas plus d'autorité pour nier que d'autres pour affirmer... » Méditations. Déchéance physique. Puis, un jour, il appelle un prêtre : « Alors je vous ai fait venir, mon ami, pour me confesser... »

Un peu plus tard il meurt, terrifié, en criant : « L'Enfer ! » et en écrasant le crucifix sur ses lèvres. Cécile prie près du cadavre, ouvre un tiroir, découvre le testament de l'athée. Elle lit : « Je ne crois pas à l'âme immortelle... Je crois au déterminisme universel... » Elle jette les feuillets au feu. Une flamme claire illumine la chambre.

Roman qu'il était naturel d'écrire après la controverse entre Anatole France et Brunetière, après les débats, alors récents et passionnés, sur la faillite de la science. Celle-ci apporte-t-elle des valeurs spirituelles qui puissent remplacer celles de la religion ? Est-elle compatible avec les dogmes du christianisme ? Martin du Gard n'essaie pas de répondre à ces questions, mais il met en scène des êtres qu'elles tourmentent ; il les pose avec hauteur, avec dignité, et avec une intelligence bien informée des deux aspects opposés du problème. On peut regretter que Luce, qui nous est donné comme l'un des grands esprits de sa génération, n'ait pas une pensée plus claire, une doctrine plus définie. Mais le génie est toujours difficile à mettre en scène. Balzac lui-même n'y a pas réussi. « Le génie peut tout créer — sauf le génie. »

Il importe de noter la considérable influence que Martin du Gard exerça sur Gide. Celui-ci, qui restait déchiré par le conflit entre son éducation religieuse et le scepticisme de son âge mûr, trouva dans l'athéisme tranquille, sans remords comme sans hargne, de son ami un point d'appui et une certitude. Gide avait cherché, en vain, à s'affilier au catholicisme, au communisme ; il n'avait pu croire ni à l'un ni à l'autre. Il se reposa en Martin du Gard.

Phénomène curieux : Gide juge Martin du Gard comme artiste et se sait supérieur, mais lui dit : « Ne vous désolez pas de ne pas être un artiste. Nous (*le groupe de la N.R.F.*) le sommes infiniment trop... Dites-vous bien que les grands créateurs atteignent à l'art par leur création même, sans l'avoir voulu, sans le savoir. » (C'était ce que Flaubert disait de Balzac.) Martin du Gard, lui, juge l'homme Gide, qu'il aime, mais dont il voit le jugement faussé par une conduite déréglée. L'indiscrétion de Gide, ses manies, ses lubies le choquent. Et même la nature de son talent. « Se défier des stylistes ! Pour tromper sur l'originalité de leur pensée, pour habiller de neuf des idées qu'on a souvent rencontrées ailleurs, ils n'ont pas leurs pareils. » On sait que cette mutuelle et sévère franchise fit une amitié féconde pour les deux hommes.

III

Ce fut l'ambition de plusieurs romanciers de notre époque que de peindre une fresque de leur temps. Ambition assez neuve, inconnue en d'autres siècles où toute tentative de « somme » eût été plutôt théologique, phisophique ou encyclopédique ; ambition due pour une part aux remarquables réussites de Balzac et de Tolstoï, pour une autre au développement des civilisations de masses. Martin du Gard n'a choisi ni l'individu centre (*Jean-Christophe*), ni le groupe uni par une idée (*Les Hommes de Bonne Volonté*) ; il a construit son roman-fleuve autour d'une famille, ou plus exactement autour de deux familles : les Thibault, catholiques, et les Fontanin, protestants. L'opposition de ces deux disciplines religieuses lui apparaît comme jouant encore, au vingtième siècle, un grand rôle dans la société française — et cela reste vrai.

Dans les *Rougon-Macquart* de Zola, le lien familial était assez lâche et artificiel, parce que le clan s'y trouvait étendu jusqu'aux arrière-cousins. Dans les *Thibault*, la famille étant limitée au père, à ses deux fils, Antoine et Jacques, et tout à la fin à un petit-fils, nous savons de manière assez précise ce que sont les Thibault, grands bourgeois français et catholiques. Ils ont des qualités communes : puissance de travail, volonté, ténacité ; et des défauts communs : orgueil intellectuel, violence, obstination. « Les Thibault peuvent vouloir », dit orgueilleusement Antoine à Jacques. « Et c'est pour ça que les

Thibault peuvent tout entreprendre. Dépasser les autres !
S'imposer ! Il le faut. Il faut que cette force, cachée dans
une race, aboutisse enfin ! »

Non seulement l'armature du roman est différente de
celle des *Hommes de Bonne Volonté,* mais la matière,
elle aussi, est d'une tout autre nature. Ce qui intéresse
Romains, c'est surtout la peinture des ressorts secrets de
la société : églises, sociétés secrètes, affaires, érotisme.
Pour Martin du Gard, le problème central demeure celui
qu'il se posait déjà dans *Jean Barois :* Quel est le sens de
tout cela ? A quoi servent tant de souffrances ? Et même
tout cela a-t-il un sens ?

Quant à la construction générale du roman, elle est
très libre. Martin du Gard ne suit pas dans le temps,
de manière continue, ses personnages. Il traite avec beaucoup de détails quelques épisodes que séparent de longs
silences. Avec Gide il partage le goût des faits divers
et des personnages étranges. Dans toute la première partie du livre, l'histoire et la société n'interviennent que
peu ou point. La toile de fond est incolore. Peut-être parce que, pour l'être jeune, le développement de l'individu
compte seul. Vers la fin de la série au contraire, la guerre, la révolution internationale passent au premier plan.
Antoine et Jacques Thibault s'intègrent dans leur temps.
Les individus sont écrasés. Le monde continue, indiffé-
rent.

Il faut indiquer, brièvement, les épisodes essentiels.
Dans *Le Cahier gris,* nous apprenons à connaître la
famille Thibault : le père, membre de l'Institut, tout-
puissant dans les œuvres catholiques, autoritaire et
dévot ; les deux fils : Antoine, jeune médecin ; Jacques,
encore lycéen. Le jour où commence le récit, Jacques
n'est pas rentré du lycée. Un cahier gris découvert dans
son pupitre révèle une amitié passionnée entre le jeune
Thibault et Daniel de Fontanin, jeune protestant. Rien
de plus difficile que de peindre des adolescents ; rien
de plus juste que cette peinture. Très délicat aussi, et
très vivant, le portrait de Madame de Fontanin, mère de
Daniel. Cette sainte huguenote a pour époux un libertin,

Jérôme de Fontanin. Daniel, le fils, sera plus tard tout semblable à son père, mais la jeunesse masque encore de ses chairs molles l'âpreté des passions.

Dans le volume suivant, *Le Pénitencier,* Jacques, pour le punir de cette fugue (et de son intimité avec un protestant), a été placé par son père dans une colonie pénitentiaire. Antoine, ayant l'impression que Jacques, en cette pieuse maison, est maltraité, s'y rend à l'improviste et ne trouve rien de ce qu'il attendait ; il y voit un Jacques éteint, soumis, apathique, brisé, mais par quoi ? Antoine découvre peu à peu que son frère est lentement détruit par la paresse, par la solitude morale, la promiscuité et la crainte des êtres bas dont il dépend. Lorsque Antoine veut décrire cette situation à son père, il se heurte au diabolique orgueil des Thibault et au fanatisme du vieillard. Antoine tient bon. Il dit de lui-même : « Ce bougre-là a une volonté indomptable. » Il sauve Jacques, mais celui-ci sera désormais en conflit constant avec sa famille et sa classe. Antoine et Jacques ont la même force, celle des Thibault, mais chez Antoine la force est naturellement accordée à la société ; chez Jacques, elle s'emploie contre la société.

La Belle Saison : Antoine découvre, avec une superbe Juive, Rachel, le bonheur des sens. Il n'a aucun sentiment du péché. Jacques, après avoir été reçu à l'Ecole Normale, se brouille avec Daniel. Il a eu des « flirts », comme on disait alors, avec Jenny de Fontanin, sœur de Daniel, et avec une petite orpheline quarteronne, Gize, élevée dans la maison Thibault et considérée par les deux frères comme une sœur. Après sa brouille avec les Fontanin, Jacques disparaît et pendant longtemps sa famille ne sait où il est. Antoine cependant devient un excellent médecin, fier de son métier, précis, efficace, et capable de bonté envers ceux qui souffrent, parce que la bonté est encore une forme de soins (*La Consultation*). Tout ce qui, dans le roman, concerne l'activité professionnelle d'Antoine, est remarquable.

Un jour, par un ami, professeur de Jacques à l'Ecole Normale, Antoine découvre une nouvelle, *La Sorellina,* publiée sous un pseudonyme mais qui ne peut avoir été écrite que par Jacques. Celui-ci vit à Lausanne, assez heureux, dans un milieu de révolutionnaires, et il espère devenir un écrivain. La nouvelle éclaire Antoine sur Jacques. Le héros de la nouvelle aime sa sœur (Gize) d'un amour incestueux, et une autre jeune fille (Jenny) d'un amour intellectuel. Bien qu'Antoine lui-même ne soit pas très bien traité dans *La Sorellina*, il garde toute son affection à Jacques et va le chercher en Suisse pour le ramener au chevet de leur père agonisant. *La Mort du Père* est un livre impitoyable. La maladie et la déchéance physique de Monsieur Thibault sont décrites avec une cruelle minutie. Cela pour montrer l'humiliation totale de l'orgueil par la maladie, et la misère de la condition humaine. Sermon laïque et terrifiant. Enfer palpable.

« Qu'ai-je connu de lui ? » songe Antoine. « Une fonction, la fonction paternelle... Un pontife social, considéré et craint. Mais lui, lui, l'être qu'il était quand il se retrouvait seul en présence de lui-même, qui était-il ? Je n'en sais rien... Et de moi, que savait-il ? Moins encore. Rien !... » Entre ce père et ce fils, aucun langage pour communiquer, aucune possibilité d'échanges : deux étrangers !... « Et il est trop tard », conclut Antoine « C'est fini, à tout jamais... » Ce qui nous ramène au *Désert de l'Amour* et à la tragique impossibilité de communiquer, si bien décrite par Mauriac.

Eté 1914. Jacques, après la mort de son père, est retourné vivre en Suisse parmi des révolutionnaires internationaux qui sont ses amis, qui sentent venir la guerre et qui luttent pour la rendre impossible. Violemment hostile à sa classe, la bourgeoisie, Jacques serait prêt à tout sacrifier pour « la cause ». Malgré *La Sorellina*, ou plutôt à cause de ce petit livre, il sait qu'il ne sera jamais un grand artiste. L'art eût fourni une soupape à ses passions, mais ayant échoué comme artiste il se lancera dans l'action révolutionnaire avec toute la violence d'un Thibault. Il éprouvera d'immenses déceptions. Les opinions d'une homme ne préjugent rien de sa valeur morale. Il n'y a pas au monde (découvre-t-il) des révolutionnaires et des bourgeois, les uns blancs, les autres noirs ; il y a, comme disait Aristide Briand, « des mufles et des non-mufles », des politiques et des mystiques. Hors quelques apôtres et quelques bons techniciens, Jacques Thibault, bourgeois de naissance, vaut mieux que ses camarades. C'est lui qui veut le plus sincèrement lutter contre l'imposture, l'intolérance, l'esprit de classe, le crime de guerre. Le patron du groupe, Meynestrel, se révèle chef indigne, impuissant, et dévirilisé par sa déficience physique. Cet annihilé est nihiliste. Il ne cherche pas vraiment à maintenir la paix.

En fait, les révolutionnaires n'empêchent pas la guerre d'éclater et Jacques, après une brève aventure avec Jenny retrouvée, meurt, au cours d'une vaine expédition en avion, entreprise pour jeter des tracts pacifistes sur les armées. Mort triste, affreuse, inutile — aussi cruellement traitée par l'auteur que celle du père Thibault. Un épilogue termine l'ouvrage. Daniel, qui était devenu comme son père un homme de plaisir, a été, au cours de la guerre, mutilé de la façon la plus douloureuse. Antoine, mortellement gazé, suit en lui-même, médecin lucide, les progrès de la destruction des cellules. Il trouve pourtant quelque consolation à voir grandir le fils que Jenny a eu de Jacques : Jean-Paul Thibault. Regardant ce gosse de trois ans se lancer rageusement à l'assaut d'un talus, Antoine songe, non sans complaisance :

« L'énergie des Thibault ! Chez mon père, autorité, goût de domination... Chez Jacques, impétuosité, rébellion... Chez moi, opiniâtreté... Et maintenant ? Cette force, que ce petit a dans le sang, quelle forme va-t-elle prendre ? »

Jean-Paul s'était de nouveau lancé à l'attaque, avec tant d'intrépidité rageuse qu'il avait presque atteint le sommet du talus. Mais le sol s'effritait sous ses pieds et il allait une fois de plus perdre l'équilibre, lorsqu'il saisit une touffe d'herbes, parvint à se retenir, donna un dernier coup de reins et se hissa sur la plate-forme.

« Je parie qu'il va se retourner pour voir si j'ai vu »,

211

pensa Antoine. Il se trompait. Le gamin lui tournait le dos et ne s'occupait pas de lui. Il se tint une minute sur le faîte, bien campé sur ses petites jambes. Puis, satisfait sans doute, il descendit tranquillement par l'un des plans inclinés et, sans même jeter un regard en arrière sur le lieu de son succès, il s'adossa à un arbre, retira une de ses sandales, secoua les cailloux qui y étaient entrés et se rechaussa avec application. Mais comme il savait qu'il ne pouvait boutonner lui-même la patte de cuir, il vint vers Antoine et, sans un mot, lui tendit son pied. Antoine sourit et, docilement, rattacha la sandale.

— *Maintenant nous allons rentrer à la maison, veux-tu ?*

— *Non !*

« *Il a une façon très personnelle de dire : « Non ! » remarqua Antoine. « Jenny a raison : c'est moins un désir de se dérober à la chose particulière qui lui est demandée qu'un refus général, prémédité... Le refus d'aliéner la moindre parcelle de son indépendance, pour quelque motif que ce soit !* » *Antoine s'était levé :*

— *Allons, Jean-Paul, sois gentil. L'Oncle Dane nous attend. Viens... Tu vas me montrer le chemin* — *reprit Antoine, pour tourner la difficulté. (Il se sentait fort gauche dans ce rôle de Mentor).* — *Par quelle allée va-t-on passer ? Par celle-ci ? Par celle-là*

Il voulut prendre l'enfant par la main. Mais le petit, buté, avait croisé ses bras sur ses reins :

— *Moi, ze dis : non !*

— *Bien !* — *fit Antoine.* — *Tu veux rester là, tout seul ? Reste !*

Et il partit délibérément, dans la direction de la maison dont on apercevait entre les troncs le crépi rose, enflammé par le couchant. Il n'avait pas fait trente pas qu'il entendit Jean-Paul galoper derrière lui pour le rejoindre. Il résolut de l'accueillir gaiement, comme s'il n'y avait pas eu d'incident. Mais l'enfant le dépassa en courant et, sans s'arrêter, lui jeta insolemment au passage :

— *Moi, ze rentre ! Parce que, moi, ze veux !* »

Je veux... Que reste-t-il d'autre, en ce monde affreux, que la volonté ? Antoine va mourir. Jusqu'à la dernière minute, il note les symptômes et ses impressions :

« *17.* — *Morphine. Solitude. Silence. Chaque heure me*

sépare davantage, m'isole. Je les entends encore ; je ne les écoute plus.

Elimination des fragments devenue presque impossible... Comment viendra-t-elle ? Voudrais rester lucide, écrire encore, jusqu'à la piqûre.

Pas acceptation. Indifférence. Epuisement, qui supprime la révolte. Réconciliation avec l'inévitable. Abandon à la souffrance physique.

Paix.

En finir.

18. — Œdème des jambes. Grand temps, si je veux encore pouvoir. Tout est là. Etendre la main. Se décider.

Ai lutté toute cette nuit.

Grand temps.

Lundi 18 novembre 1918, — *Trente-sept ans, quatre ans, neuf jours.*

Plus simple qu'on ne croit.

Jean-Paul. »

Le sang Thibault continuera sa vaine bataille.

IV

Est-il possible, de l'œuvre de Martin du Gard, de dégager une philosophie ? Je crois que l'auteur répondrait : « Si vous le pouvez, je suis perdu. » Car il semble penser, comme Flaubert, qu'une œuvre d'art ne doit rien prouver. « Le monde est ainsi », nous dit-il. « Des êtres humains ont été tels que je les peins. » Telle est l'attitude du romancier pur.

Cependant, d'une part les êtres que peint ce romancier ont, eux, des croyances, des idées sur la vie, faute de quoi ils ne seraient pas des hommes ; et d'autre part il est impossible que, du spectacle de leur vie, le lecteur ne tire pas, lui aussi, quelques idées générales. Nous ne sommes pas dans le même état physique, sentimental, spirituel, après une lecture des *Thibault* et après une lecture de la *Recherche du Temps Perdu*. Ne fût-ce que par le choix des épisodes qui l'intéressent, chaque romancier crée un univers particulier qui lui est propre, qui a ses lois, ses problèmes, et sa morale.

Quel est l'univers de Martin du Gard ? Ce n'est certainement pas celui de Mauriac où un perpétuel combat, dont le salut est l'enjeu, se livre entre la Chair et l'Esprit, mais où l'homme peut être sauvé par la Grâce. Est-ce le monde des *Hommes de Bonne Volonté* ? Il y a, dans les *Thibault*, beaucoup d'hommes de bonne volonté. Jacques est l'un d'eux ; Antoine se conduit, en toute circonstance, aussi bien qu'on peut l'exiger d'un honnête homme. Les femmes, dans l'amour, s'y montrent capables de dévouements sans limites. Les enfants orphelins qui forment un ménage où l'aîné prend soin du plus jeune sont deux charmantes figures. Les médecins, très nombreux dans les *Thibault,* font honnêtement leur métier et l'abbé Vécard le sien. Oui, certainement, Martin du Gard reconnaît, comme Jules Romains, qu'il y a en ce monde nombre d'hommes qui respectent leurs obligations et qui s'acquittent, parfois au prix de leur vie, sans aucun espoir de récompense terrestre ou supra-terrestre, de ce qu'ils croient être leur devoir.

Mais les monstres, dans son œuvre, foisonnent. Il éprouve, comme Gide et Mauriac, le besoin de peindre des limaces humaines, des êtres visqueux, douteux, vulgaires, tel Monsieur Faismes, le directeur du pénitencier de Crouy, ou Monsieur Chasles, le secrétaire du vieil Oscar Thibault, ou la sœur de charité qui soigne celui-ci. Monsieur Thibault lui-même est un monstre, qui se croit religieux, mais qui n'est qu'un mélange déplaisant d'égoïsme, de fanatisme et de vanité. Et pourtant Monsieur Thibault, dans sa jeunesse, a été un être sensible, capable d'aimer ; les lettres que retrouve Antoine le prouvent ; mais l'âge, la réussite, l'argent, ont tué en lui la générosité, comme peut-être les mêmes causes l'auraient tuée un jour en ses fils, qui lui ressemblent, si tous deux n'étaient morts jeunes.

Jamais Martin du Gard ne condamne les monstres qu'il dessine. L'artiste n'est pas un juge. Le romancier n'est pas un juré. Bien plutôt observe-t-il ses monstres comme un naturaliste étudierait des spécimens remarquables. Que Rachel soit absolument amorale paraît naturel à Martin du Gard. Lorsqu'il peint, dans *Vieille France,* un village dont les habitants sont haineux, faux et durs, il le fait sans tremblement et sans regret. Il sait que presque tous les hommes sont en proie à des instincts auxquels ils ne peuvent résister. Certains, plus adroits ou plus heureux, parviennent à donner à ces instincts des masques de vertus. Les autres s'abandonnent au péché. Ont-ils tort ? L'auteur ne le dit pas. Et même je ne crois pas qu'il le pense. « Le péché, c'est ce qui permet de palper les choses et d'avancer. » Vous vous indignez ? Etes-vous donc si pur vous-même ? Il y a très peu d'êtres normaux. Sans doute la société édicte une loi moyenne, mais presque toute l'humanité vit en-deçà ou au-delà de cette frontière. « Dès que nous sommes seuls, nous agissons comme des fous. »

Comme Pascal et Mauriac, Martin du Gard semble se complaire à humilier l'homme dans son corps. C'est par là que le savant rejoint le chrétien. Mais le chrétien montre la misère du corps pour relever la condition de l'âme. Le médecin constate l'esclavage de l'esprit et la tyrannie de ce corps misérable. Martin du Gard se plaît à nous montrer un ministre qui, avant d'être reçu en audience avec éclat par un souverain, doit consacrer une heure aux soins les plus répugnants. Il est certain qu'il y a, dans ces contrastes violents, quelque chose de fort qui rappelle la beauté des danses macabres du Moyen Age. L'homme a une telle facilité à s'évader en des abstractions nobles et fausses, qu'il est sain de lui replonger, de temps à autre, le nez dans son ordure.

Parmi toutes les disciplines humaines, celle que Martin du Gard traite avec le plus de respect, c'est la science. Dans *Jean Barois,* le savant apparaissait comme un saint laïque, incapable de trahir la vérité. Il était alors curieux d'observer que Martin du Gard, si sceptique en matière de religion, accordait une excessive déférence aux hypothèses scientifiques, même lorsqu'elles prétendaient passer au rang d'articles de foi. Dans les *Thibault,* son scepticisme s'étend (légitimement) à la science elle-même. Les vrais savants se refusent à faire de la science une religion. L'un des personnages des *Thibault,* le docteur Philip, veut laisser seuls en présence, dans certains cas, la nature et la maladie. Pourtant le médecin, et de manière générale le savant, ont appris, par expérience, qu'ils peuvent avoir sur les phénomènes pathologiques une action limitée, mais efficace. Les « recettes » de la science réussissent. Elle n'est ni omnisciente, ni infaillible, mais la méthode scientifique demeure la seule petite lumière qui nous permette de voir un peu clair en cette

216

immense et hostile obscurité. Telle est la philosophie
d'Antoine Thibault.

En politique, Jacques, le héros lyrique, a cru longtemps à la méthode révolutionnaire ; il a espéré, en toute
sincérité, imposer la paix par la révolte ; Martin du Gard
a pour lui de l'affection, et même du respect ; il n'en
montre pas moins l'échec total de Jacques et le fait mourir découragé. Antoine, médecin, appliquerait instinctivement à la politique les méthodes de la science. Il cherche des remèdes ; mais il ne croit pas plus possible de
maîtriser entièrement la guerre que de supprimer à tout
jamais la maladie. « Les hommes qui réclament tous la
paix », pense-t-il, « sont-ils sincères ? Ils la réclament
dès qu'elle est compromise. Mais leur intolérance réci-
proque, leurs instincts combatifs, la rendent précaire dès
qu'ils l'ont. Rejeter la responsabilité des guerres sur les
gouvernements et sur les politiciens, bien sûr ! Mais ne
pas oublier, dans cette responsabilité, la part de la nature humaine. »

Si Antoine croit au progrès moral de l'homme, il admet
qu'il faudra des milliers d'années d'évolution pour vaincre la sauvagerie primitive : « Ah ! j'ai beau me battre
les flancs, je ne parviens pas à trouver, dans une si loin-
taine perspective, de quoi me consoler d'avoir à vivre
dans la faune vorace du monde actuel... » En attendant
l'homme demeure une brute sanguinaire. Qu'est-ce donc
qui l'arrête pendant les périodes de paix intérieure et
extérieure ? La timidité, la crainte des conséquences, les
instincts d'un animal social qui ne peut vivre sans l'appui et l'approbation de la horde ?... Oui, sans doute, mais
Antoine sent bien que ce n'est pas tout, et ce problème
d'une loi morale le tourmente :

> « *D'abord, c'est un fait : la morale n'existe pas pour
> moi*. On doit... On ne doit pas... *Le* Bien, *le* Mal, *pour
> moi, ce ne sont que des mots ; des mots que j'emploie
> pour faire comme les autres, des valeurs qui me sont
> commodes dans la conversation ; mais, au fond de moi,
> je l'ai cent fois constaté, ça ne correspond vraiment à
> rien de réel. Et j'ai toujours été ainsi... Non ! Cette der-*

*nière affirmation est de trop. Je suis ainsi depuis... »
(L'image de Rachel passa devant ses yeux). « ... depuis
longtemps en tout cas... » Pendant un instant il chercha
de bonne foi à démêler sur quels principes se réglait sa
vie quotidienne. Il ne trouvait rien. Il hasarda, faute de
mieux : « Une certaine sincérité ?... » Il réfléchit et pré-
cisa : « Ou plutôt une certaine clairvoyance ?... » Sa
pensée était encore confuse, mais sur le moment il fut
assez satisfait de sa découverte. « Oui. Ce n'est pas
grand'chose, évidemment. Mais quand je cherche en moi,
eh bien ! ce besoin de clairvoyance, c'est malgré tout un
des seuls points fixes que je trouve... Il se pourrait bien
que j'en aie fait, sans y penser, une sorte de principe
moral à mon usage... Cela se formulerait ainsi : Liberté*
complète, à la condition de voir clair... *C'est assez dangereux, en somme. Mais cela ne me réussit pas mal. Tout
dépend de la qualité du regard. Voir clair... S'observer
de cet œil libre, lucide, désintéressé, qu'on acquiert dans
les laboratoires. Se regarder cyniquement penser, agir. Se
prendre exactement pour ce qu'on est. Comme corollai-
re : s'accepter tel qu'on est... Et alors ? Alors je serais
bien près de dire : Tout est permis, du moment qu'on
n'est pas dupe de soi-même ; du moment qu'on sait ce
qu'on fait, et, autant que possible, pourquoi on le fait ! »*

*Presque aussitôt il sourit aigrement : « Le plus dérou-
tant, c'est que, si l'on y regarde attentivement, ma vie —
cette fameuse liberté* complète, *pour laquelle il n'y a ni
bien, ni mal — elle est à peu près uniquement consacrée
à la pratique de ce que les autres appellent le Bien. Et
tout ce bel affranchissement, il aboutit à quoi ? A faire,
non seulement ce que font les autres, mais plus particulièrement ce que font ceux que la morale courante
appelle les meilleurs... »*

*Tout à coup il jeta sa cigarette et s'arrêta, songeur :
« N'est-ce pas étrange ; si l'on y pense ? Ce sens moral,
que j'ai expulsé de ma vie et dont je me sentais, il n'y
a pas une heure, radicalement affranchi, voilà que je viens
de le retrouver en moi, brusquement ! Et non pas réfugié
en quelque repli obscur et inexploré de ma conscience !
Non ! Epanoui au contraire, solide, indéracinable, s'éta-
lant à la place principale, en plein centre de mon énergie
et de mon activité : au cœur de ma vie professionnelle !
Car il ne s'agit pas de jouer sur les mots : comme méde-*

*cin, comme savant, j'ai un sens de droiture absolument
inflexible, et, sur ce point-là, je crois bien pouvoir dire
que je ne transigerai jamais... Comment concilier tout
ça ? Bah ! » se dit-il, « Pourquoi toujours vouloir concilier ?... » En fait il y renonça vite et, cessant de penser
avec précision, il s'abandonna lâchement au bien-être,
mêlé de fatigue, qui peu à peu l'engourdissait. »*

En somme Antoine en arrive à découvrir en lui-même
deux personnes distinctes, l'une consciente, raisonnante,
agissant d'après des principes qu'elle s'est faits au cours
des années, par lectures, expérience et réflexion ; l'autre,
spontanée, instinctive, qui surgit soudain dans les
moments importants, qui prend les décisions capitales,
et qui, si étrange que ce soit, reconnaît une loi morale :

*« D'assez bonne heure (dès ma première année de
médecine), sans accepter aucun dogme religieux ou philo-
sophique, j'étais assez bien arrivé à concilier toutes mes
tendances, à me confectionner un cadre solide de vie, de
pensée ; une façon de morale. Cadre limité, mais je ne
souffrais pas de ces limites. J'y trouvais même un sentiment de quiétude. Vivre satisfait, entre les limites que je
m'étais assignées, était devenu pour moi la condition
d'un bien-être que je sentais indispensable à mon travail.
Ainsi, très tôt, je m'étais commodément installé au centre de quelques principes — j'écris principes à défaut de
mieux ; le terme est prétentieux et forcé — principes qui
convenaient aux besoins de ma nature et à mon existence
de médecin. En gros : une philosophie élémentaire
d'homme d'action, basée sur le culte de l'énergie, l'exercice de la volonté, etc. Je songe à quelques-uns des actes
les plus importants de ma vie. Je constate que ceux que
j'ai accomplis avec le maximum de spontanéité étaient
justement en contradiction flagrante avec les fameux
principes. A chacune de ces minutes décisives, j'ai pris
des résolutions que mon éthique ne justifiait pas. Des
résolutions qui m'étaient imposées soudain, par une force
intérieure plus impérieuse que toutes les habitudes, que
tous les raisonnements. A la suite de quoi, j'étais géné-
ralement amené à douter de cette éthique et de moi-
même. Je me demandais alors avec inquiétude : « Suis-*

je vraiment l'homme que je crois être ? » (*Inquiétude
qui, somme toute, se dissipait, et ne m'empêchait pas de
reprendre équilibre sur mes positions coutumières.*)
    *Ici, ce soir — solitude, recul — j'aperçois avec assez
de netteté que, par ces règles de vie, par le pli que j'avais
pris de m'y soumettre, je m'étais déformé, artificiellement, sans le vouloir, et que je m'étais créé une sorte de
masque. Et le port de ce masque avait peu à peu modi-
fié mon caractère originel. Dans le courant de l'existence (et puis, guère de loisir pour couper les cheveux en
quatre), je me conformais sans effort à ce caractère
fabriqué. Mais à certaines heures graves, les décisions
qu'il m'arrivait spontanément de prendre étaient sans
doute des réactions de mon caractère véritable, démas-
quant brusquement le fond réel de ma nature... »*

Ce qui importe, aux yeux d'un homme tel qu'Antoine
Thibault, c'est de garder un esprit libre et clair. Ne pas
se duper soi-même... Ne pas se laisser duper par les autres :

    *« Plus les pistes lui paraissent brouillées, plus l'hom-
me est enclin, pour sortir à tout prix de la confusion,
à accepter une doctrine toute faite qui le rassure, qui le
guide. Toute réponse à peu près plausible aux questions
qu'il se pose et qu'il n'arrive pas à résoudre seul s'offre
à lui comme un refuge, surtout si elle lui paraît accrédi-
tée par l'adhésion du grand nombre. Danger majeur,
Résiste ! Refuse les mots d'ordre ! Ne te laisse pas affilier ! Plutôt les angoisses de l'incertitude que le paresseux bien-être moral offert à tout adhérent, par les doc-
trinaires ! Tâtonner seul dans le noir, ça n'est pas drôle ;
mais c'est un moindre mal. Le pire, c'est de suivre
docilement les vessies-lanternes que brandissent les voi-
sins. Attention ! Que sur ce point le souvenir de ton père
te soit un modèle ! Que sa vie solitaire, sa pensée inquiète, jamais fixée, te soient un exemple de loyauté vis-à-vis
de toi-même, de scrupule, de force intérieure et de dignité... »*

Mais pourquoi tant de scrupules ? Pourquoi cet effort
pour maintenir une dignité si nous sommes de pauvres

animaux, soumis, à la surface d'une goutte de boue qui tourne en vain dans un espace infini, à des lois incompréhensibles ? Quel est le sens de tout cela ?

« *Impossible de se débarrasser intégralement de la question oiseuse : « Quelle peut être la signification de la vie ? » Moi-même, en ruminant mon passé, je me surprends à me demander : « A quoi ça rime ?... » A rien. A rien du tout. On éprouve quelque peine à accepter ça, parce qu'on a dix-huit siècles de Christianisme dans les moelles. Mais plus on réfléchit, plus on a regardé autour de soi, en soi, et plus on est pénétré par cette vérité évidente : « Ça ne rime à rien. » Des millions d'êtres se forment sur la croûte terrestre, y grouillent un instant, puis se décomposent et disparaissent, laissant la place à d'autres millions qui, demain, se désagrégeront à leur tour. Leur courte apparition ne rime à rien. La vie n'a pas de sens. Et rien n'a d'importance, si ce n'est de s'efforcer à être le moins malheureux possible au cours de cette éphémère villégiature... Constatation qui n'est pas aussi décevante, ni aussi paralysante qu'on pourrait le croire. Se sentir bien nettoyé, bien affranchi de toutes les illusions dont se bercent ceux qui veulent à tout prix que la vie ait un sens, cela peut donner un merveilleux sentiment de sérénité, de puissance, de liberté. Cela devrait même être une pensée assez tonique, si on savait la prendre... »*

Philosophie profondément pessimiste, mais qui n'est pas sans grandeur. Pour l'esprit sans religion, la lutte de l'homme au cours de « cette éphémère villégiature » apparaît assez vaine. Plus exactement, elle est vaine au regard de l'univers et d'un plan général du monde ; elle ne l'est pas au regard de l'individu. Notre vie, étroitement limitée dans le temps, si nous considérons l'immensité des âges, est infinie dans la durée si nous considérons notre propre conscience, car nous n'en connaîtrons jamais la fin. Tant que nous pourrons penser notre mort, nous serons vivants. L'accord de soi avec soi, dans une conscience, n'a sans doute aucune importance à l'échelle des phénomènes cosmiques. Elle est prodigieusement importante à l'échelle des phénomènes humains.

Nous avons besoin de notre propre approbation et d'une certaine cohérence de notre univers personnel. Cela suffit à faire de nous des êtres moraux, que nous le voulions ou non. Le cynique lui-même éprouve le besoin de justifier son cynisme. Pourquoi ? Pour maintenir un accord intérieur, faute duquel l'homme ne peut vivre. Et puis tout de même, dirait Antoine, il y a la science. Elle est imparfaite, mais elle *est*. Ce monde paraît fou, mais il obéit à des lois qui sont constantes et que le savant peut découvrir. Par quel miracle l'univers obéit-il à des lois constantes ? Nous ne le savons pas. Peu importe. Les lois sont des faits. Elles sont peut-être statistiques ? Nous ne savons rien des individus, hommes ou atomes ? Sans doute, mais la loi des grands nombres est encore une loi. Nous ne savons pas vaincre toutes les maladies ; nous savons lutter contre beaucoup d'entre elles ; nous savons, en certains cas, supprimer la douleur et rendre la mort plus douce. Qui oserait dire que cela est vain ? Si notre lumière n'éclaire qu'un étroit secteur, est-ce une raison pour la mettre sous le boisseau ?

Et ce qui est vrai de la médecine, dirait encore Antoine, l'est aussi de la politique. En ces matières, point de science véritable. Point de lois définies et stables. Point d'expérimentation possible. Est-ce une raison pour ne pas essayer quelque forme d'organisation raisonnable ? Antoine, bon médecin, ne veut jamais désespérer de l'efficacité d'un remède. Au moment de mourir, il met encore sa foi en Wilson et en la Société des Nations. Serait-ce enfin la cure de la guerre ? Nul ne le sait. Mais le médecin souhaite au moins que l'expérience soit tentée. On sait qu'elle l'a été deux fois, trop imparfaitement pour que l'on en puisse juger. La question doit être remise à l'étude. En ces matières, l'expérimentation est à l'échelle des siècles.

Dans tout ce qui précède, j'ai parlé de la philosophie d'Antoine Thibault, et non de celle de Martin du Gard. Car le romancier s'efface devant le roman et ne veut être que le « lieu » de ses personnages. Autant que l'on peut deviner — et l'on ne peut que deviner — Martin du Gard, nature bipolaire, oscilla longtemps entre Jacques, le révolté lyrique, et Antoine, le stoïque réaliste. Sa vie, comme celle de tant d'hommes, fut sans doute un long dialogue. Antoine, aux yeux de son créateur, n'est point du tout parfait. Son bonheur ne va pas sans égoïsme. Né bourgeois, ayant réussi, il tend à croire que la société où il a vécu est la meilleure possible en ce monde et que « chacun en somme peut choisir d'habiter un hôtel particulier rue de l'Université pour y exercer l'honorable métier de médecin » et y goûter la vie dans ce qu'elle a de bon. Martin du Gard sait que ce n'est pas vrai. Mais peu à peu Antoine découvre qu'il n'est pas seul au monde, que le sacrifice est un bonheur, que la générosité fait partie de sa nature, de ses besoins et il prend, dans le roman, tant d'ampleur et d'autorité qu'il est permis de penser qu'il a fait, de son créateur, un disciple.

Un homme s'est proposé, dès l'adolescence, non de dominer la vie, mais de la peindre. Il a donné son existence, avec la rigueur d'un bénédictin laïque, à la composition d'une immense œuvre romanesque. Il a été un réaliste et, si l'on veut, un naturaliste, mais un réaliste qui reconnaît dans la réalité la part et le rôle de l'esprit, et qui attache une légitime importance aux conflits moraux. Martin du Gard a pu apparaître à quelques critiques français comme un continuateur de Zola. Mais parce qu'il est affranchi du romantisme de Zola, et parce qu'il apporte à l'étude des conflits idéologiques de notre temps une intelligence mieux informée et plus libre de passions, au moins apparentes, il serait juste de le comparer aux grands romanciers russes. Roger Martin du Gard est, parmi les romanciers français, celui qui, par son œuvre, ressemble le plus à Tolstoï. « Mais, en même temps, dit Albert Camus, il est peut-être le seul (et en ce sens plus que Gide et Valéry) à annoncer la littérature d'aujourd'hui, à lui léguer les problèmes qui l'écrasent ; à autoriser aussi quelques-uns de ses espoirs. » J'ai connu l'homme, simple, mystérieux, modeste, fidèle, bien plus que Gide, à un jansénisme de l'art qui était l'idéal de tous deux. « Le difficile, écrivait-il, ce n'est pas d'avoir été quelqu'un, c'est de le rester. » Il le resta jusqu'au bout, avec une vertu « particulièrement lucide, qui absout l'homme de bien en raison de ses faiblesses, l'homme du mal à la faveur de ses élans généreux et tous deux en considération de leur appartenance passionnée à une humanité souffrante et espérante. »

JEAN ANOUILH

« L'honneur pour un auteur dramatique, dit
Anouilh, c'est d'être un fabricant de pièces.
Nous devons d'abord répondre à la nécessité
où sont des comédiens de jouer chaque soir
des pièces pour un public qui vient oublier ses
ennuis et la mort. Ensuite, si, de temps à autre, un chef-d'œuvre s'affirme, tant mieux ! »
Donc avant tout un artisan de théâtre, comme
Molière, comme Shakespeare. « Il fait des
actes comme d'autres font des chaises. » Il
n'écrit pas, comme Sartre, pour exposer une
métaphysique ou une politique, pour s'engager. Sans doute, ainsi que tout artiste, il im-
prime sur l'œuvre sa griffe. Au début il se
montre obsédé par l'idée de la pureté initiale
de l'enfance que souillent la pauvreté et les
compromissions qu'elle entraîne. Plus tard ses
héros se réconcilieront avec la vie et accepte-
ront, non sans peine, le monde tel qu'il est.
Le salut sera, pour une part, dans la fantaisie,
dans l'illusion ; pour une autre dans la pitié.
Par certains aspects Anouilh s'apparente à
Marivaux ; par d'autres à la tragédie grecque ;
par d'autres encore au théâtre du Boulevard.
Ses extravagantes duchesses, ses généraux en
retraite pourraient sortir de Flers et Caillavet.
Il connaît toutes les ficelles du métier et n'hé-

225

site pas à les tirer. Mais le mélange est original, le style poétique et familier. Les « couplets » d'Anouilh sont *écrits,* autrement, mais aussi fermement, que ceux de Musset ou de Giraudoux.

I

Jean Anouilh est né en 1910, à Bordeaux, d'une mère
violoniste (d'où peut-être sa connaissance de la vie des
orchestres de cafés et de casinos) et d'un père tailleur.
Il a fait ses études d'abord dans une école primaire
supérieure, puis à Paris au collège Chaptal. Après un an
et demi à la Faculté de Droit et deux ans dans une agen-
ce de publicité, il devient le secrétaire de Jouvet. Depuis
l'enfance le théâtre l'attirait. Au casino d'Arcachon où
un de ses parents était employé, il assistait à des opéret-
tes. Il aimait les comédiens, leurs emplois bien définis :
le comique ridicule, le jeune premier, l'ingénue, le traître. Excellente formation : un futur auteur dramatique
doit s'accoutumer à « voir gros ». A douze ans il commençait des pièces en vers et ne les achevait pas ; à
partir de quinze ans il lut Shaw, Claudel, Pirandello.
Avec Jouvet il ne s'entendit jamais et d'ailleurs le quitta
bientôt. Mais il avait reçu là une révélation : celle du
théâtre de Giraudoux (1).

Il a décrit son émotion, en 1928, un soir où Jouvet
jouait *Siegfried*. Au lendemain de la mort de Giraudoux,
il rappela cette soirée inoubliable où, petit jeune homme
exalté, il fit la découverte bouleversante du secret qu'il
cherchait et qu'il croyait perdu, celui de Marivaux et de
Musset : « Cher Giraudoux, qui vous le dira maintenant,
puisque je n'ai jamais osé ou voulu vous le dire, de

(1) Voir Robert de Luppé : *Jean Anouilh* (Editions Universitaires).

DE GIDE A SARTRE

quelle étrange rencontre du désespoir et de la joie la plus dure, de l'orgueil et de la plus tendre humilité, ce petit jeune homme qui dégringolait du poulailler de la Comédie des Champs-Elysées, était le lieu. » Emotion qui ressemblait, j'imagine, à celle que j'éprouvai naguère moi-même en lisant les nouvelles de Tchékhov, émotion de ces minutes où l'on se dit : « Ce que je rêve de faire, ce que je ne ferai sans doute jamais, quelqu'un l'a réussi, et c'est beau. »

« C'est alors qu'un incomparable printemps vint tiédir et fleurir avenue Montaigne... Je pourrais vivre cent ans, je crois que je ne reverrai jamais pareils marronniers, pareille douceur dans l'air. Quelques soirs j'ai côtoyé les dieux dans les lumières qui bleuissaient les feuilles par-dessous, dans cette perfection soudaine que prenait tout, pour moi, dans ce coin de Paris... A cause de vous, cette avenue et ce carrefour, isolés par des signes invisibles du milieu d'un quartier détestable, sont pour toujours les rues de mon village. » Trait caractéristique d'Anouilh : ayant reconnu en Giraudoux son maître, cet homme réservé ne chercha pas à le connaître et, le rencontrant, pour la première fois, en 1942, n'osa lui dire son admiration, sa tendresse.

Mais la leçon avait porté. Giraudoux avait appris à Jean Anouilh qu'on peut parler au théâtre « une langue poétique et artificielle, plus vraie que la conversation sténographiée. Je n'avais pas idée de ça ». Pourtant il avait bien lu Claudel qui, lui aussi, avait redécouvert le secret du langage théâtral, mais « Claudel était comme une grosse statue inaccessible, un saint de bois sur une montagne, à qui on ne pouvait rien demander ». Le « doux prince » Giraudoux semblait moins distant. La rencontre Anouilh-Siegfried est de 1928. Quatre ans plus tard Anouilh faisait jouer sa première pièce : L'Hermine, au théâtre de l'Œuvre.

Il épouse une actrice : Monelle Valentin et le départ est pris, au théâtre, avec une maîtrise qui, chez un homme si jeune (vingt-deux ans), étonne. L'Hermine c'est en somme la pièce dans laquelle, si les circonstances avaient été différentes, il aurait pu vivre le rôle du jeune homme en colère : Frantz. « Tous les jours, pour le geste le plus insignifiant, se heurter à ce mur : je suis pauvre... Nous sommes pauvres, Philippe ! C'est pour nous qu'on fait des livres de morale. Nous devons ramasser les aiguilles dans la rue et savoir qu'un sou est un sou. » Ainsi parle Frantz qui aime Monime, nièce de la duchesse de Granat, douairière richissime. Pour épouser Monime, Frantz voudrait être riche. Il a trop vu que la pauvreté salit. « Mon amour est une chose trop belle, j'attends trop de lui pour risquer qu'elle le salisse aussi. » Monime se dit prête à vivre dans la pauvreté : « Oh ! tu parles d'elle comme une petite riche... Depuis vingt ans, moi, je l'ai à mes trousses, comme une chienne hargneuse. Je sais que rien ne lui résiste, même pas la jeunesse. » Pour que Monime, pour que leur couple soit riche, il tuera la duchesse dont elle est la seule héritière. Les policiers le soupçonnent, mais un domestique à demi fou se dénonce. Frantz pourrait être sauvé. Seulement Monime, épouvantée par ce crime, lui crie : « Je te hais d'avoir exploité ce pauvre amour », et il se livre. Dernière réplique de Monime : « Je t'aime. » Il est trop tard.

C'est une pièce noire, très noire, où est exposé pour la première fois un thème essentiel de l'œuvre : la malédiction de la pauvreté. On pense à cette anecdote typique, hélas ! vraie : un mioche pauvre, qui meurt d'envie de monter sur les chevaux de bois, a dans la main les deux sous que son père lui a donnés *pour ça*, mais il est si pauvre *en dedans* qu'il ne peut pas.

Cette première pièce (*L'Hermine*) est peu giralducienne, non dépourvue de force, mais trop linéaire, sans éclairages poétiques. En 1937 la rencontre avec deux merveilleux metteurs en scène : Pitoëff qui monte *Le Voyageur sans bagage* et l'année suivante *La Sauvage* ; Barsacq qui crée *Le Bal des Voleurs,* achève de faire d'Anouilh un véritable auteur dramatique, c'est-à-dire un homme qui est mêlé « aux secrets travaux » du théâtre. Les grands metteurs en scène de notre temps ont à la

229

lettre *fait* de grands auteurs dramatiques. Sans Jouvet point de Giraudoux. A la mort de Pitoëff, Anouilh lui rendit hommage : « Nous n'étions que nous deux tranquillement assis l'un en face de l'autre sur nos chaises et, à mi-voix, vous peupliez d'un monde ce petit bureau... Nous nous souviendrons toujours de vous, qui faisiez surgir un camp de nomades dans le désert, la nuit, avec un rideau noir et deux montants de bois croisés sur lesquels s'accroupissait un mauvais comédien déguisé en Arabe (grâce à Dieu sait quel peignoir de bain). »

Après *La Sauvage* Anouilh est reconnu, très jeune, pour l'un des maîtres du théâtre moderne et les pièces se succèdent rapidement. Quand il les publiera en volume (et elles supportent parfaitement l'épreuve de la lecture), il les divisera en *pièces noires,* celles où transparaît une philosophie pessimiste de la vie, *pièces roses* où, malgré la noirceur des hommes, la comédie se termine par une acceptation de la vie, souriante ou résignée, *pièces brillantes* où la fantaisie triomphe, *pièces grinçantes,* très amères, burlesques et pénibles et enfin *pièces costumées* où l'histoire prend en charge les sentiments éternels, c'est-à-dire, *L'Alouette* (Jeanne d'Arc) *Becket ou l'honneur de Dieu, La Foire d'empoigne,* brève parade des revirements scandaleux qui accompagnèrent le retour de l'île d'Elbe, Waterloo et la Seconde Restauration.

Pol Vandromme (1) a remarqué très justement que cette dernière comédie, désabusée, « indique que le temps des comédies exaltantes, du panache et de la gratuité est révolu. La vie a beaucoup enseigné à Jean Anouilh, et d'abord qu'il importait de ne se méprendre sur rien, ni sur ses indignations, ni sur la folie de ses espérances, ni sur le monde ». Le théâtre de Jean Anouilh, et avec lui sa philosophie, ont lentement évolué vers une grâce qui rappelle, sur un tout autre ton, celle de Giraudoux. Il nous faut maintenant suivre cette évolution.

(1) Dans une excellente préface au *Théâtre* de Jean Anouilh.

II

La première vision du monde, dans le théâtre
d'Anouilh, apparaît très sombre. Au commencement était
la pureté, celle de l'enfance, parfois aussi celle des jeunes filles. Mais si l'enfance croit encore au bonheur, les
jeunes filles sont dures autant que pures. Déjà elles ont
compris l'affreux secret. Rien n'avilit, rien n'arrache les
êtres jeunes au paradis de l'enfance comme la pauvreté.
Dix fois Anouilh a montré que l'argent dresse un insurmontable obstacle au bonheur. Thérèse, protagoniste de
La Sauvage, est une jeune fille pauvre et fière, fille de
musiciens ratés ; elle est aimée de Florent, compositeur
de talent, et riche. Elle pourrait, elle devrait être heureuse, car elle aime Florent, mais comment briser avec
ses souvenirs, avec ses parents sordides, prêts à la vendre, avec les anciens compagnons de sa misère ? Elle
souffre quand Florent lui donne de l'argent pour acheter
des valises. Dans un mouvement de révolte, elle jette
les billets (geste qui sera répété, par une autre héroïne,
dans *L'Invitation au Château),* puis hélas ! elle les ra-
masse. « Je suis de cette race » dit-elle avec une douloureuse humilité.

Car pour l'Anouilh des pièces noires, il y a deux races :
les riches et les pauvres. Les riches ne sont pas nécessairement méchants. Ils sont hors de la vie ; ils ne savent
pas. « Tu es bon, mais tu ne sais rien », dit Thérèse
à Florent, et il répond : « Ce n'est pas facile d'apprendre à ne plus être heureux. » Et d'ailleurs les riches sont-

231

ils heureux ? « Chancrard le père (un sucrier millionnaire dans *Colombe*), ce qu'il voulait, lui, c'est être spirituel et il était bête comme un bout de bois. Il aurait
donné un million pour trouver un mot d'esprit tout seul.
Rien à faire. » Mais Florent, miracle d'aisance, joint le
génie à la richesse. Pour lui aucune blessure inoubliable.
Thérèse ne peut se plier à tant de bonheur. Elle méprise
ses parents et tout ce qui leur ressemble, mais elle ne
supporte pas le gaspillage inconscient des riches. A la
petite main que la grande couturière a envoyée pour
retoucher sa robe de mariée, elle dit : « Je te demande
pardon pour ma robe, Léontine. » Autrement dit : « Je
te demande pardon pour mon injuste bonheur, pardon
pour ma sécurité. »

Elle essaie en vain de s'accoutumer à une vie facile et
inhumaine : « Ah ! c'est une organisation merveilleuse
et redoutable que leur bonheur. Le mal devient un mauvais ange qu'on combat joyeusement pour se donner de
l'exercice... La misère, une occasion de se prouver sa
bonté en étant charitable... Le travail, un passe-temps
agréable pour les oisifs. » Oui, c'est une comédie étrange,
le bonheur hygiénique des riches, aux yeux de celle qui
a connu la sale pauvreté, et, bien qu'elle aime Florent,
Thérèse ne peut devenir citoyenne à part entière de ce
monde irréel. « *Il y aura toujours un chien perdu quelque part qui m'empêchera d'être heureuse* »... Et elle
part, toute menue, dure et lucide, pour se cogner partout
dans le monde. La pauvreté est incurable. Ce n'est pas
une revendication politique ; c'est une souffrance morale.
Les pauvres d'Anouilh n'ont pas une autre société à
proposer. Ils sont nihilistes. Le monde est mal fait et
il n'y a pas de solution.

Peut-être y en aurait-il une si on pouvait oublier. Si
Thérèse pouvait gommer son passé, son enfance souillée,
ses parents ignobles, son soupirant minable, alors elle
pourrait courir une chance nouvelle. Mais la mémoire est
aussi incurable que la pauvreté. Une autre obsession des
personnages du théâtre d'Anouilh, c'est le désir de changer de passé. L'amnésique ne connaît pas sa chance.

(D'où sans doute le choc éprouvé par Anouilh en voyant pour la première fois le *Siegfried* de Giraudoux qui est l'histoire d'un amnésique.) *Le voyageur sans bagage,* Gaston, a perdu la mémoire après la guerre de 1914-1918. Quatre cent familles se le disputent parce qu'il a une pension, un pécule. Quelle persécution ! Il était si tranquille, dans son asile, délivré de cette chose dévorante : un passé, un passé qu'on ne peut refaire.

Et voici qu'une dame d'œuvres l'amène dans la famille Renaud qui le réclame avec une particulière insistance. Cette famille prétend le reconnaître. Pour elle, il est « notre petit Jacques ». Peu à peu on lui révèle « ses souvenirs d'enfance », et ils sont horribles. Georges, son frère, est marié avec Valentine dont, lui, Jacques, aurait été l'amant. Juliette, la femme de chambre, il l'a prise quand elle avait quinze ans. Pour elle il s'est brouillé avec un ami qu'il a failli tuer en le poussant dans un escalier. Tous les témoignages prouvent que, s'il a réellement été ce Jacques, il fut un garçon libertin, cruel, massacrant les oiseaux avec sa fronde. Le foyer, empoisonné de haines, qu'on lui offre, lui fait peur. Mais Valentine le presse : « Ecoute, Jacques, il faut pourtant que tu renonces à la merveilleuse simplicité de ta vie d'amnésique. Ecoute, Jacques, il faut pourtant que tu t'acceptes... Tu vas redevenir un homme avec tout ce que cela comporte de tâches, de ratures et aussi de joies. »

S'il n'y avait aucune preuve, il rejetterait cet affreux passé. Il serait alors le seul homme auquel le destin aurait donné la possibilité d'accomplir le rêve de chacun : repartir à zéro. Mais la preuve existe. Valentine, qui fut sa maîtresse, lui a naguère déchiré le dos avec une épingle à chapeau. « Tu as une cicatrice sous l'omoplate gauche » dit Valentine. Seul dans sa chambre, il ôta sa chemise et regarda son dos. C'est vrai ; la cicatrice est là. Il n'a plus qu'une idée : échapper à ce milieu maudit. Or il se trouve que des Anglais funambulesques le réclament, eux aussi, parce qu'ils ont besoin, pour recueillir une succession, d'un neveu disparu. Jacques acceptera-t-il d'incarner le neveu ? Cette famille inconnue, pickwickienne, pure des poisons de la mémoire, lui plaît. Il s'agrège à ces étrangers qui ne lui sont rien, et laisse en partant ce message : « Vous direz à Georges Renaud que l'ombre de son frère dort sûrement quelque part, dans une fosse commune, en Allemagne. » Un homme vient d'échapper à ses souvenirs, aux obligations, aux haines, aux blessures. Le voyageur n'a plus de bagages.

Il y a une autre manière d'échapper à sa vie, c'est de la remanier, de créer un décor différent, de s'inventer un milieu, des parents, bref de faire, dans le réel, travail d'artiste. Anouilh se plaît à de telles mises en scène, à ce théâtre dans le théâtre, qu'aimait aussi Shakespeare (les comédiens d'*Hamlet, Le Songe d'une Nuit d'Eté*). Exemple : *Le Rendez-vous de Senlis*. Georges, homme marié, a pour maîtresse une jeune fille, Isabelle. Pour elle (et pour son plaisir) il s'est inventé des parents, un meilleur ami. Il a loué à Senlis, pour un soir, une maison qui sera « sa maison de famille » et il a engagé des comédiens qui joueront ses parents. Bref il a fait vivre ses désirs. Au dernier moment un coup de téléphone annonce qu'il « y a du pétard » à son vrai domicile. Sa femme menace de divorcer, de se tuer. Il doit y aller ; il part. Isabelle arrive et, par les figurants (maître d'hôtel, faux parents), elle apprend la vérité.

Ainsi c'est en vain que Georges avait réussi, pendant un acte, à se faire un bonheur imaginaire, libéré du passé et du présent social. Au second acte, le monde réel, la famille réelle, les amis réels viennent tout gâter. Isabelle, qui est la sagesse (comme certaines jeunes filles de Giraudoux), cherche à comprendre. « Pourquoi m'avez-vous menti ? — Vous me plaisiez, je n'allais tout de même pas vous avouer qui j'étais, pour faire tout rater de but en blanc. — Mais pourquoi cette comédie ce soir puisque je devais partir demain ? » Et Georges explique : « On commence par ne pas vouloir moins qu'une vie de bonheur... Après on accepte de se contenter d'un soir... Et puis tout d'un coup, on en arrive à trouver que c'est encore une oasis infinie, cinq minutes de bonheur. » A la fin la vraie famille, les amis s'en vont. Isabelle pousse un cri de joie : « Ils sont partis, Georges. — Oui, Isabelle. — Vous allez pouvoir vivre maintenant. — Oui, Isabelle, je vais pouvoir vivre. » Mais il le dit d'un tel ton que le spectateur comprend que l'évasion sera brève. Bientôt il va rejoindre les siens. S'il le fait, la pièce rose deviendra une pièce noire : « Une pièce rose, c'est le rêve qui devient vrai ; une pièce noire, c'est le retour à la réalité (1). »

Le rendez-vous de Senlis est important pour deux raisons : il reprend le thème du *Voyageur,* celui de l'homme qui veut échapper à son passé ; et il montre que l'auteur dramatique a droit à la fantaisie la plus folle. Au théâtre le manteau d'Arlequin, la rampe, « le fleuve rouge et or », tout crie au spectateur qu'il se trouve, pour trois heures, hors du monde. *Les jeux de l'amour et du hasard* ne sont pas plus vraisemblables que *Le Rendez-vous de Senlis.* Ces deux pièces sont des féeries créées par la fantaisie d'un personnage. Dans *Le Bal des Voleurs,* comédie-ballet, tous les personnages sont complices et c'est à la faveur d'un bal masqué qu'opèrent les voleurs. Nous retrouverons plus tard ce thème du travesti dans *Pauvre Bitos ;* les personnages acceptent, pour un dîner de têtes, de représenter les héros de la Révolution française et, sous ces masques, ils se livreront. Le bal masqué ne permit-il pas, en d'autres siècles, toutes les intrigues et toutes les folies ? L'objectif reste le même : changer, devenir un autre, celui que l'on voudrait être.

Eurydice est une variation sur le thème de l'indestructible passé. Ici point d'obstacles de classe, ni de fortune, à l'amour. Orphée est fils d'un musicien ambulant, Eurydice la fille de comédiens pauvres. Ils se rencontrent dans un buffet de gare et s'aiment à première vue, d'un bel amour qui illumine le monde. Comme Levine fiancé, dans Anna Karénine, Orphée trouve soudain *tout* extraordinaire et beau : « Regardez... Comme la caissière est belle avec ses deux gros seins posés délicatement sur le marbre

(1) Robert de Luppé.

du comptoir. Et le garçon ! Regardez le garçon... C'est vraiment un soir extraordinaire, ce soir ; nous devions nous rencontrer et rencontrer aussi le garçon le plus noble de France. Un garçon qui aurait pu être préfet, colonel, sociétaire de la Comédie-Française. » C'est l'amour fou. Orphée quitte son vieux père, Eurydice sa mère et sa troupe. On les retrouve au second acte dans une chambre d'hôtel ; ils sont amants.

Ils voudraient, pour leur bonheur, un climat de pureté. Mais que c'est difficile ! Cette fois pas d'obstacles de classe. Tous deux ont la même honte de leurs ridicules parents. Seulement il y a les souvenirs. Et ceux d'Eurydice sont ignobles. Elle a été la maîtresse de l'affreux directeur de la troupe, d'autres encore. « Alors, une supposition, si on a vu beaucoup de choses laides dans sa vie, elles restent toutes dans vous ?... Mais on n'est jamais seule, alors, avec tout cela autour de soi. On n'est jamais sincère, même quand on le veut de toutes ses forces... Si tous les mots sont là, tous les sales éclats de rire, si toutes les mains qui vous ont touchée sont encore collées à votre peau, alors on ne peut jamais devenir une autre. »

Et c'est la tragédie d'Eurydice. Elle voudrait redevenir propre et nette pour son bel amour. Mais l'amour peut-il être beau ? Le garçon d'hôtel, qui vient faire la chambre, homme de triste expérience, ne le croit pas. « J'en ai vu passer dans cette chambre, couchés sur ce lit, comme vous tout à l'heure. Et pas rien que des beaux. Des trop gras, des trop maigres, des monstres. Tous usant leur salive à dire « notre amour ». Quelquefois, quand le soir vient comme maintenant, il me semble que je les vois tous ensemble. Ça grouille. Ah ! c'est pas beau l'amour ! » Et pourtant Orphée croit en elle et lui chante le plus tendre chant : « Je ne croyais pas que c'était possible de rencontrer un jour le camarade qui vous accompagne, dur et vif, porte son sac et n'aime pas non plus faire des sourires. Le petit copain muet qu'on met à toutes les sauces et qui, le soir, est belle et chaude comme vous. » Le petit soldat qui est en même temps une femme. Rêve de tant d'hommes.

Oui, ce serait la poésie de l'amour, celle qu'Eurydice voudrait vivre. Mais comment ? Il y a ce passé dont rien ne peut la purifier. Pas même l'aveu car, en peignant le mal, on le fait une seconde fois. Le couple ne pourrait rester parfait que si chacun renonçait à connaître l'autre. Tel est, pour Anouilh, le sens du mythe antique. Il ne faut jamais regarder Eurydice : « Oh ! s'il te plaît, mon chéri, ne te retourne pas, ne me regarde pas... A quoi bon ? Laisse-moi vivre... Ne me regarde pas. Laisse-moi vivre. »

Mais elle meurt et, comme dans la légende, il ne peut la ramener à la vie que s'il renonce à la regarder en face. Il n'en a pas la force. « Parce qu'à la fin c'est intolérable d'être deux ! Deux peaux, deux enveloppes, bien imperméables autour de nous, chacun pour soi bien enfermé, bien seul dans son sac de peau. » En vain les amants veulent être une même chair. La pureté et l'union éternelle ne sont possibles que dans la mort, ce qui est la tragique leçon de *Tristan et Yseult*, et celle de *Roméo et Juliette* qu'Anouilh reprendra dans *Roméo et Jeannette*. La puissance dramatique des vieux mythes enrichit la condition humaine de la noblesse des souffrances millénaires.

III

Antigone est encore une pièce noire, mais qui, à cause des circonstances, et aussi de l'importance du problème, évoque de puissantes résonances. Jouée pendant la guerre (en 1942), elle permit, à l'abri de la légende, de libérer des sentiments alors violents. La révolte gratuite d'Antigone contre Créon, le pouvoir établi, c'était aussi la révolte d'un pays captif contre les décrets de ses maîtres. Antigone sera la pureté absolue, l'enfance avant la souillure, le refus du bonheur. La Sauvage (Thérèse), et Eurydice, fuyaient le bonheur, faute de pouvoir laver la souillure initiale ; Antigone le fuit pour l'honneur : « Antigone, c'est la petite maigre qui est assise là-bas et ne dit rien. Elle regarde droit devant elle ; elle pense. Elle pense qu'elle va être Antigone tout à l'heure, qu'elle va surgir soudain de la maigre fille noiraude et renfermée que personne ne prenait au sérieux dans la famille et se dresser seule en face du monde, seule en face de Créon son oncle, qui est le roi. Elle pense qu'elle va mourir, qu'elle est jeune, et qu'elle aussi, elle aurait bien aimé vivre. Mais il n'y a rien à faire. Elle s'appelle Antigone et il va falloir qu'elle joue son rôle jusqu'au bout. »

Son rôle, nous le connaissons par la tragédie de Sophocle. Antigone a deux frères : Etéocle et Polynice ; ils se sont battus en deux camps opposés ; Etéocle pour Thèbes, Polynice contre Thèbes. Tous deux ont été tués. Créon a interdit d'enterrer Polynice, le traître. Que son ombre erre éternellement sans sépulture ! Quiconque tentera de recouvrir de terre ce cadavre maudit sera mis à mort. Antigone, fiancée d'Hémon, fils de Créon, aime son fiancé et ne souhaite pas mourir. Pourtant elle sort au matin afin d'ensevelir son frère. Les gardes, qui étaient de service près de la tombe et qui se sont endormis, font leur rapport au roi. « Et voilà. Maintenant le ressort est bandé. Cela n'a plus qu'à se dérouler tout seul. C'est cela qui est commode dans la tragédie, on donne le petit coup de pouce pour que cela démarre... C'est tout. Après on n'a plus qu'à laisser faire. On est tranquille. Cela roule tout seul. C'est minutieux, bien huilé pour toujours. » Oui, et bien huilé pour Anouilh comme pour Sophocle. Seulement le ton est différent. Il faut revenir aux deux mots qui définissent le mieux le style d'Anouilh : poétique et familier.

Les anachronismes, multipliés ici délibérément, ne sont en fait que des transpositions. Le garde se présente à Créon au garde-à-vous : « Garde Jonas, de la Deuxième Compagnie... On est trois, chef ; je ne suis pas tout seul. Les autres, c'est Durand et le garde de première classe Boudousse. » Ces gardes sortent tout droit de Courteline. Créon, lui, c'est l'homme d'Etat qui ne connaît que son devoir : maintenir l'ordre. « C'est le roi. Il a des rides, il est fatigué. Il joue au jeu difficile de conduire les hommes. » Sa seule faute, c'est de ne pas comprendre qu'au-dessus des lois humaines, il y a la loi divine ou la loi morale. Il n'aime pas l'idée de tuer Antigone, la fille d'Œdipe, la petite princesse maigre aux sourcils noués. « L'orgueil d'Œdipe. Tu es l'orgueil d'Œdipe, dit Créon à Antigone, tu as dû penser que je te ferais mourir... Te faire mourir ! Tu ne t'es pas regardée, moineau ! Tu es trop maigre... Tu me prends pour une brute, mais je t'aime bien tout de même avec ton sale caractère. » Créon a compté sans l'entêtement héroïque d'Antigone. « Vous allez me faire tuer sans le vouloir. Et c'est cela, être roi ! — Oui, c'est cela. »

Créon plaide la cause du chef : « Il faut pourtant qu'il y en ait qui mènent la barque. elle prend l'eau de toutes parts, c'est plein de crimes, de bêtises, de misère... Et le gouvernement est là qui ballotte... Et le mât craque et le vent siffle... Crois-tu alors qu'on ait le temps de faire le raffiné... Est-ce que tu le comprends, cela ? » Antigone secoue la tête : « Je ne veux pas comprendre. C'est bon pour vous. Moi je suis là pour autre chose que pour comprendre. Je suis là pour vous dire non et pour mourir. » On imagine l'écho que devaient trouver de telles répliques aux temps de la Résistance ; elles le trouvent encore, même après la fin de l'occupation, car le débat entre les pénibles devoirs du chef et la révolte de l'homme libre ne cessera jamais. Dans la tragédie, on est tous innocents. Créon voudrait rattacher Antigone à la vie. Tout serait alors si simple : « La vie, c'est un livre qu'on aime, c'est un enfant qui joue à vos pieds, un outil qu'on tient bien dans sa main, un banc pour se reposer le soir devant sa maison... Tu vas me mépriser encore... La vie, ce n'est peut-être tout de même que le bonheur. »

Le bonheur ? Quelle femme heureuse deviendra-t-elle si elle cède, la petite Antigone ? A qui devra-t-elle mentir, à qui sourire, à qui se vendre ? Elle choisit la mort parce que la vie est trop laide, les gardes trop vulgaires, sa sœur Ismène trop prudente. Au fond elle choisit la mort parce qu'elle a peur de la vie et craint la dégradation du bonheur. Elle choisit la mort comme Camille (dans *On ne badine pas avec l'amour*) est prête à choisir le couvent parce que la jeunesse ne veut pas d'un compromis avec la vie. Pourquoi ce sacrifice ? Encore une fois par soif de pureté, par exigence de perfection, par horreur de « votre sale espoir ». Les héros favoris d'Anouilh (et ce sont surtout des héroïnes), bien qu'ils ne soient pas chrétiens, ont la vocation du martyre (1). Parce que, comme le disait la Sauvage « il y aura toujours un chien perdu quelque part » (ou une âme errante) qui les empêchera d'être heureux. A quoi cela les mène-t-il ? A rien. Seulement il y a deux sortes d'êtres : ceux qui savent composer avec la vie et ceux qui en sont incapables.

(1) J. B. Barrère.

IV

Antigone est l'amorce d'un virage. Pièce noire, encore, bien sûr, puisque Antigone, par un acte gratuit, viole les décrets de Créon pour trouver refuge dans la mort, et pourtant pièce équitable. « Jean Anouilh y dit presque adieu à la Sauvage, lui donne une réplique digne d'elle. Ce qu'il veut, ce n'est pas l'éloigner de lui, mais la rapprocher d'un Anouilh moins sectaire... plus indulgent. Il conservera toujours de la tendresse pour ces animaux désagréables, mal embouchés, pour cette jeunesse péremptoire et importune qui continue à rôder dans son œuvre ; mais il donnera la parole à des vérités moins étroites, moins improbables, des vérités sans mépris, d'une humilité pleine de douceur et de silence (1). » Antigone, dans son dernier message, regrette son intransigeance : « Oh ! Hémon, notre petit garçon. Je le comprends seulement maintenant combien c'était simple de vivre. » Hélas ! On le comprend lorsqu'on est près de la mort.

Et maintenant place aux *pièces brillantes. L'Invitation au Château,* c'est, comme *Le Rendez-vous de Senlis,* une féerie mise en scène par quelques personnages, féerie qui tourne mal, puis finit assez bien. Une fois de plus la pureté et l'amour face à la corruption et à l'argent, mais sur un mode moins violent que dans les pièces noires. *Colombe,* comédie ravissante, vraie parce que toute bai-

(1) Pol Vandromme.

241

gnée dans l'atmosphère du théâtre, qu'Anouilh connaît si bien, brille de tous les feux de la scène. Madame Alexandra, monstre sacré, sorte de Sarah Bernhardt égocentrique et superbe ; *Poète-Chéri*, l'académicien ordinaire de Madame Alexandra ; l'habilleuse ; le secrétaire ; tous vivent et parlent comme ils doivent. Colombe, la petite fleuriste happée par le théâtre, un peu effarée au début, mais si naturelle, se voit déchirée entre les deux fils de Madame Alexandra, Julien qui est la Terreur et la Vertu, un Robespierre des coulisses, amoureux grave, blessé de tout et Armand, bon garçon, camarade amusant, qui se fait aimer de sa belle-sœur pendant que son frère est soldat, ce qui n'est pas très beau.

Mais attention ! Anouilh ne prend pas le parti de Julien. Il peint avec sympathie son grand amour déçu : « Pauvre petite Colombe de deux sous... Je t'aimais, moi, comme un petit garçon aime sa mère... Pour le bon et pour le mauvais, pour les scènes et pour les silences... » Une chère grande âme blessée, voilà le rôle qu'il joue, ce Julien. Cependant Colombe n'est pas dupe. Que croyait-il qu'elle était quand il l'a rencontrée ? « Un ange, n'est-ce pas, tu l'as cru ? Un ange dans une boutique de fleuriste, avec les vieux beaux qui viennent chaque jour se faire mettre des boutonnières. Tu as déjà entendu parler de ça, toi ?... Et le patron dans le sous-sol où l'on fait les corbeilles, et le garçon livreur, tu crois que c'était des anges aussi. Garde-la si tu veux, ta Colombe en sucre d'orge, mais cette Sainte-Nitouche-là, je peux bien te dire que tu l'as rêvée tout éveillé, comme tout le reste. »

Et Madame Alexandra qui, dans son vieux cerveau de monstre sacré, a jugé bien des choses, désapprouve son fils Julien. Il se plaint d'être seul ? « Tu seras toujours seul parce que tu ne penses qu'à toi. » Les vrais égoïstes, dit Madame Alexandra, ne sont pas ceux qui, comme Armand, monnayent leurs petits plaisirs au jour le jour. « Ceux qui sont redoutables, c'est ceux qui empêchent que cela tourne rond sur la terre, ceux qui veulent absolument les donner, leurs tripes... Ils en reprennent à poignées pour nous les offrir... Et nous, on s'y empêtre, on s'y étrangle dans leurs tripes. On est comme les enfants du pélican. On ne leur en demande pas tant. On n'a plus faim ! »

Colombe n'a plus faim de Julien ; elle ne l'aime plus. Dans un adroit retour en arrière, il revoit les débuts de leur amour. « Toujours, toujours » disait-elle alors. « Toujours, toujours » disent-elles toutes. Et puis un jour elles filent. C'est ainsi et il ne faut pas en faire un malheur cosmique. « Jean Anouilh ne s'est pas renié ; il n'a pas sali consciemment la robe d'innocence de ses premiers personnages ; il a, simplement et magnifique-ment, appris à vivre (1). » Et Colombe, petite fille inconstante, conclut : « Ah ! mon pauvre biquet ! Tu ne le sauras sans doute jamais, mais si tu pouvais te douter comme c'est facile, la vie — sans toi ! Comme c'est bon d'être soi enfin, telle que le bon Dieu vous a faite ! »

La Répétition ou l'Amour puni sera, suivant un pro-cédé cher à l'auteur, du théâtre dans du théâtre. Les hôtes d'un château décident de jouer *La Double Incons-tance* de Marivaux. Le Comte, meneur de jeu, explique la pièce, une pièce terrible, « je vous demande de ne pas l'oublier ». Sylvia et Arlequin, dans Marivaux, s'ai-ment sincèrement. Le prince désire Sylvia. Les personna-ges de la cour vont faire en sorte que Sylvia aimera le prince et qu'Arlequin aimera Flaminia. « C'est propre-ment l'histoire élégante et gracieuse d'un crime. » Telle est aussi proprement l'histoire de *La Répétition ou l'Amour puni,* car la jeune fille, nièce de l'homme d'affai-res de la Comtesse, qui jouera Sylvia, trouble le Comte comme Sylvia le prince, et elle aussi sera victime d'un crime. Une jeune fille séduite, histoire banale en somme, mais renouvelée par l'évocation de Marivaux et semée de digressions brillantes sur le théâtre, le style, les comé-diens.

« Le naturel, le vrai, celui du théâtre, est la chose la moins naturelle du monde, ma chère. N'allez pas croire

(1) Pol Vandromme.

qu'il suffit de retrouver le ton de la vie. D'abord dans la vie le texte est toujours si mauvais ! Nous vivons dans un monde qui a complètement perdu l'usage du point-virgule, nous parlons tous par phrases inachevées, avec trois petits points sous-entendus, parce que nous ne trouvons jamais le mot juste. Et puis le naturel de la conversation, que les comédiens prétendent retrouver : ces balbutiements, ces hoquets, ces hésitations, ces bavures, ce n'est vraiment pas la peine de réunir cinq ou six cents personnes dans une salle et de leur demander de l'argent, pour leur en donner le spectacle. Ils adorent cela, je le sais, ils s'y reconnaissent. Il n'empêche qu'il faut écrire et jouer la comédie mieux qu'eux. *C'est très joli la vie, mais cela n'a pas de forme.* L'art a pour objet de lui en donner une précisément et de faire, par tous les artifices possibles — plus vrai que le vrai. » Ce qui constitue une philosophie du théâtre, exacte et profonde.

Anouilh range *La Répétition* et *L'Hurluberlu* parmi ses pièces brillantes, et il est vrai qu'elles étincellent, mais elles sont aussi, déjà, diablement grinçantes. *L'Hurluberlu* ne manque pas de drôlerie, mais le comique en est douloureux. Un général, le plus jeune de l'armée, a été limogé, sous l'accusation de manque de loyalisme envers le régime républicain ; il trouve la France «véreuse » et conspire pour la rendre saine. « Nous la regardons tous mourir comme des corniauds. Nous sommes ses fils, nous avons regardé les vers s'y mettre, et nous sommes là à nous demander, autour de son lit de mort, si nous changerons notre automobile ou si nous réussirons à frauder le fisc cette année... Encore un peu plus de confort, c'est notre cri de guerre !... Ça nous a remplacé Montjoie-Saint-Denis. » Il n'est pas dénué de bon sens, ce général ; il voit où le goût de la facilité nous a menés ! « A la musique sans se donner la peine d'en faire ; au sport qu'on regarde ; aux livres qu'on ne fait même plus l'effort de lire (on les résume pour vous, c'est tellement plus commode et plus vite fait), aux idées sans penser, à l'argent sans suer, au goût sans en avoir (il y a des magazines spécialisés qui s'en chargent). Truquer ! Voilà l'idéal. Je vais vous dire, docteur, c'est une morale de vers ! C'est eux qui nous ont appris ça, peu à peu. »

« Pourquoi tant de sarcasmes ? lui dit le Curé. Mais ce n'est pas de la haine, c'est de la peine. Alors il conspire. Oh ! une pauvre conspiration avec son curé, son docteur, un quincaillier ancien combattant, et deux amis. Cela ne peut mener à rien. Mais le Général n'a pas besoin d'espérer pour entreprendre. L'Hurluberlu est homme d'honneur, et tout lui claque dans la main. Petit garçon, il avait vu ça autrement. Maintenant le monde crève d'être facile. Il veut que tout redevienne difficile, que rien ne soit plus gratuit, qu'on s'appelle « Monsieur » et non « mon coco ». L'Hurluberlu prend position contre la démocratie. Pourquoi le pouvoir du nombre ? « Deux imbéciles, c'est un imbécile plus un autre imbécile. Ce n'est toujours pas sacré. »

Dans le camp opposé David Edward Mendigalès, jeune homme richissime, millionnaire d'avant-garde, pousse la Générale, femme charmante, à la frivolité, mais à la frivolité métaphysique. Une fois de plus il y aura théâtre dans le théâtre et les personnages monteront une pièce, « un antidrame », choisi par David Edward qui le commente : « Le décor ne représente rien... En scène Julien et Apophasie. Ils sont assis par terre, accroupis l'un près de l'autre. Ils ne se disent rien. Ils ne bougent pas. Ce silence doit se prolonger jusqu'à la limite de résistance du spectateur. (Il explique). J'ai vu représenter la pièce à Paris ; c'est un moment de théâtre extraordinaire et d'une audace bouleversante ! C'est la première fois, dans l'histoire du théâtre, qu'on levait le rideau et que, le rideau levé, il ne se passait rien. Il y a là quelque chose qui vous prend à la gorge ; c'est le néant de l'homme, soudain, son inutilité, son vide. C'est d'une profondeur vertigineuse !... (Il continue à lire.) Au bout d'un moment, quand l'angoisse est devenue insoutenable, Julien bouge enfin et se gratte. (Il explique). Là, c'est une cruauté folle ! Nous avons vu l'homme : son néant, sa vacuité, et

245

quand enfin il fait un geste, le premier, c'est pour se
gratter... Vous sentez ? »

Nous sentons... Le ver est dans le fruit ; la bêtise
règne ; les mystificateurs gagnent toutes les parties ; le
Général se révolte contre la pièce, contre David Edward,
contre tout. Ses amis le lâchent, ses amis, et même, timi-
dement, sa charmante femme qu'il adore. Il se fait
« descendre », d'abord par David Edward, d'un coup de
poing au menton, puis par le laitier, qui le traite de fas-
ciste, d'un coup de tête dans l'estomac. Il ne lui reste
pour appui que son petit garçon, Toto, qui accourt : « Il
t'a fait mal, papa. — Toto, les coups ne font pas mal.
C'est une idée qu'on se fait. » L'Hurluberlu est courageux, mais il est vaincu, et c'est assez triste parce qu'au
fond il a raison. Il ne lui reste plus qu'à jouer la comédie. « Tu verras en grandissant, Toto, que dans la vie,
même quand ça a l'air d'être sérieux, ce n'est tout de
même que du guignol. » Ce qui est peut-être une vérité,
une amère vérité — et un grincement.

V

Les « Pièces grinçantes » : *Ardèle ou la Marguerite,*
La Valse des Toréadors, Ornifle, Pauvre Bitos, L'Orches-
tre, La Grotte, grincent de manière moins aimable La
satire l'emporte sur la pitié. Le mal est partout. Toutes
les femmes ont des amants ; tous les maris le savent et
le tolèrent. Tous les vieillards sont libidineux ; tous les
jeunes hommes le savent et s'en moquent. Les généraux
sont des généraux de vaudeville. Leur comique, c'est que,
mis à la retraite, ils donnent encore des ordres : « Garde
à vous !... Repos ! » Les imbéciles obéissent. Les généraux eux-mêmes obéissent. Les généraux eux-mêmes n'y
croient guère. Ils jouent les vieilles badernes et au fond
de leur cœur, ils regrettent le lieutenant qu'ils ont été.
Dans les pires moments, le général de Saint-Pé fait
appel, pour se donner du courage, au lieutenant Saint-
Pé » sorti second de Saumur, volontaire », ce jeune héros plein d'honneur.

Et il a grand besoin de courage, le général de Saint-Pé,
car sa vieille épouse, alitée, demeure follement jalouse.
De son lit, parce qu'elle craint, non sans raison, qu'il
n'explore les jupes de quelque soubrette, elle crie tout
le long du jour : « Léon ! Léon » et nul ne sait plus,
dans la maison, si ce cri animal est celui du paon ou
celui de la folle. Le secret du bonheur ? Ce serait de ne
pas aimer. « Il y a très peu d'amour dans le monde ;
c'est pour cela qu'il roule encore à peu près. L'amour
maladif d'Amélie vous est insupportable, mais si vous

n'aimiez pas votre femme, ou si du moins vous ne l'aviez pas aimée, vous seriez à la terrasse d'un café, bien tranquille, avec une autre. L'amour vous a comblé, un soir ou dix ans, maintenant il vous faut payer la note. »

La note est lourde, La générale guette, guette toujours. « J'ai guetté, j'ai tellement guetté pendant tant de jours que j'ai appris à reconnaître celles que tu désirais, à les renifler comme toi, avant toi quelquefois. » Ardèle, vieille sœur du général, se tue avec le bossu qu'elle aime, couple affreux, passion ridicule. La pièce se termine par une parodie de l'amour qu'improvisent deux enfants : Toto et Marie-Christine. Ils commencent par imiter les adultes. « Ma chérie. — Mon amour adoré. — Ma chère femme, comme je t'aime. — Et moi donc, mon petit mari chéri. — Pas plus que moi, mon amour. — Si, dix fois plus. » Le jeu finit comme celui des grands, par des injures : « Non, je te dis que c'est moi, sale idiote ! Puisque c'est moi qui t'aime le plus. — Non c'est moi... Sale brute ! Chenille verte ! Crétin ! » Premiers débuts dans la grinçante comédie de l'amour.

La Valse des Toréadors reprend les mêmes thèmes : horreur de l'amour, obsession sexuelle des hommes, hypocrisie et jalousie des femmes. « La médecine devrait trouver le moyen de les faire dormir éternellement. » Mais tout cela se passe à la Belle Epoque. « Et puis rien n'est sérieux, dit Anouilh, les tragédies de ce temps-là sont des farces. » Il a employé « les vieux trucs de vaudeville », ressuscité ses marionnettes. Toutefois le vaudeville était gai parce que les marionnettes n'avaient plus rien d'humain. Aux personnages d'Anouilh il reste, même quand ils grincent, assez d'humanité pour souffrir — et nous faire souffrir. La générale de Saint-Pé reparaît, terrible. Elle hait son général. « Alors pourquoi tant de larmes, de reproches ? » demande-t-il. « Parce que tu es à moi, Léon. Tu es à moi, tu entends ? — pour toujours — si lamentable que tu sois. Tu es à moi comme ma maison, comme mes bijoux, comme mes meubles, comme ton nom. Et je n'accepterai jamais, quoi qu'il arrive, que ce qui est à moi soit à d'autres. »

Et c'est ça, l'amour ? Le pauvre général emploie les mêmes mots qu'Orphée. Il se plaint des romanciers. « Qu'est-ce qu'ils racontent alors dans leurs livres, tous ces jean-foutres qui nous décrivent des filles tendres, des fidélités infatigables. » « Les romanciers, répond le docteur, ont dû être de pauvres bougres comme les autres, qui nous ont raconté leurs rêves. » Puis, à la fin du cinquième acte, la pièce cesse de grincer ; elle devient presque rose. Le vieux général souffre d'être le témoin des amours des autres. C'est très pénible, de vieillir. Il dit doucement : Lieutenant Saint-Pé. Je veux vivre, moi, je veux aimer, je veux donner mon cœur, sacrebleu ! » Mais de ce vieux cœur qui voudrait encore ?

Les deux chefs-d'œuvre, parmi les pièces grinçantes, c'est *Ornifle* et *Pauvre Bitos*. Le nom d'Ornifle sonne comme celui de Tartuffe, mais le personnage ressemble plutôt à Don Juan. Ornifle est un « parolier », homme mûrissant, non sans talent, qu'adorent sa femme, sa secrétaire et toutes les petites théâtreuses qui viennent demander un rôle et qu'il entraîne sur un divan. Dur, léger, cruel même, il fait un « numéro » éblouissant. « Vous ne craignez pas de souffrir un jour d'être passé en dansant à la surface de toutes choses ? » Non, il ne se trouve pas plus vilain qu'un autre. Il lui arrive seulement de faire ce que les autres ont *envie* de faire. « Mon plaisir a pris pour un temps la forme de cette jeune fille, il ne l'a plus et je vais le chercher autre part. Voilà toute ma morale. C'est déjà assez difficile de s'amuser, s'il fallait en plus se faire des scrupules. » Oui, c'est Don Juan, et le Ciel, comme il fait en pareil cas, enverra quelqu'un ou quelque chose. Quelque statue du Commandeur.

Le Ciel envoie Fabrice, fils naturel qu'un jour sema Ornifle. Fabrice, jeune médecin, amoureux et fiancé, vient pour tuer Ornifle parce que celui-ci a jadis séduit sa mère. Ornifle s'écroule soudain. Fabrice, qui se retrouve aussitôt médecin, diagnostique une grave maladie de cœur. Les grands médecins appelés le nient, mais les grands médecins se trompent. Ornifle, malade, s'attendrit sur Fabrice et sur la fiancée de Fabrice : Marguerite. « Je deviens si bon que je risque d'être ennuyeux. » Il récite du Péguy :

> *Le jeune homme bonheur*
> *Voulait danser*
> *Le jeune homme honneur*
> *Voulut passer.*

Voilà. Il faut choisir. Le jeune homme bonheur ou le jeune homme honneur, et malheureusement ce n'est jamais le même. Ornifle a choisi, malgré une crise de vertu, fort brève, et il se met à faire la cour à la fiancée de Fabrice. « Je serai votre vieux jeune homme bonheur en somme et le soir vous retrouverez le jeune homme honneur que vous aimez. » Marguerite accepte le pacte. Ornifle s'étire de plaisir : « Ah ! que la vie est charmante. » Mais le Ciel veille. Ornifle sort. Le téléphone sonne. Crise cardiaque foudroyante. Dieu a gagné la belle.

De *Pauvre Bitos* j'ai déjà indiqué qu'un dîner de têtes (de têtes à couper) y devient le prétexte d'une comédie qui se joue sur deux plans : celui de la Révolution où l'on voit Bitos en Robespierre, et le fameux gendarme Merda ; et puis le plan du présent où Bitos est lui-même : substitut qui s'est montré impitoyable au temps de la Libération, petit boursier cafard qui se croit Robespierre et que ses riches ennemis persécutent. Ici tous les personnages, hors *une* femme, sont affreux. Bitos a fait fusiller des innocents ; il promène son fer rouge dans sa serviette. Tout le deuxième acte, celui que domine l'Histoire, est très beau. Par instant shakespearien. Les dialogues des guichetiers, les remords de Danton : « Oui, Saint-Just, je vieillis. Le sang commence doucement à m'écœurer. Et d'autres choses, de toutes petites choses de tous les jours, dont je ne soupçonnais même pas l'existence, se mettent à prendre de l'importance pour moi. — *Saint-Just* : On peut savoir quelles choses ? — *Danton* : Les métiers, les enfants, les douceurs de l'amitié et de l'amour. Ce qui avait toujours fait

250

les hommes jusqu'ici. — *Saint-Just* : En somme, un programme contre-révolutionnaire. »

A la fin reparaît le leitmotiv Pauvreté. Bitos devient, le temps d'une scène, sympathique. « Ce n'est pourtant pas ma faute si j'étais un petit garçon pauvre. Vous ne preniez rien au sérieux, et tout vous réussissait tout de même, toujours. Le monde des pauvres s'écroule si on ne prend pas tout au sérieux, c'est comme une gifle. » Et au moment où les riches comploteurs veulent entraîner Bitos dans une boîte de nuit, pour y achever sa dégradation, le seul personnage gentil, Victoire, lui dit : « N'allez pas avec eux vous faire moquer de vous. Restez vous-même. Restez pauvre. Mais c'est comme toutes les choses précieuses, c'est très fragile, la pauvreté. » Sur quoi il a une réaction ignoble : « Vous m'avez en effet évité un faux pas... Mais si je peux me venger de vous tous, un jour, c'est par *vous* que je commencerai. » Il sort et Victoire murmure : « Pauvre Bitos ! » Quel grincement !

Restent les pièces qu'Anouilh appelle « costumées », qu'on serait tenté de nommer « historiques » parce qu'elles s'appuient sur les histoires de Jeanne d'Arc, de Thomas Becket et de la Restauration, mais qui, à y mieux regarder, ne sont pas plus historiques qu'un dîner de têtes. Ces histoires célèbres sont des prétextes à exposer, à grand renfort d'anachronismes, une philosophie de l'histoire indulgente et désabusée. « On essaiera tout, dit le Dauphin Charles. Des hommes du peuple deviendront les maîtres du royaume, pour quelques siècles — la durée du passage d'un météore dans le ciel — et ce sera le temps des massacres et des plus monstrueuses erreurs. Et au jour du jugement, quand on fera les additions, on s'apercevra que le plus débauché, le plus capricieux des princes aura coûté moins cher au monde, en fin de compte, que l'un de ces hommes vertueux. »

Bien sûr, c'est un roi qui parle, mais Jeanne elle-même est aussi réaliste. « Tu sais pourquoi il n'a peur de rien M. de la Trémouille. — Parce qu'il est fort. — Non, parce qu'il est bête. Parce qu'il n'imagine jamais rien. » Warwick reconnaît qu'il y a un miracle de Jeanne. L'état-major de Sir John Talbot avait observé toutes les lois de la stratégie et pourtant a été vaincu. « Non, ce qu'il y avait en plus — ayons l'élégance d'en convenir — c'est l'impondérable, Dieu si vous y tenez, Seigneur Evêque... Ce que les états-majors ne prévoient jamais... C'est cette petite alouette chantant dans le ciel de France, au-dessus de la tête de leurs fantassins... Enfin ce que la France a de mieux en elle... Car elle a aussi sa bonne mesure d'imbéciles, d'incapables et de crapules, mais de temps en temps il y a une alouette dans le ciel qui les efface. J'aime bien la France. »

Et je crois qu'au fond Anouilh aime bien la France, telle qu'elle est, avec sa *Foire d'Empoigne,* son infidélité qui lui permet d'acclamer Louis XVIII après Napoléon, ses « épurations », l'union dans la frousse apaisée, et mieux encore ses indulgences. « Je n'aime pas votre liste de proscription, dit Louis XVIII à Fouché. Henri IV, en entrant dans Paris, a commencé par embrasser les ligueurs dont il avait encore des traces de dague, mal cicatrisées, sur le corps. Ce n'était pas de la grandeur d'âme pure — il était Béarnais — c'était du bon sens et de la finesse. » Le roi et l'empereur en arrivent tous deux à cette idée (si souvent exprimée dans ce théâtre) que la vie est simple, et qu'il ne faut pas la prendre théâtralement. « Ceux qui vous disent que la jeunesse a besoin d'un idéal sont des imbéciles. Elle en a un qui est la merveilleuse diversité de la vie — de la vie privée, la seule vraie. Il n'y a que la vieillesse qui a besoin de se chatouiller. Croyez-moi, tout le mal vient des vieillards ; ils se nourrissent d'idées et les jeunes gens en meurent. »

Ce qui est une sagesse désabusée, mais une sagesse. Il est vrai que la génération d'âge canonique dispose trop souvent, par des discours imprudents, de la génération d'âge canonnable. Vauvenargues avait dit cela, sous une autre forme : « Le vice fomente ; la vertu combat. »

VI

Nous avons cité, au début de cette étude, une phrase
d'Anouilh : « L'honneur, pour un auteur dramatique,
c'est d'être un fabricant de pièces. » L'honneur est sauf.
Anouilh fut un fabricant de pièces très bien faites. Le
mouvement dramatique est, chez lui, continu, rapide.
Il entraîne le spectateur. Les «rideaux», fins d'actes ou
de pièces, étincellent, adroits et brillants ; le style, les
« couplets » dignes du jeune homme qui, après avoir vu
Siegfried, dégringolait du poulailler à la Comédie des
Champs-Elysées, ivre d'exaltation créatrice.

Giraudoux, Musset, Marivaux... On a souvent évoqué,
à propos du théâtre d'Anouilh, ces noms. Il faudrait
ajouter, je crois, Aristophane et Shakespeare. Les Grecs
avaient trouvé le secret d'un langage de la scène à la
fois artificiel et vrai, poétique et quotidien. Shakespeare
l'a transmis à Musset, Giraudoux à Anouilh. Chez celui-
ci la poésie est faite d'un mélange d'amertume et de
pureté, de fraîcheur et de désillusion. Tous ces personnages, jeunes et vieux, voudraient croire à l'amour. Leur
naïveté initiale se heurte à un monde très dur. Elle meurt
de ces chocs. En vain le général évoque et invoque le
lieutenant. Ce lieutenant est mort et le général doit s'ac-
commoder, tant bien que mal, des hommes tels qu'ils
sont.

Anouilh a été, au début, un révolté, non un révolutionnaire. Sans doute la société grince horriblement ; les
riches méritent leurs richesses ; les pauvres deviennent
des Bitos. Mais changer la société n'est pas son propos.

253

Le pittoresque des variations politiques l'amuse sans le
convaincre. C'est les hommes qu'il faudrait changer, les
hommes et les femmes. « Si les hommes se donnaient
pour oublier le centième du mal qu'ils se donnent pour
se souvenir, je suis certain que le monde serait depuis
longtemps en paix. » Il rejoint ici Kant : « Souviens-toi
d'oublier » et aussi Valéry qui soutenait que l'histoire
du passé fait les guerres futures. Dans l'amour même,
le souvenir devient cause de souffrance. Eurydice ne peut
jouir d'un bel amour présent à cause du souvenir d'une
souillure passée. La générale torture son mari en souvenir d'un bonheur éteint.

Que faudrait-il faire ? Anouilh ne le dit jamais et il
a raison. Le rôle de l'artiste n'est pas celui du moraliste.
Il peint la folie du monde et nous en console en la trans-
posant. « La vie n'est rien qu'une ombre errante, dit
Shakespeare, un pauvre comédien qui se pavane et ges-
ticule une heure sur la scène, puis se tait à jamais. »
Pourquoi tant de colères et de ressentiments ? La vie
est faite de l'étoffe des songes. Les jeux du théâtre la
rendent supportable en lui donnant une forme. Que font
les personnages d'Anouilh ? Ils montent des comédies ;
ils jouent aux conspirateurs ; ils essaient de se donner
un passé qu'ils n'ont pas eu (ce que J.B. Barrère a si
bien appelé la poésie du futur antérieur). Qu'est-ce que
cela prouve ? Rien, heureusement, car avec la folie s'en-
volerait la poésie. Mais ce misanthrope de génie sait le
prix de la tendresse, de l'amitié, de l'indulgence et de
l'oubli. Il a conquis une sorte de sérénité ; il l'a conquise
sur l'absurdité du monde, sur des souvenirs pénibles, sur
les menaces présentes ; et il l'a conquise par le théâtre,
ce qui est son métier et son honneur.

SIMONE DE BEAUVOIR

Les noms de Sartre et de Simone de Beauvoir sont, dans l'esprit des lecteurs, liés l'un à l'autre. On imagine que tous deux aiment qu'il en soit ainsi. Chacun des deux a le bonheur de vivre près d'un être qu'il admire. Leurs philosophies se ressemblent. Ils les ont, depuis tant d'années, confrontées, critiquées, ajustées. Leurs talents demeurent fort différents. Simone de Beauvoir semble plus douée pour la création romanesque ; Sartre n'a rien écrit de meilleur que son dernier essai : *Les Mots*. Il est remarquable que deux écrivains aient pu mêler si étroitement leurs vies sans qu'aucun des deux perde son originalité.

I

LA VIE

Simone de Beauvoir est née à Paris, d'une famille très bourgeoise, en 1908. Si elle devint ensuite si hostile à la classe qui est la sienne, ce ne fut pas, semble-t-il, parce qu'elle avait souffert d'une enfance opprimée. Elle a, en somme, aimé ses parents. Son père, avocat, possédait la culture classique de son temps. Anatole France était à ses yeux le plus grand écrivain français. Comédien amateur, il jouait avec ses amis *La Paix chez soi* de Courteline. Sa fille alors l'admirait. A cinq ans et demi on la fit entrer dans un cours au nom alléchant et bizarre : le cours Désir, institution bien pensante où de vieilles demoiselles enseignaient la vertu, et des abbés la philosophie. Les lectures la formèrent plus que les professeurs. A neuf ans elle aima *Little Women* de Louisa Alcott et s'identifia passionnément à Joe, l'une des héroïnes de ce roman qui fut aussi l'un des favoris de mon enfance. Joe écrivait ; Simone se mit à écrire. Très tôt elle décida de consacrer sa vie à des travaux intellectuels. Sa meilleure amie, Zaza, disait : « Mettre neuf enfants au monde, ça vaut bien autant que des livres. » Simone de Beauvoir pensait qu'avoir des enfants, qui à leur tour auraient des enfants, c'était une très ennuyeuse et vaine ritournelle ; un penseur, un écrivain crée un monde joyeux. C'est un meilleur emploi de la vie.

Sa mère était pieuse, son père agnostique. Bien qu'elle préférât son père, elle fut d'abord très croyante. Puis elle découvrit la mort, et l'innocence du péché. « Le

silence de la mort, c'est avec horreur que je l'ai découvert... Dieu est devenu une idée abstraite au fond du
ciel et un soir je l'ai effacée. » Personnalité inflexible,
ayant horreur du compromis, elle tomba tout droit de
la foi dans l'athéisme. Elle venait de comprendre qu'elle
aimait les joies terrestres et ne pourrait y renoncer. « Je
ne crois plus en Dieu, me dis-je sans grand étonnement.
C'était une évidence ; si j'avais cru en lui, je n'aurais
pas consenti de gaieté de cœur à l'offenser. » En fait
l'idée qu'elle formait de Dieu était devenue si abstraite
que sa perfection excluait sa réalité. Il ne lui manqua
pas et elle ne devait jamais revenir sur ce problème.
Pourtant elle gardait, de son éducation morale, un vif
sentiment de responsabilité, et de culpabilité.

Elle a raconté, dans les *Mémoires d'une jeune fille
rangée* comment elle passa, facilement, les baccalauréats,
la licence et enfin, en 1929, l'agrégation de philosophie.
En ce temps-là les femmes qui affrontaient ce difficile
concours pouvaient se compter sur les doigts de la main.
Mais elle aimait les idées, les systèmes, et s'était liée
avec toute une bande de jeunes philosophes parmi lesquels Raymond Aron, Jean-Paul Sartre, Nizan. Elle les
appelait « les petits camarades » ; eux la surnommaient
le Castor, parce que Beauvoir ressemble à *Beaver,* le nom
anglais du castor. Plusieurs des petits camarades, marxistes, déchiraient « les idéologies bourgeoises ». Sartre était celui qui lui inspirait le plus de confiance. L'esprit toujours en alerte, il refusait les fuites intellectuelles, dépistait la mauvaise foi, ne prenait jamais rien pour
accordé, et ne se laissait « engluer » (semblait-il) dans
aucun conformisme. Elle avait toujours souhaité être
guidée par un tel esprit, puissant et libre. Elle fut heureuse quand Sartre lui dit : « A partir de maintenant, je
vous prends en main. » Cela ne veut pas dire qu'il lui
insuffla toutes ses convictions ; ils furent amis parce
qu'au départ ils avaient des philosophies voisines, des
haines et des admirations communes.

Ainsi commença un compagnonnage que rien n'a rompu. Ils craignaient l'un et l'autre le mariage ; ils s'accor-

daient l'un à l'autre toute liberté. Peut-être en souffrirent-ils parfois. Ils eurent, chacun de son côté, des aventures ; le lien résista. Ensemble ils pensèrent ; ensemble ils luttèrent ; ensemble ils obtinrent la gloire littéraire. Leur communauté de vues, dans la paix comme dans la guerre, les unit. « Il n'y a d'amitiés que politiques » disait Alain. Tous deux furent d'abord professeurs, elle à Marseille, puis à Rouen, et enfin en 1938 à Paris. Pendant qu'elle enseignait à Rouen, Sartre était au lycée du Havre, tout proche ; ils purent voisiner. Sartre fut le premier des deux à publier, mais Simone de Beauvoir composa pendant la guerre un remarquable roman, *L'Invitée,* qui parut en 1943.

Après cela, tout en participant à l'étonnante aventure de l'existentialisme, qui fit de Sartre, vers 1945, le philosophe favori, non seulement de nombreux jeunes Français, mais du monde occidental, elle continua brillamment sa propre carrière, par une alternance de romans et d'essais. Ils avaient établi leur quartier général au café de Flore, boulevard Saint-Germain. Saint-Germain-des-Prés devint, pour l'*intelligentsia* universelle, associé à la fois à l'existentialisme et au couple Sartre-Simone de Beauvoir. Après la réussite de son livre, elle quitta l'enseignement. Les « petit camarades » étaient maintenant Camus, Merleau-Ponty, Bost, Queneau. A la libération, quand Sartre fonda *Les Temps Modernes,* elle fit naturellement partie de la rédaction de cette revue, politique autant que littéraire.

Puis vint pour elle le temps des succès éclatants. *Le Deuxième Sexe,* essai sur la condition féminine, trouva un public dans le monde entier. En 1954 elle obtint le prix Goncourt pour un roman : *Les Mandarins.* Le prix apportait la richesse, dont elle n'avait nul désir, mais aussi une victoire qui, après une vie toute de liberté, pouvait la réjouir. Au vrai elle n'avait pas attendu ce succès pour être heureuse ; la gaieté et la santé étaient alors des signes distinctifs de ce groupe. Elle voyagea beaucoup, sur tous les continents ; eut des liaisons avec un écrivain américain et un jeune Français ; puis raconta toute son histoire en trois volumes : *Les Mémoires d'une jeune fille rangée, La Force de l'âge, La Force des choses,* qui sont intelligents, francs et agressifs. Abattre la classe dirigeante lui semblait souhaitable. « Je supportais encore plus mal qu'à vingt ans ses mensonges, sa bêtise, sa bijouterie, sa fausse vertu. »

Longtemps sa grande difficulté intellectuelle fut que, tout en se proclamant antibourgeoise, elle n'adhérait pas au communisme. La philosophie de Sartre étant différente du marxisme, le Parti le traitait fort mal. « La célébrité, pour moi, ce fut la haine », a écrit Sartre. Puis la guerre d'Algérie, le gaullisme rangèrent Sartre et Simone de Beauvoir dans le même camp que les communistes. Mais des alliés ne sont pas nécessairement des semblables. L'entente resta limitée. Pourtant la fin du stalinisme rendit les rapports plus faciles. Le couple célèbre fut invité en U.R.S.S. et y noua des amitiés. Cuba les attira, puis les déçut.

L'intransigeance de Simone de Beauvoir ne s'atténuait pas. Lorsque Camus s'écrasa contre un platane, elle dit : « Je ne vais pas me mettre à pleurer. Il n'était plus rien pour moi. » *L'Homme révolté* les avait brouillés. Il y avait eu dans la vie de Simone de Beauvoir un seul point fixe, une seule réussite certaine : ses rapports avec Sartre. « En plus de trente ans nous ne nous sommes endormis qu'un seul soir désunis... Nos tempéraments, nos orientations, nos choix antérieurs demeurent différents et nos œuvres se ressemblent peu, mais elles poussent sur le même terreau. » Il est vrai que cette amitié et cette symbiose sont belles. Elle ne pouvait s'attacher qu'à un homme hostile à tout ce qu'elle détestait : la droite, les bien-pensants, la religion. Ce n'était pas par hasard qu'elle avait choisi Sartre. Contrairement à ce que disaient les magazines, le couple vivait en assez grand isolement. Sa condition objective : auto, appartement, le coupait du prolétariat sa condition subjective l'opposait à la bourgeoisie qui constitue pourtant le gros de ses lecteurs. La bourgeoisie se plaît à être battue.

Dans *La Force des Choses*, l'autobiographie de Simone

de Beauvoir se termine par une méditation assez triste. La vieillesse et la mort effrayent l'auteur. « Mes révoltes sont découragées par l'imminence de la fin, mais aussi mes bonheurs ont pâli. » Le moment est venu de dire : jamais plus ! « Maintenant les heures trop courtes me mènent à bride abattue vers ma tombe. J'évite de penser à dans dix ans, dans un an. Les souvenirs s'exténuent ; les mythes s'écaillent, les projets avortent dans l'œuf : je suis là, et les choses sont là. Si ce silence doit durer, qu'il semble long, mon bref avenir ! » Pourtant toutes les promesses ont été tenues. Elle a voulu sa liberté ; elle l'a conquise. Elle a voulu écrire ; l'œuvre se tient, considérable, estimée. Pourquoi la dernière phrase de ses Mémoires est-elle : « Je mesure avec stupeur à quel point j'ai été flouée » ? Parce qu'elle vieillit ? Parce qu'elle mourra ? Je sais ce qu'Alain eût répondu : « La mort n'est pas une pensée. »

II

LES OEUVRES

Les romans de Simone de Beauvoir sont pétris de métaphysique comme ceux de Sartre. Elle pense qu'il est aussi légitime d'écrire des romans métaphysiques que des romans psychologiques, et que le romancier peut, et doit, décrire les conséquences émotionnelles de l'expérience métaphysique. Mais chez elle la philosophie n'ajoute qu'un ferment, une levure ; chez Sartre elle est la pâte même. *L'Invitée,* çà et là, tourne au roman existentiel. « Au centre du dancing, impersonnelle et libre, moi je suis là. Je contemple à la fois toutes ces vies, tous ces visages. Si je me détournais d'eux, ils se déferaient aussitôt comme un paysage délaissé. » Ce sont des bouffées de doctrine. Le corps du livre est vivant ; les portraits sortent du cadre. Avant toute méditation sur la technique, elle est romancière-née.

Au centre de cette image du monde, un couple évoque, pour nous, (à tort ou à raison) celui qu'elle forme avec Sartre, couple d'amis heureux, qui s'aiment en acceptant la liberté l'un de l'autre : Pierre Labrousse et Françoise Miquel. Il est directeur d'un théâtre d'avant-garde. Leur collaboration, constante, les unit plus que la passion.

La seule nouveauté qui m'intéresse, dit Françoise, c'est notre avenir commun. Que veux-tu, je suis heureuse comme ça ! » Pierre se permet des passades. « *Ce qu'il y a, dit-il, c'est que j'aime bien les commencements. Tu*

*ne comprends pas ça ? — Peut-être, dit Françoise, mais
moi, ça ne m'intéresserait pas, une aventure sans lendemain.*

On ne peut parler de fidélité ou d'infidélité entre eux ;
ils ne font qu'un.

Mais survient Xavière Pagès, jeune bourgeoise, malheureuse à Rouen dans sa famille, et que Pierre et Françoise, par pure générosité, recueillent à Paris dans
l'hôtel qu'ils habitent. Elle sera leur invitée. Xavière, personne étrange et farouche, a horreur de toute chose imposée. Xavière dort quand les autres vivent, boude
quand les autres sont heureux, bref est incapable d'avoir
des rapports humains avec les gens. Ses humeurs, joie
ou fureur, sont si imprévisibles que Pierre et Françoise
passent leur temps à interpréter ses paroles. « On aurait
cru qu'on parlait d'une Pythie. » L'art de Simone de
Beauvoir est d'avoir fait de Xavière « l'altérité totale ».
« On ne pouvait que tourner en rond tout autour dans
une exclusion éternelle. »

Ce petit monstre séduisant arrive, par son mystère
(ah ! puissance des êtres de fuite) à faire naître chez
Françoise un sentiment qu'elle n'a jamais éprouvé : la
jalousie. Double jalousie, car elle veut garder Xavière
pour elle seule et elle n'aime pas que Pierre prenne
Xavière au sérieux. Quand il lui apprend que Xavière et
lui s'aiment, la première réaction est de souffrance ; la
seconde sera de tenter ce que personne n'a réussi : la
vie en trio, « quelque chose de difficile mais qui pourrait
être beau et heureux. » Peut-être serait-ce possible avec
une autre, mais Xavière, cruelle, déroutante, rend toute
franchise impossible. Françoise contemple « avec des
yeux d'amoureux cette femme que Pierre aimait ».

Que faire ? Elle essaie de la générosité ; elle veut croire
qu'elle résoudra ainsi le problème de l'Autre. Mais
Xavière la « néantise ». Françoise se sent dépossédée
du monde par cette petite fille butée. Quand Xavière, se
donnant à ce jeune garçon, Gerbert, rend Pierre jaloux,
au point qu'il épie, par le trou de la serrure, les baisers

qu'elle donne à Gerbert, quand Françoise a remporté sur
« l'invitée » deux victoires en lui reprenant l'amour de
Pierre, et en obtenant celui de Gerbert, elle ne peut tout
de même pas supporter l'image monstrueuse que Xavière
se fait d'elle.

*« Vous étiez jalouse de moi, dit Xavière, parce que
Labrousse m'aimait. Vous l'avez dégoûté de moi et pour
mieux vous venger vous m'avez pris Gerbert. Gardez-le,
il est à vous... Et partez d'ici, partez tout de suite.*

Françoise n'a plus de raisons pour être jalouse de
Xavière puisqu'elle a vaincu, mais elle ne peut supporter
qu'une autre conscience détruise la sienne. « Ce n'est
pas, écrit Geneviève Gennari (1), un crime passionnel
qu'elle accomplit en ouvrant le robinet de gaz dans la
chambre où Xavière s'endort, — c'est un crime philoso-
phique. » Le roman porte en épigraphe une phrase de
Hegel : «Chaque conscience poursuit la mort de l'autre.»
Xavière a voulu la « néantiser » ; il faut choisir ; Françoise *se* choisit. Elle répéta : « Elle ou moi. Elle abaissa
le levier. » Plus tard Simone de Beauvoir a cessé d'aimer
la fin de son livre. Les crimes philosophiques rappellent
les romans à thèse et *Le Disciple* appartient au même
genre que le dernier chapitre de *L'Invitée.*

Une pièce suivit : *Les Bouches inutiles,* sur un dilem-
me politique : A-t-on le droit, pour sauver une ville assié-
gée à court de vivres, de sacrifier les bouches inutiles ?
A-t-on le droit, pour sauver les bouches inutiles, de sacrifier la ville ? L'action accule à de tels choix. Le succès
ne fut pas très vif. « La gloire idiote qui avait fondu
sur Sartre (et sur elle) avait quelque chose de vexant.
Elle se payait cher. Il obtenait à travers le monde une
audience inattendue ; il se voyait frustré de celle des
siècles futurs. »

Qu'elle attache une curieuse importance à l'idée d'immortalité, cela se voit dans son autobiographie et dans

(1) Geneviève Gennari : *Simone de Beauvoir* (Editions Universitaires).

le roman : *Tous les hommes sont mortels.* L'actrice Régine, lasse de succès éphémères, aspire à l'immortalité. Elle veut faire la conquête d'un fou qui se croit immortel parce qu'ainsi elle survivra dans un esprit et dans un cœur, après sa propre mort. Elle finira par comprendre qu'elle doit trouver dans la vie ce qu'elle attendait de l'immortalité. Tous les hommes sont mortels, mais ils désirent agir comme s'ils étaient immortels.

La même thèse est soutenue sous forme d'essai dans *Pyrrhus et Cinéas.* On se souvient du roi Pyrrhus exposant des projets de conquête devant son conseiller : Cinéas. Après chaque victoire décrite, Cinéas demande : « Et que ferez-vous après ? » Suit un nouveau projet : « Et après ? » A la fin Pyrrhus répond : « Alors nous nous reposerons. » « Et pourquoi, demande Cinéas, ne pas vous reposer tout de suite ? » Cette réflexion, à première vue, semble sage. Pourtant Cinéas a tort. En dépit de tout, les nouveaux projets naissent et nous poussent en avant. Pyrrhus a le droit de conclure : « C'est aujourd'hui que j'existe ; aujourd'hui me jette dans un avenir défini par mon projet présent. »

Dans un autre essai : *Pour une morale de l'ambiguïté,* elle soutient que l'existence est plus ambiguë qu'absurde. Elle n'est pas dépourvue de sens, mais chacun de nous peut lui donner le sens qu'il choisira. Les valeurs morales n'existent que dans la mesure où l'homme les crée. Simone de Beauvoir ne croit ni aux Dix Commandements, ni à « la loi morale dans les cœurs » de Kant ; chaque esprit doit inventer la signification de la vie et se conformer aux exigences de *sa* vérité. Un critique anglais (Maurice Cranston) remarque combien une telle attitude, qui rompt les amarres à la fois avec Dieu et avec la raison, est difficile, presque douloureuse, pour un esprit français nourri de Descartes. Les existentialistes, dit-il, sont proches de Hume qui ne voyait aucune preuve de l'existence de Dieu, aucune trace de la loi morale. Mais la différence est que Hume ne souffre pas de cette situation. Un Anglais qui doute ne trouve aucune difficulté à diriger sa vie. Il suivra la tradition britannique, les conventions, les lois. Peu lui importent les concepts abstraits. Pour un Français, qui a vécu plus par raison que par tradition, les choix sont plus difficiles.

Simone de Beauvoir, dans ses essais, tranche durement ; elle l'a voulu. « Il ne m'intéresse pas de recourir à des appels au cœur quand j'ai la vérité pour moi. » Dans ses romans au contraire, elle s'attache aux nuances. « Mes essais reflètent mes options pratiques ; mes romans l'étonnement où me jette, en gros et dans ses détails, la condition humaine. » Seul un roman pouvait lui permettre de dégager les multiples et tournoyantes significations de ce monde changé dans lequel elle s'était réveillée en 1944. « Le sol était jonché d'illusions brisées. » Elle avait vu « le retour triomphant de la domination bourgeoise », les conflits qui avaient mis fin à quelques-unes des précieuses amitiés de la Résistance. Cela lui donnait le *recul*, si nécessaire au romancier. Elle écrivait *Les Mandarins* ; elle y voulait peindre des intellectuels, une espèce à part « à laquelle on conseille aux romanciers de ne pas se frotter ». Mais on a tort ; les aventures d'un homme intelligent peuvent être aussi intéressantes que celles d'un illettré ; et après tout les intellectuels sont des êtres humains, qui ont des sentiments humains.

On a beaucoup dit que *Les Mandarins* sont un roman à clé, que Dubreuille et Henri sont Sartre et Camus, qu'Anne, femme de Dubreuille, est Simone de Beauvoir. C'est là méconnaître la nature de tout roman. Un romancier accroche ses héros à certains traits de personnages réels, mais il ne fait pas de portraits. Il transforme, il malaxe, il déplace, il construit. Dubreuille est un homme âgé, très différent de Sartre. Henri a en commun avec Camus qu'il est jeune, brun et dirige un journal. La ressemblance s'arrête là. Dubreuille et Henri se brouillent, comme Sartre et Camus, mais ils se réconcilient, ce qui n'arriva point dans la vie réelle. Camus a quitté son journal pour des raisons qui ne concernaient pas Sartre.

266

Il en va de même pour les personnages secondaires, si vivants. Paule, Nadine, Scriassine ne sont pas des copies d'êtres réels. « Tous les matériaux que j'ai puisés dans ma mémoire, je les ai concassés, altérés, martelés, distendus, combinés, transposés, tordus, parfois même renversés et toujours recréés. J'aurais souhaité qu'on prenne ce livre pour ce qu'il est : ni une autobiographie, ni un reportage : une évocation. » C'est bien en effet ce qu'il est, une évocation saisissante d'un groupe, d'une époque, d'un état d'esprit, et l'un des meilleurs romans de notre temps.

III

« LE DEUXIÈME SEXE »

Le Deuxième Sexe est un livre qui mérite attention par l'intelligence, par l'information et aussi par la passion de l'auteur. Simone de Beauvoir, philosophe, est une « jeune femme en colère ». Cela donne de la vigueur à son style. Très bien écrit, avec précision et clarté, l'ouvrage fait appel aux connaissances scientifiques et philosophiques les plus étendues. Il se divise en deux parties : *les Faits et les Mythes, l'Expérience vécue.*

Les faits, c'est la situation de la femme telle qu'on la constate. Cette situation est analogue à celle du prolétariat ; c'est une situation d'inférieure, d'objet. L'homme se tient pour le Sujet, l'Absolu ; la femme est l'Autre. L'homme ne pense jamais que ses idées lui sont dictées par son sexe ; pourtant il dit à la femme : « Vous raisonnez en femme. » Cette supériorité, l'homme, pour la justifier, s'est adressé à la philosophie, à la théologie, à la science. Il est vrai que les idées théoriques, sur ce sujet, ont beaucoup évolué depuis cinquante ans. « La femme aussi est une personne » avait déjà dit le christianisme. On se souvient de la fameuse phrase de saint Paul : « Il n'y a plus ni Juif, ni Grec ; il n'y a plus d'esclave, ni homme libre ; il n'y a plus ni homme ni femme, car vous n'êtes tous qu'un dans le Christ Jésus. »

Mais, *en fait,* l'humiliation de la femme est restée semblable à celle des victimes d'un préjugé racial. Il y a un mythe de l'*Eternel féminin,* comme il y a un mythe de l'âme noire, ou du caractère juif. Seulement les femmes ne sont pas, comme les Noirs d'Amérique, comme les Juifs, une minorité ; il y a autant de femmes que d'hommes sur la terre. Cependant elles ont accepté d'être tenues, tantôt pour des bêtes de luxe (les coquettes, les courtisanes de Balzac), tantôt pour des bêtes de somme (les ménagères harassées de nos faubourgs), tantôt pour les auxiliaires du Diable (Gide). L'homme a pour fonction d'exister, la femme de propager l'existence. Les hommes doivent faire des œuvres, les femmes des enfants. Telle fut longtemps la doctrine de l'homme. Pourquoi la femme l'a-t-elle admise, en tant de sociétés diverses ? Cet état d'Autre, d'objet, d'inférieure est-il inscrit dans la nature ?

Simone de Beauvoir demande la réponse aux biologistes, aux marxistes, aux psychanalystes. La biologie dira : « La femme est plus faible que l'homme. Celui qui tue et chasse domine celle qui engendre... Le fils, qui a la force, hérite les privilèges du père plutôt que la fille, trop faible pour les exercer. » A quoi Simone de Beauvoir répond que la notion de faiblesse n'a de sens que si on la confronte aux lois, à l'opinion et à l'état d'une civilisation. La femme protégée par les lois cesse d'être faible. C'est vrai, mais (poursuit le biologiste) que sont les lois sinon les rapports qui résultent de la nature des choses ? La loi a dû protéger la femme parce qu'en fait elle est plus faible. Que l'adultère de la femme soit plus sévèrement puni que celui du mari semble injuste ? Mais c'est « naturel », car l'adultère de la femme introduit au foyer un intrus. A quoi la femme pourrait objecter encore : que la force physique n'a plus guère d'importance en un temps où il suffit, pour tuer, d'appuyer sur une détente ou sur un bouton, et que l'intrus n'est plus à craindre en un temps de pratiques anticonceptionnelles. Mais cette dialectique étant sans fin, on répondra que la brutalité du mâle continue de terroriser (ou de rassurer) beaucoup de femmes. Pensez aux prostituées esclaves de leur souteneur. Et les pratiques anticonceptionnelles ne supprimeront jamais les bâtards souhaités par la femme.

Les marxistes, eux, déduisent l'histoire des mœurs de l'histoire des techniques. Au temps de la civilisation agricole la femme participait en égale aux travaux ; l'industrie primitive l'a faite esclave ; un machinisme plus parfait l'émancipera en supprimant les travaux de force. Simone de Beauvoir n'est pas convaincue par ces idées simplistes qui ne tiennent pas compte des rapports individuels. Rien n'empêcherait un homme, même plus fort, de traiter une femme en égale s'il n'avait pas la volonté de la dominer. Quant aux psychanalystes, ils dénoncent, chez la femme, un complexe d'infériorité parce qu'elle se sent un être manqué, incomplet, et qu'elle envie l'homme. Mais est-ce vrai ?

Pourquoi l'homme s'obstine-t-il à réduire la femme en esclavage ? Parce qu'elle est l'objet privilégié, par la possession duquel il croit asservir la nature. Adam espère trouver en Eve une transcendance, un moyen de se dépasser ; Flaubert voyait dans le sexe de la femme l'ogive à travers laquelle l'homme croit découvrir l'infini. Condamné à la maladie, à la vieillesse et à la mort, l'homme voudrait naïvement découvrir dans la femme un remède à tous ces maux. Il la veut jeune, saine, bien portante, *surtout* s'il est lui-même fragile et aux portes de la mort. Plus il est vieux, plus il est avide de chair fraîche. « Les seins et les fesses sont pour lui des objets privilégiés à cause de la gratuité, de la contingence de leur épanouissement. » Mais loin de le sauver, Eve enfonce Adam dans l'immanence. Loin de trouver en elle l'infini, il y retrouve toutes les servitudes d'un être humain : les moiteurs, les odeurs, la fatigue, le verbiage, l'ennui. Elle ne le délivre pas de sa culpabilité ; elle l'y enfouit. Alors, avec une tenace mauvaise foi, il projette sur elle cette culpabilité. Elle sera la Parque, la Mort, Circé, Diane, la *vamp*, la sorcière, ce qui ne l'empêchera pas d'être, dans les moments où l'homme la désire, l'idéal, la poésie, la déesse. C'est trop, dit Simone de Beauvoir. Ne mettez la femme ni trop haut, ni trop bas, mais à votre niveau. Délivrez-la du mythe de l'éternel féminin et laissez-la *se* créer.

Il s'agit en somme de placer la femme dans une perspective existentielle. Un existant se fait lui-même à chaque instant par ses projets. L'homme l'a emporté peu à peu sur les servitudes obscures de la bête, en agissant, en réalisant ses projets. La femme, elle, ne fut jamais associée aux projets. Mère et ménagère, elle avait peu de loisirs pour une vie personnelle. Elle ne pourra se transcender qu'en ayant une activité propre, ce que prouve d'ailleurs l'existence de Simone de Beauvoir elle-même, qui a vécu son expérience.

L'Expérience Vécue, seconde partie du *Deuxième Sexe,* traite d'abord le problème de la formation de la femme. Car *la* Femme, comme *le* Noir, n'existe pas ; elle est le produit de sa situation. Elle est dressée à se tenir pour inférieure. Elle constate que le prêtre chrétien, représentant de Dieu dans l'éducation, est toujours homme, ce qui est un recul sur l'Antiquité qui avait ses prêtresses. Au foyer familial elle a observé que son père avait plus de pouvoir et de prestige que sa mère. La littérature enfantine lui a présenté les hommes comme des héros, ou comme des monstres puissants (le Prince Charmant, Barbe-Bleue), les femmes comme des victimes (Cendrillon, Blanche-Neige). Plus tard le théâtre classique, les romans lui ont enseigné, eux aussi, le mythe de l'éternel féminin, lui ont appris l'art de séduire et de compenser sa faiblesse par la coquetterie. Ainsi chaque mère forge un nouveau chaînon de « la chaîne d'infériorité ».

Objection : peut-on dire que la femme soit vraiment une construction artificielle, bâtie pour répondre aux vœux de l'homme ? N'y a-t-il pas, en fait, une fatalité physiologique qui lui impose la maternité ? Le mariage n'est-il pas pour elle la solution la plus sûre et, dès lors, ne doit-elle pas « conquérir » un mari, donc le séduire ? Simone de Beauvoir ne pense pas que le mariage soit la meilleure solution des rapports homme-femme. Elle oppose l'amour, don gratuit, au mariage, fonction économique et sociale. « Le principe du mariage est obscène parce qu'il transforme en droit et en devoir un échange qui devrait être fondé sur un élan spontané. » Bernard

Shaw disait : « Ce qui fait le succès du mariage, c'est qu'il combine le maximum de tentation avec le maximum de commodité. » Voilà, cyniquement dévoilé, un jugement d'homme. Le mariage alimentaire demeure un choix possible, et beaucoup de femmes le font, mais c'est une forme de la prostitution.

Certes, « la plupart des femmes, aujourd'hui encore, sont mariées, l'ont été, se préparent à l'être et souffrent de ne l'être pas. Mais la femme, en se mariant, est annexée à l'univers de son époux. Ses parents disent qu'ils la *donnent* en mariage, le mari, lui, dit qu'il *prend* femme. On admet comme jadis que l'acte amoureux est, de la part de la femme, un *service* qu'elle rend à l'homme ; il prend son plaisir et il doit en échange une compensation qui est la sécurité. » C'est dire que la femme ne choisit pas dans sa liberté l'homme de son destin érotique. Elle « appartient » à un homme. Désir et plaisir dépendent pour elle d'une institution et même, longtemps, l'homme a nié qu'elle eût droit au plaisir. Montaigne jugeait dangereux « d'échauffer » une femme légitime. « Nous les voulons, dit Montaigne, saines, vigoureuses, en bon point, bien nourries et chastes ensemble, c'est-à-dire chaudes et froides. »

Voilà bien l'inconséquence du mâle : il veut des femmes chaudes au lit, froides et indifférentes pour tous les autres hommes. Il demande à son épouse d'être toujours présente et jamais importune ; il veut l'avoir tout à lui et ne pas lui appartenir, vivre en couple et demeurer seul. « Ainsi, dès le moment où il l'épouse, il la mystifie. » Le drame du mariage, c'est qu'il promet le bonheur et ne le donne pas ; c'est qu'il mutile la jeune femme en la vouant à la répétition et à la routine. Liée à un seul homme, des enfants sur les bras, sa vie est finie. Jusqu'à vingt ans elle avait existé généreusement ; les études, les amitiés, les premiers désirs, l'attente de l'amour l'avaient comblée. La voici sans avenir autre que celui du mari, et souvent sans plaisir. Car « le mariage traditionnel est loin de créer les conditions les plus favorables à l'éveil et à l'épanouissement de l'érotisme féminin. La nuit de noces, non préparée par les préliminaires d'un amour naturel, apparaît à la vierge comme la crise absurde d'un épileptique furibond. »

Ensuite ce sera une condition définie par le service du ménage où la femme ne trouve sa dignité qu'en acceptant sa vassalité envers un seigneur, à la fois mentor et faune. Alors, au début, elle commence par vivre sa situation conjugale dans la mauvaise foi ; elle se persuade qu'elle éprouve pour son mari un grand amour. Puis elle se réveille, comme Sophie Tolstoï. Elle découvre « qu'elle n'a pas devant elle la haute figure du Suzerain, du Chef, du Maître » ; elle ne voit aucune raison de lui être asservie. Alors, ou elle accepte un rôle de victime, ou elle trompe son maître. Deux tristes solutions.

Mais « la bourgeoisie » (car Simone de Beauvoir n'oublie pas sa grande ennemie) « la bourgeoisie a inventé un style épique ; la routine prend figure d'aventure, la fidélité de folie sublime, l'ennui devient sagesse... » En vérité, que deux individus se détestent sans pouvoir cependant se passer l'un de l'autre, ce n'est pas de toutes les relations humaines la plus vraie, la plus émouvante, c'en est la plus pitoyable. L'idéal serait au contraire que des êtres humains, se suffisant parfaitement chacun, ne soient enchaînés l'un à l'autre que par le libre consentement de leur amour.

Il est vrai que le mariage traditionnel tend à se modifier, que les jeunes filles travaillent et rencontrent des hommes nombreux, que le travail de la femme rend inutile « le mariage arrangé », que le divorce, tout à fait entré dans les mœurs, permet des expériences successives. Il n'en reste pas moins que l'homme s'accomplit concrètement dans le travail ou l'action, tandis que, pour la femme, la liberté n'a qu'une figure négative, comme on le voit si bien en Amérique où les femmes, émancipées, choisissent, les unes de rester des femmes d'intérieur conformes au modèle traditionnel, les autres de dissiper leurs forces et leur temps en des activités stériles.

C'est aussi une mystification « de soutenir que la femme devient dans la maternité l'égale concrète de l'homme ». Simone de Beauvoir traite, longuement, de la maternité non consentie, de la fille-mère, de l'avortement. « La fille-mère est encore méprisée. » (Ce n'est plus tout à fait vrai en 1965 ; je connais des « mères célibataires » heureuses.) Mais en 1949 Simone de Beauvoir avait probablement raison. « C'est seulement dans le mariage que la mère est glorifiée », c'est-à-dire en tant qu'elle demeure subordonnée au mari. Tant que celui-ci demeure le chef économique de la famille, bien qu'elle s'occupe davantage des enfants, ils dépendent beaucoup plus de lui que d'elle.

La conclusion, c'est que la femme, comme le prolétariat, comme les races sujettes, doit être émancipée. Il n'y a, en dépit des légendes, ni infériorité physiologique, ni nécessaire hostilité. La femme confinée dans l'immanence a essayé d'y retenir l'homme ; elle s'est acharnée à le mutiler, à détruire ses valeurs. Mais cela, c'est une réaction d'esclave ; la femme libérée ne sera plus en état de guerre. Son salut sera de participer, par une activité professionnelle, aux responsabilités jusqu'ici assumées par l'homme seul. Simone de Beauvoir érige son expérience en règle universelle. Mais elle n'a pas d'enfants. En tous pays, fussent-ils socialistes, un choix s'impose pour la femme, dès qu'elle est mère. Simone de Beauvoir croit possible la synthèse de la maternité et de la liberté, et c'est un fait que des femmes l'ont réussie. « Les mots : mystère, destin, sont de commodes alibis ; la femme est forgée par la civilisation ; ses limites, ses défauts, ses malheurs et l'hostilité qui oppose les deux sexes, c'est l'humanité qui en est responsable. L'avenir est ouvert, et le but de ce livre, c'est de paraître bientôt périmé. »

Après quinze ans il n'est pas périmé. Il garde sa force, son intelligence et son urgence. Quelque chose a été fait, sur le plan des institutions, pour élargir le destin de la femme. Beaucoup reste à faire sur le plan de la vie affective. Naturellement l'égalité ne sera pas l'identité. « Affranchir la femme, c'est refuser de l'enfermer dans les rapports qu'elle soutient avec l'homme, mais non de les nier... Se reconnaissant mutuellement comme sujet, chacun demeurera cependant pour l'autre un *autre*... Les mots qui nous émeuvent : donner, conquérir, s'unir, garderont leur sens ; c'est au contraire quand sera aboli l'esclavage d'une moitié de l'humanité et tout le système d'hypocrisie qu'il implique... que le couple humain retrouvera sa véritable figure. »

IV

Les trois volumes de l'autobiographie ont obtenu le plus vif succès. « Mais j'éprouve un malaise, dit-elle, si la bourgeoisie m'accueille bien... Trop de lectrices ont apprécié dans les *Mémoires d'une jeune fille rangée* la peinture d'un milieu qu'elles reconnaissaient, sans s'intéresser à l'effort que j'avais fait pour m'en évader. » Je ne crois pas que ce soit tout à fait équitable, car *La Force de l'Age* et *La Force des Choses,* qui peignaient des milieux peu connus des lecteurs bourgeois, ont reçu le même accueil. Non, ces livres intéressent parce qu'ils semblent vrais.

Une mort très douce, récit pénible de l'agonie de Mme de Beauvoir mère, a inspiré à la fois de la gêne et de l'estime, de la gêne parce qu'après tout il s'agit de la mort d'une mère, de l'estime parce que le récit est beau, sincère et honnête. « Il n'a pas dû lui être très agréable, écrivait le critique Mathieu Galey, de rapporter cette réflexion de sa mère mourante : « Toi, tu me fais peur. »

Simone de Beauvoir, au sujet de ces livres intimes, s'est fait à elle-même des objections. Mon autobiographie, dit-elle, se recoupe avec certaines autres de mes œuvres. On y retrouve des épisodes de ses romans, mais éclairés tout autrement, et d'ailleurs transposés. C'est vrai, mais qui s'en plaindrait ? Je pense au contraire qu'il est passionnant de mesurer l'écart entre la matière brute fournie par la vie et la matière romanesque. Quiconque s'intéresse à l'alchimie du romancier aime à comprendre comment l'existante Olga devint le personnage Xavière. « Dans la mesure où je m'inspirais d'Olga pour composer Xavière, ce fut en la défigurant systématiquement. » Ainsi Charles Haas, en devenant Swann, acquiert une grâce, un goût et une aptitude à souffrir, supérieurs infiniment à ses attributs réels au temps de sa vie terrestre. Simone de Beauvoir ne prétend pas que cette biographie soit une œuvre d'art. « Ce mot, dit-elle, me fait penser à une statue qui s'ennuie dans le jardin d'une ville... Pas une œuvre d'art, mais ma vie dans ses élans, ses détresses, ses soubresauts. » Elle a fait ce qu'elle voulait faire.

« Je me suis efforcée à l'impartialité... Je suis objective bien entendu dans la mesure où mon objectivité m'enveloppe. » Cela revient à dire que cette objectivité est voilée de subjectivité par les opinions, les ressentiments et les angoisses de l'auteur. « Il faut apprendre, nous disait Alain, à aimer les différences. » Nul ne peut faire que les hommes n'aient pas de passions. Chacun juge le marché d'après ce qu'il y a trouvé. Les idées, les tempéraments sont modelés par l'expérience. Tout écrivain pense « en situation ». Nous devons accepter que ceux qui ont eu un autre type de vie et connu d'autres conflits aient aussi d'autres pensées que les nôtres. Simone de Beauvoir n'est pas Virginia Woolf ; l'une s'est évadée de son milieu, l'autre a aimé le sien ; les deux témoignages sonnent juste.

JEAN-PAUL
SARTRE

Le phénomène Sartre fut, vers 1942-46, le grand événement de l'histoire littéraire. Avant la guerre Sartre était connu des lettrés pour un recueil de nouvelles : *Le Mur* et pour un roman : *La Nausée*. Pendant et après la guerre il atteignit le plus vaste public, par son théâtre et aussi par sa philosophie (*L'Etre et le Néant*). On le tenait pour le chef d'une école : l'existentialisme, qui dictait, à une partie de la jeunesse, des règles de vie et de pensée. A la vérité, la plupart de ceux qui parlaient de l'existentialisme en ignoraient à peu près tout. Ils ne savaient pas ce que la doctrine de Sartre devait à Kierkegaard, à Heidegger, à Husserl. Ces philosophes n'avaient jamais obtenu l'audience universelle de Sartre. Celui-ci incarnait en des personnages de drame les idées difficiles que, sous leur forme abstraite, le public n'aurait guère comprises. Il se trouva que ces idées répondaient aux besoins de jeunes intelligences bouleversées par la guerre, choquées par l'absurdité du monde, écœurées par l'hypocrisie. Une légende naquit, celle qui liait l'existentialisme, tout artificiellement, aux « boîtes » de Saint-Germain-des-Prés. Elle favorisa la diffusion des œuvres par l'image d'une vie libre. Comme d'autre part, Sartre possédait une remarquable intelligence, un réel talent dramatique et une rare puissance dialectique, le succès dura. Il a été renforcé par une brillante autobiographie qui est le mieux écrit et le plus humain des ouvrages de Sartre : *Les Mots*.

I

LA VIE

Jean-Paul Sartre appartient par naissance (il l'a souvent rappelé) à la petite bourgeoisie française. Du côté paternel il descend d'un médecin de campagne, son grand-père, qui exerçait à Thiviers (Dordogne) ; son père, polytechnicien, officier de marine, mourut en 1907, rongé par les fièvres de Cochinchine. Sa mère, Anne-Marie Schweitzer, qui restait seule avec un fils de deux ans, chercha refuge chez ses parents à Meudon, puis à Paris. Les Schweitzer étaient des protestants alsaciens. L'illustre Albert Schweitzer appartenait à cette famille.

Le grand-père maternel chez qui Sartre passa toute son enfance, patriarche barbu, « ressemblait tant à Dieu le Père qu'on le prenait souvent pour lui ». Toujours entre deux coups de théâtre, il était victime de deux techniques : l'art du photographe et l'art d'être grand-père. Il « posait ». Ayant écrasé ses fils, il adorait son petit-fils, loua ses mots d'enfant, ses bouffonneries et le dirigea vers l'enseignement. Car le grand-père Schweitzer était professeur, bien que sans grades universitaires ; il avait fondé un *Institut de Langues Vivantes* où il enseignait le français à des étrangers de passage, presque tous allemands.

« J'ai commencé la vie comme je la finirai sans doute : au milieu des livres. » C'est un trait important. Sartre a connu surtout les hommes par les livres. Le *Grand Larousse* lui tint lieu d'expérience. Il trouvait aux mots plus de réalité qu'aux choses. « C'est dans les livres que j'ai rencontré l'univers ; et j'ai confondu le désordre de mes expériences livresques avec le cours hasardeux des événements réels. De là vint cet idéalisme dont j'ai mis trente ans à me défaire. » S'en est-il jamais défait ?

Quant à son athéisme, qui se manifesta fort tôt, une famille mi-catholique, mi-protestante, donc divisée, l'explique peut-être, au début, pour une part. Plus tard la philosophie de l'homme confirma les doutes de l'adolescent. Dans l'ensemble Sartre détesta son enfance (en apparence heureuse) ; elle fit de lui ce qu'il est. « La voix de mon grand-père, cette voix enregistrée qui m'éveille en sursaut et me jette à ma table, je ne l'écouterais pas si ce n'était la mienne, si je n'avais, entre huit et dix ans, repris à mon compte, dans l'arrogance, le mandat soi-disant impératif que j'avais reçu dans l'humilité. »

Ce mandat, reçu du grand-père, de la famille, ce fut d'abord d'être professeur. Charles Schweitzer n'était ni agrégé, ni licencié. Le petit-fils apporterait une compensation. Mais l'enfant « Poulou » voulait davantage ; il se sentait chargé d'une mission capitale. Sa lecture favorite, vers 1912, fut le *Michel Strogoff* de Jules Verne. « J'adorais en lui, masqué, le chrétien qu'on m'avait empêché d'être... Pour moi ce livre fut un poison. Il y avait donc des élus ? Les plus hautes exigences leur traçaient la route ? La sainteté me répugnait : en Michel Strogoff elle me fascina parce qu'elle avait pris les dehors de l'héroïsme. »

Seulement était-il fait pour l'héroïsme actif ? Rencontrant ses contemporains, ses camarades, ses juges, il découvrit qu'il était petit, gringalet. Il n'en revenait pas et se vengeait de ses déconvenues en massacrant cent reîtres en ses rêveries de lecteur. « N'importe : ça ne tournait pas rond. Je fus sauvé par mon grand-père : il me jeta sans le vouloir dans une imposture nouvelle qui changea ma vie. »

Cette imposture, ou plutôt cette évasion, ce fut l'écriture. L'enfant Jean-Paul se mit à composer des romans de cape et d'épée ; il empruntait aux feuilletons, au cinéma. Sous des noms divers il mettait en déroute des armées, un contre tous. « Ecrivant, j'existais, j'échappais aux grandes personnes. » Il avait rêvé d'être un bretteur, un capitan. Il fallut remettre l'épée au fourreau, empoigner la plume et rejoindre le troupeau des grands écrivains, presque tous adultes malingres, vieillards catarrheux. « Je refilai à l'écrivain les pouvoirs sacrés du héros... Enfant imaginaire, je devenais un vrai paladin dont les exploits seraient de vrais livres. » Romancier de huit ans dont on lisait en famille les essais informes, il jouait à l'enfant sublime. Il se sentait requis ; le monde avait besoin de lui. « J'étais élu, marqué, mais sans talent. Tout viendrait de ma longue patience et de mes malheurs. » Tel fut le début d'une vocation : la vocation d'être un dieu, « projet » fondamental de l'enfant, « qui est le double du vieillard divinisé ». On sait qu'être Dieu fut aussi la vocation du collégien Honoré Balzac.

Sartre fit ses premières études au lycée Henri-IV. En 1916 sa mère se remaria, avec un polytechnicien, directeur des Chantiers Maritimes de La Rochelle C'est là, écrit R.-M. Albérès, « qu'il a connu cette bourgeoisie sûre de sa sécurité, de ses devoirs et surtout de ses droits, dont il fera la satire ». Peut-être, mais on apprend, en lisant *Les Mots* que, de ces certitudes et de cette imposture, il avait eu un avant-goût en vivant avec le grand-père à la barbe divine. Il arriva donc à la vie d'adulte, braqué contre le formalisme provincial et contre la bonne conscience bourgeoise. En 1924 il entra à l'Ecole Normale de la rue d'Ulm et, en 1929, fut reçu premier à l'agrégation de philosophie.

C'est alors qu'il recrute le groupe des « petits camarades » qui seront ses amis : Raymond Aron, Paul Nizan et surtout Simone de Beauvoir, elle-même agrégée de philosophie, compagne de sa vie et de ses pensées. Il y a peu d'exemples d'entente si durable et de coexistence si confiante entre deux esprits de même qualité. Grâce à Raymond Aron, sergent dans la Météo, Sartre obtint de faire son service militaire près de Paris. En février 1931 il fut nommé professeur de philosophie au Havre où il resta six ans, coupés par un séjour à l'Institut Français de Berlin, où il étudia la phénoménologie de Husserl. Un inspecteur général compréhensif maintint Sartre au Havre et Simone de Beauvoir à Rouen de sorte que leur amitié put rester étroite. Puis, après un an à Laon, il fut envoyé au lycée Pasteur de Neuilly, c'est-à-dire, en fait, à Paris.

La première compensation souhaitée par le grand-père, le professorat, était acquise, avec plein succès. Les élèves de Sartre l'admiraient. La seconde compensation, souhaitée par lui-même, l'écriture, entra dans le réel en 1938 par la publication d'un roman : *La Nausée* (qui se passait au Havre), suivi en 1939 par un recueil de nouvelles : *Le Mur*. Les deux livres, très originaux, attirèrent l'attention des critiques et des lecteurs intelligents. Vint la guerre. Sartre fut mobilisé, infirmier, prisonnier, libéré. Il collabora aux *Lettres Françaises* et autres publications clandestines. Puis soudain, avec une pièce, *Les Mouches,* en 1943, ce fut la gloire. Il y avait exprimé, par des symboles, ce que ressentait tout un peuple. Sa philosophie allait franchir la passe vers la haute mer dans le sillage de la Résistance. Pour les Américains qui affluaient à Paris vers 1944, les cafés fréquentés par Sartre, le Flore et les Deux Magots, le Tabou et la Rose Rouge, faisaient déjà partie d'une légende épique. Une légende que Sartre n'aime pas. Si des jeunes gens portant des chemises sales à carreaux rouges, achetées aux PX américains, lisaient ses livres, «cela n'a rien à faire, dit-il, avec ma philosophie ». Mais cela avait quelque chose à faire avec sa soudaine gloire. Comme disait Valéry : « le reste est vacarme ».

Vacarme, c'est-à-dire célébrité, popularité, honneurs offerts et refusés. Jean d'Ormesson a remarqué que Sartre, comme permettait de le prévoir son enfance, est resté très « Michel Strogoff », ou mieux encore, très « Cyrano de Bergerac ». Célèbre, il sera l'homme des beaux gestes, des batailles verbales, d'une certaine forme de panache. «Moi, c'est moralement que j'ai mon prix

Nobel. » Je citerai encore Jean d'Ormesson : « Dans les collections de tableaux que les Roquentin de l'avenir iront admirer dans la pinacothèque de la gloire littéraire, les portraits des belles âmes figureront aussi parmi ceux des salauds... Et les enfants des écoles nourriront long-temps une délectation toute particulière pour ce vieux Cyrano des maquis vénézuéliens. »

Vieux Cyrano sympathique, non dépourvu de généro-sité, mais contraint de jouer, comme nous tous, « en si-tuation », tel que l'a fait son succès. L'homme qui refuse de parler à l'Université américaine de Cornell pour pro-tester contre la politique des Etats-Unis au Vietnam, c'est le lecteur de Michel Strogoff. Il est permis de pen-ser qu'il eût mieux servi la paix en allant à Cornell et en y disant des vérités que les étudiants américains étaient préparés à accueillir. Mais le refus était un beau geste. Eternel sera le débat entre l'efficacité et la pureté. Et ceux qui ont choisi l'efficacité gardent une nostalgie de la pureté.

Je ne sais si Sartre, lui, garde une nostalgie de l'effi-cacité. C'est possible. Dans *Les Mots,* il annonce qu'il ne se reconnaît plus en l'auteur de *La Nausée.* « J'ai changé. Je raconterai plus tard quels acides ont rongé les transpa-rences déformantes qui m'enveloppaient, quand et com-ment j'ai fait l'apprentissage de la violence, découvert ma laideur — qui fut pendant longtemps mon principe négatif, la chaux vive où l'enfant merveilleux s'est dis-sous, — par quelle raison je fus amené à penser sys-tématiquement contre moi-même au point de mesurer l'évidence d'une idée au déplaisir qu'elle me causait. L'illusion rétrospective est en miettes ; martyre, salut, immortalité, tout se délabre, l'édifice tombe en ruine ; j'ai pincé le Saint-Esprit dans les caves et je l'en ai expulsé ; l'athéisme est une entreprise cruelle et de lon-gue haleine : je crois l'avoir menée jusqu'au bout. Je vois clair, je suis désabusé, je connais mes vraies tâches, je mérite sûrement un prix de civisme ; depuis à peu près dix ans je suis un homme qui s'éveille, guéri d'une longue, amère et douce folie et qui n'en revient pas et qui ne peut se rappeler sans rire ses anciens errements et qui ne sait plus que faire de sa vie. »

Coquetterie transcendantale, car il sait très bien ce qu'il fera de sa vie : il la racontera, et il montrera que, de cette enfance, jaillit sa morale, refus brutal de l'imposture et de la mauvaise foi des « gens de bien ». C'est pour avoir connu cette mauvaise foi, dans sa jeunesse, à la fois chez les siens et en lui-même, qu'il l'a combattue plus tard avec tant de colère.

II

LA PHILOSOPHIE

Sartre a été un philosophe avant d'être un romancier. Ses romans, ses nouvelles, ses pièces sont des incarnations de sa philosophie. C'est par elle qu'il a « accroché » les hommes de son temps. L'idée qui fit de lui un homme illustre fut d'unir littérature et philosophie. Il a toujours pensé qu'à chaque époque une seule philosophie est vivante, celle qui exprime le mouvement général de la société. Ainsi, au temps où les grands fauves de la noblesse française se voyaient domptés par la jeune monarchie, Descartes exprima pour eux ce qu'avaient été leurs vertus, qui animent encore pour nous les tragédies de Corneille. Ainsi le romantisme de Schlegel donna conscience d'elle-même à une Allemagne amorphe. Ainsi Bergson engendra Proust. A tout instant une doctrine féconde la littérature. Tel a été le cas de l'existentialisme français au milieu du xxᵉ siècle.

Cette idéologie eut deux sources. *La première*, c'est Kierkegaard, chrétien danois qui aménagea les philosophies pour y faire place à l'individu vivant. L'homme existant ne peut être exprimé par un système de concepts. « Le philosophe construit un palais d'idées et il habite une chaumière », une chaumière qui est lui-même. L'aventure de chacun en face des autres et de Dieu, voilà ce que Kierkegaard nomme l'existence. Cette existence lui apparaît tragique, imprégnée d'angoisse et secouée de tremblement. *Seconde source* : la phénoménologie de Husserl, qui étudie la façon dont les faits se

manifestent dans la conscience. Ce que nous appelons
« le monde » ne peut être fait que de ces phénomènes.
« La pensée moderne a réalisé un progrès considérable
en réduisant l'existant à la série des opérations qui le
manifestent. »

Que savons-nous du monde extérieur ? Rien, que les
faits de conscience. Mais d'autre part toute conscience
est conscience de quelque chose. « Le véritable monde
intérieur est le véritable monde extérieur. » Il n'y a
pas dualisme de l'esprit et de la matière. La chose
« en soi » n'existe qu'objectivée par la conscience. La
conscience, elle, existe « pour soi ». Le caractère d'une
chose est d'être ce qu'elle est, aveugle et inerte. La conscience s'apparaît ; elle est capable de s'arracher à son
passé et de se projeter vers l'avenir ; *elle est libre*. Là
nous sommes au cœur de l'existentialisme. C'est une philosophie de la liberté, qui met la volonté humaine au
centre de toutes choses. « L'homme est condamné à être
libre. » Tant que les Autres nous modèlent, nous accep-
tons leurs valeurs. Dès que nous créons nos propres
valeurs, nous devenons pleinement responsables. « Dès
que la liberté allume son fanal dans le cœur de l'homme,
les dieux sont sans pouvoir sur lui. »

L'homme est l'être pour qui l'existence précède l'essence. Une chaise est essence dans l'esprit du menui-
sier, avant d'exister. Mais l'homme ? Qui pourrait le modeler d'après une essence ? Dieu ? Sartre ne croit pas à
l'existence de Dieu. « Dieu est mort », disait Nietzsche.
Quant à Sartre, il a reçu Dieu de sa famille chrétienne.
« Faute de prendre racine en mon cœur, il a végété en
moi quelque temps, puis il est mort. Aujourd'hui quand
on me parle de *Lui*, je dis, avec l'assurance d'un vieux
beau qui rencontre une ancienne belle : « Il y a cinquante ans, sans ce malentendu qui nous sépara, il aurait pu y avoir quelque chose entre nous. »

A-t-on le droit de miser sur la liberté de l'homme
quand toute notre science est fondée sur le déterminisme
et sur la croyance aux lois de la nature ? Oui, car le
déterminisme n'est qu'une hypothèse de travail, utile

aux savants. Il ne peut s'imposer à la conscience qui l'a elle-même imposé aux choses. Le réel est là, mais sa réalité *pour moi* dépend de la façon dont je le réalise. La liberté de l'homme est absolue. On parlera de déterminisme psychologique ; on pèsera des motifs ; on dira : Je cesse de me battre *parce que* le combat est sans espoir, *parce que* les munitions manquent ; je cesse d'escalader la montagne *parce que* la nuit tombe, *parce que* mon cœur bat trop vite. « Tous comptes faits, ces analyses de motifs aboutissent à ceci : je renonce parce que j'ai décidé de renoncer. »

Et bien sûr, cette liberté n'implique pas que chaque homme puisse faire n'importe quoi. Nous existons, et nous voulons, dans une situation donnée. Je ne puis me faire roi d'Angleterre ; je ne puis passer l'agrégation si je suis illettré ; je ne puis courir le 100 mètres en dix secondes si je suis un gringalet. L'homme est son projet, c'est-à-dire ce qu'il veut être, mais il doit construire son projet en tenant compte de la situation. Il peut refuser de reconnaître la situation ? Oui, mais ce serait se rendre inefficace. Essayer d'arrêter une voiture en pleine vitesse en se jetant au-devant d'elle, c'est méconnaître la situation. *L'engagement* est un état de fait. Chacun de nous est engagé par ses actes. Ceux qui disent refuser l'engagement s'engagent par ce refus même, qui est un acte. Si même un auteur choisit d'être frivole, cette frivolité est encore un engagement.

Quelle que soit notre situation, la liberté de choix demeure considérable. Le prolétaire est conditionné par sa classe, mais « c'est lui qui, librement, décide du sens de sa condition et de celle de ses camarades ». Un infirme est conditionné par son infirmité ; pourtant il dépend de lui de la rendre intolérable, humiliante ou au contraire objet d'orgueil, source de force morale. « Je me choisis moi-même, non dans mon être, mais dans ma manière d'être. » Notre passé a été ce qu'il a été ; par l'attitude prise à son égard, nous pouvons modifier l'action qu'il exerce sur le présent. Il s'agit d'inventer le salut. Les jeux ne sont pas faits. Ils ne sont faits qu'à l'heure de la mort, la mort qui fait de nous un objet livré sans défense aux regards des Autres. On voit par là qu'il est injuste de tenir l'existentialisme pour une doctrine entièrement pessimiste. Elle laisse à tous, à tout moment, une espérance, une chance de vouloir.

A tous, sauf à ceux qui s'engluent dans « l'en-soi », dans le visqueux. Ceux qui se cachent à eux-mêmes leur totale liberté sont des « lâches ». Ici le vocabulaire de Sartre n'est pas en accord avec le langage de la tribu. Il appellera « lâches » ceux qui agissent, non par générosité libre, mais par respect pour des principes et des tabous consacrés. Un homme qui se fait tuer « par devoir », une femme qui est fidèle « par respect des contrats », sont, dans son vocabulaire, des lâches. Ceux qui croient que leur existence est nécessaire, ceux qui croient qu'un Dieu règle tout, sont « des salauds ». Les Justes, les Pharisiens, la plupart des bourgeois sont, aux yeux de Sartre, des « salauds ». Les salauds trichent ; ils sont de « mauvaise foi ». Quand ils mangent, ils disent qu'ils mangent pour réparer leurs forces afin de faire le Bien. Quel Bien ? L'homme, jeté sur cette île déserte, n'est responsable envers personne. Et pourtant il se *sait* responsable, responsable de tout, et même de ce qu'il n'a pas voulu, parce que vivre, c'est choisir. Responsable devant qui, puisqu'il n'y a pas de Dieu et que Sartre méprise les jugements sociaux ? Cette responsabilité est inexplicable, absurde, mais nous en avons tous conscience. Ici Kafka. Nous relevons d'un tribunal irréel et invisible.

D'où l'angoisse (thème kierkegaardien). « Si l'homme *n'est* pas, mais se *fait*, et si, en se faisant, il assume la responsabilité de l'espèce entière, s'il n'y a pas de valeurs ni de morale qui soient données *a priori*, mais, si en chaque cas, nous devons décider seuls, sans points d'appui, sans guides... comment pourrions-nous ne pas nous sentir anxieux lorsqu'il nous faut agir ? » Angoisse multipliée par l'existence, autour de moi, de semblables, doués eux aussi de conscience : *les Autres*. Le regard des Autres prend possession de moi et fait de moi un objet. **Dans** l'amour « l'amant ne désire pas posséder l'aimé comme on possède une chose, il exige un type spécial d'appropriation : la possession d'une liberté comme liberté». Toute l'histoire de la femme-objet est une longue aspiration à l'état de sujet. L'amour la voudrait à la fois objet et sujet.

Dans un ouvrage récent (*Critique de la raison dialectique*) Sartre a étudié les rapports de l'existentialisme et du marxisme. Elevé dans un humanisme bourgeois, il avait senti, très tôt, le besoin d'une philosophie « qui l'arracherait à la culture défunte d'une bourgeoisie qui vivotait sur son passé ». Le marxisme lui parut pouvoir être cette philosophie. « Nous étions convaincus, en même temps, que le marxisme fournissait la seule explication valable de l'histoire et que l'existentialisme restait la seule approche concrète de la réalité. » Dans la jeunesse de sa pensée, les deux doctrines lui semblaient complémentaires. Pourtant les éléments d'un conflit existaient. Le marxisme est un déterminisme. Il enseigne que la pensée de chaque époque est conditionnée par les méthodes de production et de distribution.

Mais alors il faut expliquer le Marxiste au pouvoir par sa propre philosophie. Dès qu'il devient gouvernant, le Marxiste contemporain pense police, armée, sécurité, unité. A la « ligne du parti » il soumet les esprits et même les faits. Si le sous-sol de Budapest ne permet pas de construire un métro, ce sous-sol est contre-révolutionnaire. Ce n'était pas ainsi (dit Sartre) que pensait Marx. S'il étudiait la brève et tragique histoire de la République de 1848, Marx ne se bornait pas à déclarer que la petite bourgeoisie républicaine a trahi le prolétariat. Il essayait de reconstituer cette tragédie. C'est à travers les faits anecdotiques que Marx essayait de comprendre la totalité d'un mouvement. Aujourd'hui on veut faire entrer les individus et les faits dans des moules préfabriqués. Par conservatisme bureaucratique, on prétend réduire le changement à l'identité.

En face de ce marxisme paresseux, dit Sartre, il est légitime de rappeler l'existentialisme. « Ce qui ruinerait l'idée marxiste, écrivait Alain, ce serait de vouloir que le progrès technique ait déterminé par lui-même tous les changements. Ce n'est pas si simple ; et la structure des sociétés humaines dépend aussi des sentiments, des pensées, et même d'une poésie. » Si l'on réduit toute générosité de pensée aux intérêts de classe, on retombe dans cette forme d'idéalisme que Marx a condamnée et qu'il nomme l'économisme. Le Marxiste contemporain croirait perdre son temps s'il tentait de comprendre une pensée bourgeoise dans son originalité. S'il veut parler de Valéry, il décrira « un certain idéalisme analytique, mathématique » qu'il nous présentera comme « un réflexe de défense d'un petit bourgeois de 1900 contre le matérialisme de la philosophie montante ». Quant à Valéry, il s'est évaporé. Que Valéry soit un intellectuel petit-bourgeois, cela est vrai, mais tout intellectuel petit-bourgeois n'est pas Valéry. A preuve Sartre. Cela ne veut pas dire qu'on nie l'importance de l'économie et de la technique. Cela veut simplement dire que Valéry était, aussi, et surtout, l'existant Paul Valéry.

Que faut-il conclure ? Non point que Sartre rejette le marxisme, mais qu'il essaie de récupérer l'homme vivant à l'intérieur du marxisme. Sans hommes vivants et particuliers, il n'y a pas d'histoire. Hegel avait déjà remarqué que les thèses opposées sont toujours abstraites par rapport à la solution qui est concrète. (Ainsi finira, par une solution concrète, l'abstraite et désuète querelle du libéralisme et du dirigisme.) Aussi Sartre s'approchera-t-il beaucoup plus de la vie dans son théâtre que dans sa philosophie.

Cette philosophie a fait beaucoup de bruit ; elle a exercé une influence. Mais elle a été en somme peu comprise. Les foules ont appelé existentialistes des filles et des garçons à cheveux longs ! Au vrai l'existentialisme est une philosophie de la liberté, grave, profonde, que Sartre a brillamment exposée et qu'il n'a guère inventée. Elle vient, comme nous l'avons dit, de Kierkegaard, de Heidegger, de Husserl. Ce qu'a fait avec succès tout un groupe d'écrivains français (et surtout Sartre, Simone de

Beauvoir), c'est de transposer cette philosophie en romans et en drames auxquels elle apportait un poids et une résonance, cependant que, réciproquement, romans et drames conféraient à l'existentialisme, sur les esprits modernes, un pouvoir qu'il n'aurait jamais eu sans ces incarnations.

III

LES ROMANS

Peut-on appeler *La Nausée* un roman ? Oui, puisqu'il s'agit d'une fiction, de personnages créés par l'auteur et d'une ville imaginaire : Bouville (qui rappelle Le Havre où Sartre enseignait alors). Mais ce roman est sans événements. C'est le journal métaphysique d'Antoine Roquentin, intellectuel déraciné qui vit dans une chambre d'hôtel ; écrit, sans trop savoir pourquoi, la vie d'un marquis de Rollebon ; couche avec la patronne d'un café sans l'aimer ; et s'ennuie tout au long de la semaine dans la solitude la plus morne. Autour de lui, personne. Les gens de Bouville ? Roquentin se sent bien loin d'eux.

« Il me semble que j'appartiens à une autre espèce. Ils sortent des bureaux, après leur journée de travail, ils regardent les maisons et les squares d'un air satisfait, ils pensent que c'est *leur* ville, une belle cité bourgeoise. Ils n'ont pas peur, ils se sentent chez eux... Les imbéciles. Ça me répugne de penser que je vais revoir leurs faces épaisses et rassurées. » Il les hait davantage encore lorsqu'il contemple au Musée les portraits des anciens bourgeois de Bouville, « irritants dans leur respectabilité figée et dans leur morgue ». On devine si bien qu'ils se croyaient en règle avec Dieu, avec la Loi, avec leur conscience. « Adieu, beaux lys, notre orgueil et notre raison d'être, adieu Salauds. »

A côté de Roquentin un seul personnage marquant : l'Autodidacte, qui représente l'illusion de la culture. Clerc d'huissier, atteint par la passion de la connais-

sance, l'Autodidacte a entrepris de lire, par ordre alpha-
bétique, tous les livres de la Bibliothèque municipale.
On pense à Sartre enfant lisant le Larousse. Sans doute
a-t-il mis dans ce personnage quelque chose de lui-même,
de ce qu'il fut à un certain moment de ses études, comme
Flaubert fut parfois Bouvard et Pécuchet. Mais il peint
aussi l'un de ses aspects en Roquentin, l'homme qui a
découvert que rien ne justifie l'existence, et qui a cessé
de croire aux illusions mondaines des Bouvillois, aux
ambitions et même à la culture. Que lui reste-t-il ? Rien.
En contemplant ce néant, il est pris par la nausée.

La nausée, c'est un dégoût de tout, non seulement des
hommes, mais des choses. Elles lui apparaissent gratui-
tes, contingentes. Pourquoi ce galet ? Pourquoi cette
racine ? Pourquoi ces arbres ? Ils sont là, mais pourquoi
sont-ils là ? « L'existence n'est pas la nécessité. Exister,
c'est *être là,* simplement ; les existants apparaissent, se
laissent rencontrer, mais on ne peut jamais les déduire...
Tout est gratuit, ce jardin, cette ville et moi-même.
Quand il arrive qu'on s'en rend compte, ça vous tourne
le cœur et tout se met à flotter ; voilà la Nausée ; voilà
ce que les Salauds essaient de se cacher avec leur idée
du droit. Mais quel pauvre mensonge ! » Personne n'a
le droit. « Les Salauds sont entièrement gratuits, comme
les autres hommes. » Ils sont *de trop* ; nous sommes de
trop.

Seulement nous ne pouvons pas nous empêcher d'exister, ni de penser. Et alors, devant cette pensée qui gros-
sit, devant ces choses (une banquette de cuir, une racine
de marronnier) qui deviennent grotesques et monstrueuses, Roquentin est envahi par l'angoisse, comme
l'était jadis Kierkegaard, comme le sont presque tous
les hommes qui se mettent à réfléchir sur la condition
humaine. On nage tranquillement dans une mer tiède et
soudain l'on se sent suspendu au-dessus d'un abîme. Ou
bien, comme Pascal, on se voit entre deux précipices.
Les Salauds nagent, avec confiance, et refusent de penser à l'abîme. Roquentin (et Sartre) voient la facticité
de l'existence.

Comment sauver la vie de ce manque de signification ? Gide suggérait : par l'acte gratuit. Une femme dont Roquentin fut l'ami : Annie, disait : « Par les moments parfaits ». Proust pensait que l'homme peut être sauvé par l'art, Pascal par la foi. Roquentin n'accepte ni justification religieuse, ni justification esthétique. Les Salauds, eux, ne connaissent pas ce problème : ils se croient justifiés. Sartre, comme Pascal, s'attache à miner leur fausse sécurité. Elle était fondée sur la morale de leurs pères. Pourvu qu'on en respectât les commandements, on se sentait justifié. Mais ces valeurs morales se sont dégradées en conventions. L'individu qui méprise les conventions se trouve seul, face à ses responsabilités.

La nausée de Roquentin apparaît à l'homme moyen comme une sensibilité rare et morbide. Pourquoi un galet, une racine éveillent-ils un dégoût si fort ? Il y a, en Sartre, une « capacité de nausée » exceptionnelle. Il éprouve une particulière horreur de tout ce qui est visqueux, mou, gluant et cela jusqu'au point de ne voir, dans l'acte sexuel, que ses aspects répugnants. Pourtant, si Sartre est à l'avant-garde du dégoût, il faut constater que le sentiment d'isolement et d'angoisse existe chez beaucoup de ses contemporains. Chez les uns parce que « Dieu est mort », les délaissant ; chez les autres parce que les violences, les lâchetés de notre temps leur ont enlevé toute confiance dans les valeurs traditionnelles.

Le rôle de la conscience humaine est de rendre une valeur à la vie : la seule valeur, c'est la liberté. Le grand roman que Sartre essaya d'écrire après la guerre : *Les Chemins de la Liberté* décrit un personnage qui, d'abord veule, découvre lentement ce qui lui manque : le bon usage de la liberté.

Premier tome : *L'Age de Raison*. Le livre se passe en juillet 1938 dans le monde, bien connu de Sartre, des cafés et des rues de Paris. Mathieu Delarue, professeur, intellectuel, a jusqu'ici refusé l'engagement. Il n'a pas épousé sa maîtresse : Marcelle, qui est enceinte ; il pense à la faire avorter ; il n'a pas pris part, malgré ses convictions, à la guerre d'Espagne. Il a conscience de sa liberté, mais il se refuse à l'engager. Aussi (comme Roquentin), il s'ennuie. Il a obtenu ce qu'il désirait : un poste à Paris, une maîtresse ; il jalouse les petits camarades qui n'ont pas craint de s'engager, par exemple son ami Brunet, communiste. Brunet peut être tout à fait calme, assuré ; il a sa place et son travail dans le parti. Il a choisi.

Pourquoi Mathieu ne franchit-il pas ce peu profond fossé qui le sépare de l'action ? Parce qu'il ne voit pas de raison pour le faire. La guerre lui révélera ce qu'on pourrait appeler : « la responsabilité généralisée. » Ceux qui n'ont pas agi pour empêcher la guerre en sont responsables. Tout homme pèse de son poids, si petit soit-il, dans les balances du Destin. Mathieu découvre, en 1940, qu'il n'est pas innocent de la défaite. Ne pas faire de politique, c'est encore une politique. Le tome II : *Le Sursis,* se passe au temps de Munich. Les personnages sont les mêmes ; ils continuent leurs vies individuelles ; mais la somme de leurs vies, de leurs choix, décidera de la paix ou de la guerre.

Ainsi la maigre liberté de Mathieu se trouve affrontée à une affaire mondiale qui le concerne. Pour mieux montrer cette interdépendance des destinées, Sartre enroule autour d'une même pensée vies privées et vies publiques ; Chamberlain, Hitler, Bénès et Mathieu. Ce dernier n'est pas (comme croyait l'être Roquentin) absolument libre en présence d'un néant, il est libre *en situation.* Dans le troisième tome : *La Mort de l'Ame* ce sera la défaite. Mathieu, honteux, éprouve un violent besoin d'affirmer sa liberté. Comment ? En s'engageant par un acte, sans doute vain, mais qui le délivrerait de ses prudences passées. Du haut d'un clocher il tire, avec un pauvre fusil, sur les chars allemands. Geste futile. Et pourtant...

« C'était une énorme revanche ; chaque coup de feu le vengeait d'un ancien scrupule. Un coup sur Lola que je n'ai pas osé violer, un coup sur Marcelle que j'aurais dû plaquer, un coup sur Odile que je n'ai pas voulu baiser... Il tirait, les lois volaient en l'air, tu aimeras ton prochain comme toi-même, pendant cette guerre de cons, tu ne tueras point, pan sur le faux jeton d'en face. Il tirait sur l'homme, sur la Vertu, sur le Monde. » Ce tir est absurde, inutile. Pourtant, par l'action, la liberté prend pour Mathieu son vrai sens. Mais est-ce vraiment la liberté que cette revanche sur le passé ? Le ressentiment est encore une contrainte.

Mathieu ayant disparu (tué ou non) Brunet prend la relève. Avec un troupeau de prisonniers, il est envoyé en Allemagne. Là un thème existentialiste. Le prisonnier, n'étant plus libre, ne peut former de vastes projets ; il doit, pour ne pas se désintégrer, se proposer des projets mineurs. Brunet, marxiste puritain, cherche des communistes parmi ses camarades et les prépare, par la discipline, à ce que sera leur travail, après la libération. Du IVe volume, *La Dernière Chance,* Sartre a donné quelques fragments, mais on croit sentir que le livre ne sera jamais terminé. Le héros et le roman ont buté sur une impasse. A la fin Brunet lui-même commence à avoir des doutes sur la ligne du Parti. Il semble que ce soit la tragédie de Sartre romancier, qu'ayant prêché l'engagement, il ne puisse créer que des êtres inaptes à l'action.

La violence de ses préjugés antibourgeois rend plus difficile la création par lui d'êtres vivants. Ou ses personnages sont bourgeois, et alors la haine les déforme ; ils deviennent des caricatures. Ou ils sont purs, et alors la sympathie les auréole d'une lumière inhumaine. Un critique anglais, John Weightman, note une phrase du Roquentin de *La Nausée* qui déclare que, bien sûr, il ne veut pas être comparé, lorsqu'il cherche un soulagement dans l'art, à une vieille tante à lui qui disait : « Les préludes de Chopin m'ont fait tant de bien au moment de la mort de ton pauvre oncle. » Une des limitations », écrit John Weightman « de l'esprit sauvagement antibourgeois de Sartre, c'est de ne pouvoir admettre qu'une tante, petite bourgeoise, puisse entrevoir un absolu en écoutant Chopin dans la sincérité de son chagrin. »

Les nouvelles du *Mur* sont des illustrations de thèses existentialistes. Dans *La Chambre* une femme, Eve.

épouse d'un fou, préfère vivre seule avec cet homme qui sombre dans la démence au lieu de le mettre dans un asile comme le suggère le père d'Eve, bourgeois de bon sens. Erostrate est le monologue d'un sadiste qui humilie une prostituée et tire sur une foule pour se défendre « des Autres ». *L'Enfance d'un chef* est une brillante étude de la formation d'un jeune et médiocre bourgeois qui ne sait « qui il est », et se cherche jusqu'au jour où il découvre qu'en se déclarant antisémite, il sera respecté par certains. Seule une sottise agressive le sauve de son néant.

IV

LE THÉÂTRE

C'est dans son théâtre que Sartre a incarné ses idées de la manière la plus vivante. C'est par son théâtre aussi qu'il a touché en tous pays un immense public. Sa première pièce : *Les Mouches,* jouée pendant l'occupation, a dû, pour une part, son succès aux allusions que les spectateurs y décelaient, mais elle a aussi une valeur permanente. Le sujet est le retour à Argos d'Oreste, fils d'Agamemnon et de Clytemnestre, dont le père a été assassiné par l'amant de sa mère : Egisthe. Depuis ce meurtre des millions de mouches se sont abattues sur Argos et tourmentent le peuple. Elles sont le symbole des remords qui rongent la ville entière.

Au début de la pièce Oreste, jeune, riche et beau, sceptique, professe qu'il ne faut jamais s'engager, « un homme supérieur enfin ». Il est libre, mais cette liberté est faite de son néant. Ce palais n'est plus le sien ; cette ville n'est plus la sienne. Ah ! qu'il voudrait devenir un homme parmi les hommes ! « Ah ! s'il était un acte, vois-tu, un acte qui me donnât droit de cité parmi eux... dussé-je tuer ma propre mère. » Mais Oreste, velléitaire, se résoudrait à quitter Argos sans agir, si ne surgissait sa sœur Electre qui, elle, a vécu avec le couple criminel et attend depuis quinze ans ce frère qui sera le vengeur et délivrera Argos.

Jupiter lui-même pousse Oreste à s'en aller, à renoncer. Faut-il toujours punir ? dit Jupiter. Les Dieux ont tourné ce tumulte au profit de l'ordre moral. Oreste se rebiffe. Il est « un bon jeune homme et une belle âme », mais il y a des limites : « Alors... c'est ça le Bien ? Filer doux. Tout doux. Dire toujours : « Pardon » et « merci »... C'est ça ? » Ici, coup de théâtre. Oreste a choisi ; il commettra l'acte irréparable, tuera le meurtrier de son père, sa propre mère et, renié par sa sœur, blâmé par Jupiter, s'éloignera d'Argos. Pourquoi Electre le renie-t-elle ? Parce qu'il l'a privée de sa raison de vivre : sa haine rêveuse, qui n'était qu'un rêve.

Oreste lui, héros existentiel, assume sans réserve la responsabilité de son acte. « Je suis libre, Electre ; la liberté a fondu sur moi comme la foudre. » Quant à Jupiter, ayant créé les hommes libres, il n'est plus maître de leur liberté. Oreste ne reviendra pas sous sa loi. « Car je suis un homme, Jupiter, et chaque homme doit inventer son chemin. » Nul destin ne s'impose à l'homme qui veut. « Les hommes ne sont impuissants que lorsqu'ils admettent qu'ils le sont. » Seulement, par son acte, Oreste s'est exilé de sa jeunesse. Il est entré dans l'âge adulte, celui de l'homme responsable, l'âge d'homme. Les gens d'Argos, qu'il a sauvés, le lapident, parce qu'il leur fait peur. Quand il part, les mouches (ou les Erinnyes) le suivent. Leur départ sera le salut d'Argos, assuré par Oreste, malgré Argos.

Les pièces suivantes reprendront le même thème : celui de la liberté, mais en montrant les échecs et les limites qu'imposent la mort, les privilèges sociaux et les nécessités de l'action. *Huis clos*, l'une des meilleures pièces de Sartre, est un mythe riche de sens. L'action se passe en enfer, un enfer qui n'est pas celui du Moyen Age ; un enfer sans diables, sans cuves d'huile bouillante. Pour torturer les hommes, la présence des hommes suffit. Trois personnages sont laissés seuls, ensemble, dans une banale chambre d'hôtel, pour l'éternité. Car « l'enfer, c'est les autres » ; l'enfer, c'est le regard lucide que les autres jettent sur nous. Les cœurs, à nu, sont livrés au jugement des autres libertés.Au vrai, cet enfer-là existe aussi dans la vie où les Autres nous placent, dès notre naissance, dans une situation qu'il nous faut accepter. Qu'est-ce que l'être d'un ouvrier d'usine ? Sa machine, son salaire qui commandent son type de vie. Mais après la mort, les Autres nous maintiennent en situation pour l'éternité et sans recours possible à l'action pour démentir ce jugement — ou l'interdire — ou le fuir.

Sartre ne croit ni à la survie, ni à l'enfer, mais « être mort, c'est être en proie aux vivants ». Les vivants jugent le mort, et qui le défendra ? A quoi s'ajoute l'idée que, pour le mort, « les jeux sont faits » (titre que donnera Sartre à un scénario de film). Les jeux sont faits, car la vie étant terminée, le mort ne peut plus la raturer, ni la compléter. Il faut bien tirer le trait et faire l'addition par laquelle il sera jugé, jugé par ses actes, car il n'est rien que ses actes. « *Huit clos* », c'est l'équivalent du mot de Mauriac : « Notre copie est remise. » Cette irréversibilité de la vie est un des sens de la pièce ; un autre étant la torture de vivre sous le regard des autres. Comme *La Peau de chagrin* de Balzac, ce mythe, riche et fécond, contient plus même que ne le sait l'auteur.

La Putain respectueuse, c'est la liberté abolie par les préjugés sociaux. Un noir est accusé d'un crime qu'il n'a pas commis ; Lizzie, prostituée blanche, sait la vérité et pourrait le sauver. Mais le nègre et la putain sont l'un et l'autre des victimes d'une société dominée par des salauds qui non seulement imposent leur justice et leur police, mais paralysent les consciences.

Les Mains sales posent le grave problème qu'ont eu à résoudre tous les hommes d'action. Hoederer, chef d'un parti prolétarien, croit à la nécessité de s'allier aux autres partis politiques contre un occupant éventuel. Les adversaires d'Hoederer veulent avant tout maintenir la ligne, et même si cette attitude rend impossible l'action utile. Leur chef, Hugo, est un jeune intellectuel bourgeois qui se fait envoyer chez Hoederer, comme secrétaire, pour le tuer. En somme Hugo, c'est Oreste, mais Oreste dans un monde révolutionnaire où il faut tenir compte des autres et où un beau geste est une faute. Hugo ne comprend pas les impératifs du Parti, parce qu'il est, par nature, un aristocrate. *Je respecte les consignes, mais je me respecte aussi moi-même... Si je suis entré au parti, c'est pour que tous les hommes en aient un jour le droit.* » A quoi le prolétaire répond : « *Nous, mon petit pote, si on y est entré, c'est qu'on en avait marre de crever de faim.* Hugo, lui, n'a jamais eu faim ; c'est un amateur ; il est venu par goût, par orgueil peut-être ; aux yeux de ses compagnons, « son acte n'était qu'un geste » (1). Il est à la fois coupé de la classe bourgeoise dont il répudie les valeurs, et du prolétariat qui répudie les siennes. En acceptant la mission de tuer Hoederer, il espère se faire accepter. Sa femme Jessica elle-même ne le prend pas au sérieux. D'ailleurs est-il sérieux ? Il joue des comédies, la comédie de l'amoureux, la comédie du révolutionnaire. Un seul homme voit clair en lui, et c'est sa future victime : Hoederer.

Tu n'aimes pas les hommes, Hugo, tu n'aimes que les principes... Et moi je les aime pour ce qu'ils sont. Avec toutes leurs saloperies et tous leurs vices... Les hommes, tu les détestes parce que tu te détestes toi-même ; ta pureté ressemble à la mort et la Révolution dont tu rêves n'est pas la nôtre ; tu ne veux pas changer le monde, tu veux te faire sauter.

Hœderer veut des résultats. Pour les obtenir il n'hésitera pas à louvoyer, à mentir. « Tous les moyens sont bons quand ils sont efficaces. » Hugo a peur de se salir les mains ; c'est une idée de fakir ou de moine. On n'a jamais rien fait sans se salir les mains. Hœderer est authentique, solide, adulte ; Hugo, comme Oreste, est un enfant. Sa femme Jessica se jette dans les bras d'Hœderer, parce que celui-là au moins est vrai, un vrai homme de chair et d'os. Hugo tire trois coups de revolver sur Hœderer. Crime politique ou crime de jalousie ? Les camarades ont besoin de le savoir afin de décider s'il est

(1) F. Jeanson : *Sartre par lui-même* (Editions du Seuil).

récupérable ou s'il faut l'abattre. Hugo leur crie : « Non récupérable », ce qui est un suicide et, comme tous ses actes, un geste théâtral.

Naturellement, aux yeux de Sartre, et aux miens (et bien que Hugo, comme Sartre, soit un idéaliste à la Michel Strogoff), c'est Hœderer qui a raison. Les mains sales font de meilleur travail que les gants rouges. « Il y a du travail à faire, c'est tout. Et il faut faire celui pour lequel on est doué. » Ce qui est, pense Sartre, la morale collective du prolétariat opposée à la morale individualiste du jeune bourgeois. Mais il se défend d'avoir écrit une pièce à thèse, et il a raison, car un auteur dramatique bourgeois pourrait opposer la morale de l'entreprise aux intérêts et aux passions de l'individu, et ce serait le même drame. « Il y a le salut de l'entreprise, c'est tout », dirait le patron.

Dans *Le Diable et le Bon Dieu*, Gœtz, soldat professionnel, assiège Worms pour le compte d'un archevêque, et se promet, s'il prend la ville, de passer au fil de l'épée vingt mille hommes, femmes et enfants. Il a toujours fait le mal ; il est sans pitié. Jusqu'au jour où le petit prêtre Heinrich lui révèle que le Bien est beaucoup plus difficile à faire que le Mal. Gœtz ne croit ni à Dieu, ni au Diable ; il est un cabotin et veut jouer le rôle de l'absolu, être lui-même Dieu ou Diable. Il tire à pile ou face, mais triche pour se condamner à faire le Bien, rôle neuf qui le tente. Pourquoi Gœtz est-il amer, divisé ? Parce qu'il est un bâtard, humilié pendant son enfance par la générosité même qu'on lui témoignait. Il donnera, sans rien accepter, pour humilier à son tour. « Le Bien se fera contre tous », contre la caste des hobereaux qui le méprisent comme bâtard et contre le peuple des paysans auquel (comme Hugo) il n'arrive pas à s'agréger. Il leur distribue ses terres, en vain. On lui dit qu'il va provoquer une révolte générale où les paysans seront vaincus. Peu lui importe. Il joue la partie de Dieu et il refuse la violence. Dans la Cité du Soleil, qu'il fonde, l'amour sera la seule loi.

En fait il s'agit d'amour de soi ; le cabotin Gœtz ne

joue pas seulement la partie du Dieu, mais le rôle de Dieu. Il le sait si bien que, lorsqu'au bout d'un an et un jour, le petit prêtre Heinrich vient pour juger la façon dont Gœtz a tenu son pari, Gœtz lui-même avoue qu'il a triché et qu'il a voulu que sa bonté fît plus de mal que jadis sa cruauté. « Tout n'était que mensonge et comédie. » Comment en sortir ? En prenant le commandement de l'armée des paysans et en faisant de nouveau son métier de chef, sans faiblesses ni pitié. « N'aie pas peur, je ne flancherai pas. Je leur ferai horreur puisque je n'ai pas d'autre manière de les aimer, je leur donnerai des ordres puisque je n'ai pas d'autre manière d'obéir, je resterai seul avec ce ciel vide au-dessus de ma tête, puisque je n'ai pas d'autre manière d'être avec tous. Il y a cette guerre à faire et je la ferai. » Puisqu'il n'y a ni Diable, ni bon Dieu, la seule solution est de faire son métier d'homme.

Francis Jeanson, dans son brillant *Sartre par lui-même*, met en lumière l'importance, dans cette œuvre, du thème du bâtard. Gœtz est un bâtard, Hugo est un bâtard par sa double appartenance, et si Sartre trouve plaisir à remanier le *Kean* de Dumas, c'est que Kean est « l'Acteur qui ne cesse de jouer, qui joue sa vie même, ne se reconnaît plus, ne sait plus qui il est. Et qui finalement n'est personne ». Ainsi le mythe de l'acteur rejoint celui de l'intellectuel — tout ensemble bâtard et comédien. « On ne joue pas pour gagner sa vie, dit le Kean de Sartre. On joue pour mentir, pour se mentir, pour être ce qu'on ne peut pas être et parce qu'on en a assez d'être ce qu'on est... On joue les héros parce qu'on est lâche et les saints parce qu'on est méchant... On joue parce qu'on deviendrait fou si on ne jouait pas. » Mais cette plainte de Kean, c'est encore celle d'Oreste, de Hugo, celle de Mathieu. Comme eux tous, Kean se libère par un acte : insulter en scène le public et le Prince de Galles. « Etait-ce un acte ou un geste ? » Un acte puisqu'il a ruiné sa vie ; un geste puisqu'il l'a fait en comédien. « Je me prenais pour Kean, qui se prenait pour Hamlet, qui se prenait pour Fortinbras. »

DE GIDE A SARTRE

Les Séquestrés d'Altona, c'est une des plus belles pièces de Sartre, étrange, confuse, terrible. Dans une famille de magnats industriels, près de Hambourg, un fils
vit séquestré dans sa chambre, nourri par sa sœur, caché
à tous parce qu'il est fou. Sa folie elle-même est un refuge contre ses pensées, souvenirs affreux de la guerre,
meurtres dont il fut responsable. Le père souffre d'un
cancer de la gorge et sait qu'il n'a plus que six mois à
vivre. Toutes les obsessions sartriennes rôdent dans cette
maison maudite : inceste, haine du père, séquestration.
Cette chambre du fou grandiloquent, en un sens, c'est
encore *Huis clos.* Frantz ne peut se soustraire au passé.
« Imagine une vitre noire. Plus fine que l'éther. Ultra-
sensible. Un souffle s'y inscrit. Le *moindre* souffle.
Toute l'Histoire y est gravée, depuis le commencement
des temps jusqu'à ce claquement de doigts... Tout va
ressusciter. Hein, quoi ? Tous nos actes. » Frantz croit
encore, dans sa chambre, que l'Allemagne ne s'est pas
relevée de la guerre, qu'elle expie, qu'après treize ans
l'herbe recouvre les rues. Soudain il découvre la vérité :
l'Allemagne plus prospère que jamais, l'Entreprise fami-
liale tournant à plein rendement. Privé de sa folie il ne
peut plus vivre. Son père et lui se tueront ensemble, en
voiture ; le suicide sera camouflé en accident.
   La force du théâtre de Sartre, dans *Les Mains Sales,*
dans *Les Séquestrés d'Altona,* est qu'il s'agit non de pièces à thèse, mais de tragédies, et peut-être aurait-on le
droit de dire : de *sa* tragédie, car refuser le prix Nobel,
refuser d'aller à Cornell, sont-ce des actes ou des gestes ?
Sartre est-il Hœderer ou Hugo ? Au vrai la question est
mal posée. On pourrait aussi demander : Balzac est-il
Vautrin ou d'Arthez ? Balzac est l'artiste capable de
créer Vautrin et d'Arthez ; Sartre est l'artiste capable de
créer Hœderer et Hugo.

V

Les *leitmotive* des romans et du théâtre se retrouvent dans les essais. Sartre a fait de la critique littéraire, et elle ne pouvait être qu'intelligente, mais elle traite surtout des intentions, des caractères. Il s'intéresse, en Baudelaire, moins au poète qu'à la mauvaise conscience. Baudelaire devient pour lui un homme de nausée :

> *Baudelaire ne put prendre au sérieux ses entreprises... S'il a pu si souvent envisager le suicide, c'est qu'il se sentait un homme de trop... C'est sans doute une des réactions les plus immédiates de son esprit que ce dégoût et cet ennui qui le saisissent devant la monotonie, vague, muette et désordonnée, d'un paysage.*

Je ne crois pas que ce soit absolument vrai ; Baudelaire éprouve *aussi* des enthousiasmes et des bonheurs, mais c'est dans la mesure où il est un héros sartrien qu'il intéresse Sartre.

Jean Genêt (*Saint Genêt*), c'est une autre histoire. Baudelaire s'avoue coupable ; Genêt, plus authentique, revendique ses vices et défie les Salauds. Enfant pauvre, il a été surpris par les Grandes Personnes au moment où il commettait un petit vol. Alors qu'il rêvait d'être un saint, il s'est vu rejeté par la société. Elle exigeait qu'il se repentît. Elle pardonne tout sauf le péché d'orgueil. Il répond : « Je suis un Voleur » et il assume fièrement cette responsabilité, comme celle de la perversion

sexuelle. En s'affirmant mauvais, il retrouve son authenticité. « S'il n'eût été mystifié au départ, la vraie morale
eût tenté Genêt. » Il avait l'étoffe d'un saint. Comme le
saint chrétien renonce au Péché, puis au Monde, pour
se donner à Dieu, Genêt renonce au Bien, et à la société,
pour ne s'attacher qu'au Mal. Sartre loue cette attitude,
à la lettre paradoxale.

La faute de Baudelaire (selon Sartre), c'est d'avoir
conservé son masque, d'avoir pris au sérieux son rôle,
d'avoir été incapable d'éliminer l'idée de Dieu. Or si
Dieu existe, l'homme est néant. L'athéisme de Sartre,
c'est la conquête progressive de la liberté contre la théologie. Il n'a aucun doute sur la victoire finale de
l'athéisme. Dieu est un concept qui a répondu à un besoin et qui « dépérira » en même temps que les hommes
prendront conscience de leur liberté. D'ailleurs il n'y a
plus de croyants authentiques : « Aujourd'hui Dieu est
mort, même dans le cœur du croyant. »

Ce qui apparaît (à la fois dans *Saint Genêt* et dans
Les Mots), c'est le passage, commencé en 1945, d'une
attitude négative à une attitude positive. « Refuser n'est
pas dire non, c'est modifier par le travail. Il ne faudrait
pas croire que le révolutionnaire refuse en bloc la société
capitaliste : comment le pourrait-il puisqu'il est dedans ?
Tout au contraire il l'accepte comme un fait qui justifie
son action révolutionnaire. « Changez le monde » dit
Marx... A la bonne heure : changez-le si vous pouvez.
Cela veut dire que vous accepterez beaucoup de choses
pour en modifier quelques-unes. » Ici Hœderer, une
fois de plus, triomphe de Hugo, et l'action de la pureté.
« Je pense qu'en toute occasion il y a quelque chose à
faire » dit Sartre à Jeanson. Je le crois aussi. Il faut
faire l'homme, mais cela veut dire : *mettre la bâtardise
au travail* et tirer du déchirement même, qui est au
cœur de tout homme, la force d'agir.

Dans un article sur *Les Mots* le critique Robert Kanters
écrit : « Quand M. Sartre s'interroge sur l'efficacité de
son action politique, se dit-il qu'elle a été bien faible,
bien utopique en face de la force des choses et des par-

tis ? Quand il s'interroge sur ses plus brillantes cons-
tructions intellectuelles, y voit-il beaucoup plus qu'un
jeu de miroirs où sa raison s'efforçait de perdre son
image ? » Et Kanters répond qu'il ne faut pas parler ici
de désespoir. Bien plutôt de lucidité courageuse. Le beau
de l'aventure est que cette confession d'un homme qui
s'éveille « d'une longue, amère et douce folie » où il a
entraîné une partie de sa génération, sera portée à son
crédit. *Les Mots* ne sont pas tout, mais lorsqu'ils sont
bien choisis, ils sauvent le maître des Mots.

TABLE DES MATIÈRES

TABLE DES MATIERES

— ACHEVÉ D'IMPRIMER —
LE 9 OCTOBRE 1967
SUR LES PRESSES
DE
L'IMPRIMERIE
CARLO DESCAMPS
CONDÉ-SUR-L'ESCAUT

Dépôt Légal : 4e trimestre 1967
Numéro d'Editeur 138
Imprimé en France